REGALO DE ROSA MA

AGOSTO . 2001

Las grandes traiciones de México

FRANCISCO MARTÍN MORENO

Las grandes traiciones de México

Diseño de portada: Marco Xolio
Fotografía del autor: Ana Lorena Ochoa

Editorial Planeta Mexicana, S.A. de C.V.
Avenida Insurgentes Sur núm. 1162
Colonia del Valle, 03100 México, D.F.

Primera edición: octubre del 2000
ISBN: 968-27-0799-4

Impreso en los talleres de Formularios Sancheza, S.A. de C.V.
Av. Tláhuac núm. 43-F, Colonia Santa Isabel Industrial, México, D

Impreso y hecho en México
Printed and made in Mexico

A Beatriz, mi mujer,
por su magia: ¡porque siempre está!

PRÓLOGO

Cuando inicié la investigación de *Las grandes traiciones de México* y empecé a comentar el tema de mis nuevos trabajos entre amigos y conocidos, me sorprendieron de sobremanera las respuestas que recibí al revelar las inquietudes que me condujeron a escribir el presente libro que el lector tiene en sus manos.

—Escribirás un almanaque —me dijeron unos colegas escritores— o una enciclopedia así de gorda —esgrimían como argumento otros intelectuales, al tiempo que abrían los dedos índice y pulgar, moviéndolos para atrás y para adelante, como si quisieran advertirme la cantidad de traiciones existentes en nuestra historia, así como el esfuerzo que tendría que abrazar para concluir la obra. Yo me preguntaba entonces ante semejantes actitudes, ¿acaso somos un país de traidores? ¿México está integrado por traidores? ¡Qué opinión tan funesta tenemos todos de nosotros mismos! Al desarrollar la redacción me percaté de que, efectivamente, las cadenas innumerables de felonías formaban parte muy importante de nuestro pasado. Cabían entonces otras interrogaciones. ¿Acaso en la historia de Francia o en la de Inglaterra o en la de España o Estados Unidos no se habían dado igualmente las traiciones? ¿En ese caso, las traiciones son inherentes a la naturaleza humana? ¡Horror! Sentí que era más conveniente investigar y redactar en lugar de dedicar mi tiempo a cuestionamientos éticos, sociológicos o sicológicos que estaban en realidad apartados de la temática que me inspiraba y al mismo tiempo eran ajenos a mi campo de acción.

Trataré de estudiar y de novelar traiciones notables, pensé, entre las que habrían de destacar las cometidas en las personas de próceres, líderes agrarios, jefes sindicales, destacados militares, ingeniosos y no menos valientes legisladores, sacerdotes, periodistas temerarios, así como políticos de diferentes estratos, tendencias y convicciones, sin olvidar, ni mucho menos, a los agudos intelectuales formados en los extremos de la idiosincrasia mexicana.

Para tal efecto dividí arbitrariamente nuestra historia patria en cuatro grandes capítulos: el México precolombino, el México colonial, el México independiente y finalmente el México posrevolucionario. ¿Cuántas traiciones cometieron nuestros emperadores aztecas o fueron ideadas por ellos mismos en contra del imperio, de sus huestes, de los suyos, del Estado, del gobierno o de su propio pueblo en general? ¿Cuántas se ejecutaron en nombre o en contra del propio virrey? ¿Cuántas fueron concebidas por líderes eclesiásticos, o sufridas por humildes párrocos o propuestas por sectores ultrarreaccionarios con una visión depauperada de la nación? Las traiciones no necesariamente deben ser contempladas a la luz estricta del sangriento magnicidio. Por supuesto que no: la aparición del Imperio de Iturbide para muchos pudo significar una traición a la causa y al proyecto republicano, de la misma manera que el fusilamiento del emperador para unos puede ser una traición más, mientras que para otros no pasa de ser un acto de elemental justicia democrática. ¿Qué tal la rebelión de los polkos patrocinada por la iglesia católica en plena invasión norteamericana en el siglo XIX o la ejecución del Plan de Tuxtepec que condujera e instalara a Porfirio Díaz en el Palacio Nacional por 30 años, él, el feroz "abanderado" del antirreeleccionismo?

Muchas de las traiciones fueron cometidas al violar la ley o ignorar la Constitución o pasar por alto costosos principios revolucionarios, cuya conquista significó el derramamiento de mucha sangre, así como la destrucción física y económica del país; otras fueron ejecutadas al desconocer planes clandestinos acordados conjuntamente para tratar de cambiar el rumbo democrático de la nación o al pasar por alto valores políticos, amistosos o incluso fraternales a cambio de una recompensa medible en una mayor cuota de poder, en dinero o simplemente en privilegios de cualquier naturaleza. Por supuesto, muchas traiciones pueden ser discutibles desde un punto de vista ético, político, moral, militar o patriótico, todo ello dependerá de quien haya escrito finalmente la historia. Una es, desde luego, la visión de los vencedores, otra es la de los vencidos... He ahí, por lo mismo, uno de los grandes atractivos de esta serie, *Las grandes traiciones de México*, que en este primer volumen contiene villanías que, desde luego, influyeron en forma determinante en el devenir nacional.

No es mi idea publicar la presente serie ordenada en términos de los capítulos antes descritos, sino, con la misma arbitrariedad, someterlos a la benévola consideración del lector sin respetar una cronología histórica ni siquiera geográfica para estimular su paciencia y su interés. De esta suerte, igual abordaré lo que yo considero una traición de Moctezuma a la llegada de los españoles a la ciudad de México-Tenochtitlan, que otra ejecutada en contra de Vicente Guerrero. Imposible ignorar las tantas tramadas por Antonio López de Santa Anna y su grito estremecedor en los instantes anteriores a su deceso, cuando confesó en su lecho de muerte que "nadie en la historia de México olvidará jamás mi nombre..."

¿Qué tal cuando durante la histórica batalla de San Ángel, librada en contra de los invasores norteamericanos en 1847, el ordenanza tocó "equivocadamente"... a retirada en lugar de al ataque en el preciso momento en que las armas nacionales parecían cubrirse de gloria por primera vez a lo largo de aquella dolorosa intervención armada que nos costó la mitad del territorio patrio? Raro, ¿no...? El Tratado McLane-Ocampo, ¿fue una traición en contra de México cometida por el gobierno de Juárez? No será posible dejar en el tintero la traición cometida en contra de Miguel Hidalgo y Costilla o la que se dice cometió el propio Morelos cuando a través de una tortura reveló el nombre de "los cabecillas" que le ayudaban en el movimiento de independencia en México. ¿Es una traición confesar la identidad de los aliados cuando esta dolorosa verdad se arranca junto con la piel hervida de las palmas de las manos? Inquietante problema ético, ¿no?

¿Cómo olvidar otras traiciones como la cometida por Victoriano Huerta, el chacal, el general medio hombre y medio bestia, en contra de México al haber pactado con el embajador yanqui la sucesión presidencial y haber hecho asesinar al presidente Madero y al vicepresidente Pino Suárez? ¿Y la sufrida por Zapata según instrucciones inconfesables de Venustiano Carranza...? ¿Y la de Villa después de su entrevista con Pagés? ¿Y la de Francisco

Serrano en Huitzilac? ¿Y la de Obregón en la Bombilla? ¿Plutarco Elías Calles no traicionó políticamente el devastador y regresivo movimiento revolucionario desde que instauró el vergonzoso maximato y aquello de que el presidente vive aquí pero el que manda vive enfrente...? ¿Es cierto aquello de que las revoluciones sirven para concentrar aún más el poder o no sirven para nada? ¿Es cierto...?

Cuando se sostiene que en el siglo pasado, el siglo XX, fueron asesinados dos presidentes mexicanos en el ejercicio de sus elevados encargos y un presidente electo, en realidad se está faltando a la verdad histórica, porque si bien es cierto que Carranza fue asesinado efectivamente en Tlaxcalantongo en su carácter de presidente de la República, y Obregón cayó muerto en el restaurante La Bombilla, en San Ángel, siendo sólo presidente electo, no es menos cierto que Francisco I. Madero ya había renunciado como jefe del Ejecutivo cuando estaba secuestrado por Victoriano Huerta en la intendencia de Palacio Nacional. ¿Madero mismo traicionó a la institución presidencial y a la ciudadanía cuando, estando preso en la intendencia de Palacio Nacional renunció a su elevado encargo con tal de salvar su vida sin imaginar que su sentencia de muerte ya había sido dictada en términos irrevocables por el propio embajador norteamericano y el chacal? ¿Dos presidentes mexicanos fueron asesinados en el ejercicio de sus elevados encargos o sólo uno, porque Madero ya había renunciado...? De cualquier forma, la traición cometida en las personas de Madero y Pino Suárez por el propio Huerta puede calificarse, sin duda, como una de las más aviesas y perversas de nuestra historia patria.

La historia de México está saturada de traiciones y conjuras, fusilamientos y asesinatos, emboscadas y sabotajes derivados de las luchas para alcanzar o mantener el poder. Como última expresión de la razón y en nombre de la libertad, el progreso o el respeto a la ley, los pelotones de fusilamiento han segado la vida de muchos hombres ilustres ante la irrelevancia del diálogo, la imposibilidad de convencer o la necesidad de imponer amenazantes medidas ejemplares. Ahí está el caso del cura Hidalgo: traicionado y fusilado en 1811. Allende: traicionado y fusilado. Aldama: traicionado y fusilado. Jiménez: traicionado y fusilado, todos ellos en el año aciago de 1811. José María Morelos: fusilado en 1815; Miguel Bravo: fusilado en 1815; Francisco Javier Mina: fusilado en 1817; Iturbide, fusilado en 1824; Guerrero: traicionado y fusilado en 1831; Ignacio Comonfort: asesinado en 1863; Santos Degollado: emboscado y asesinado en 1861, además de Maximiliano, Miramón y Mejía: fusilados conjuntamente en 1867.

Además de los asesinatos políticos cometidos posteriormente por los esbirros del porfirismo y sus larguísimos brazos capaces de alcanzar, se encontraran donde se encontraran, a los enemigos del *ancien régime*, en los años posteriores que van de 1913 a 1928 el crimen político impuso en forma macabra su artera ley en México. Una vez más los mexicanos dimos cuenta y razón a propios y extraños de nuestra incapacidad de hablar, de parlamentar, de discutir y negociar para dirimir nuestras controversias domésticas. Ante los obstáculos y el hartazgo, simplemente lanzamos una soga por encima de la rama de un ahuehuete o colocamos una cuerda sobre uno de los brazos de los postes telegráficos para colgar del cuello a los *rotitos* o a los *pelones* o a los *colorados* opositores a nuestros designios. En el paredón silenciamos igualmente la voz de nuestros enemigos al hacer retumbar con siniestra sonoridad el eco de la mortal descarga en la inmensidad del horizonte. No hemos aprendido a parlamentar: cuando la paciencia se agota, jalamos el gatillo, golpeamos con el fuete las ancas del animal sobre el que descansa el cuerpo de la víctima con la vista clavada en la frondosa copa de uno de los árboles del Bajío o a la orden de ¡fuego! o a la de "¡mátenlos en caliente...!" o "¡*ajusílenlos* y luego *veriguamos*...!" o "¡háganse cargo de ellos...!" al estilo de la más decantada tradición criminal obregonista-callista, exterminamos uno a uno a los "enemigos de la paz social..." o a los "sediciosos responsables de la alteración del orden..." sin detenernos a considerar ni los medios ni muchas veces las consecuencias de matar a los militantes de uno u otro bando.

Con la serie de traiciones y asesinatos cometidos a raíz de la Decena Trágica da inicio en 1913 un capítulo de crímenes —quince años sangrientos— que concluye con el asesinato de Álvaro Obregón en el restaurante La Bombilla en 1928. Así tenemos el siguiente recuento macabro que no sólo describe las luchas intestinas por el poder, sino que deja al descubierto nuevamente nuestra tendencia histórica a resolver nuestras diferencias políticas por medio de la bala en lugar de recurrir a la palabra: Aquiles Serdán: asesinado en 1910; Francisco I. Madero: traicionado y asesinado; José María Pino Suárez: traicionado y asesinado; Gustavo Madero: traicionado y asesinado; Belisario Domínguez: asesinado; Serapio Rendón: asesinado, y Adolfo Gurrión, entre los más notables, igualmente asesinado en 1913 a manos de Victoriano Huerta; Emiliano Zapata: traicionado y asesinado en 1919; Felipe Ángeles: fusilado en 1919; Venustiano Carranza: traicionado y asesinado en 1920; Francisco Villa: asesinado en 1923; Francisco Field Jurado: traicionado y asesinado; Salvador Alvarado: asesinado en 1924; Carrillo Puerto: fusilado en 1924; Francisco Serrano: asesinado en 1927 junto con otros tantos más igualmente victimados por la diarquía Obregón-Calles. La siniestra cadena continúa con Adalberto Palacios: fusilado en 1928; Arnulfo Gómez: fusilado en 1927, y finalmente Álvaro Obregón: asesinado en 1928 después de reelegirse como presidente de la República a pesar de que una de las máximas conquistas revolucionarias consistía en el "Sufragio efectivo. No reelección". Las balas alojadas en el cráneo y en la espalda, disparadas a quemarropa, acabaron con sus insaciables ambiciones políticas.

Ni la comisión de tantos crímenes políticos incluidos los asesinatos de tres presidentes de la República en lo que va del siglo ni los peligrosos síndromes ya claramente expuestos en Cananea y en Río Blanco ni la muerte a continuación de más de un millón de mexicanos como consecuencia del estallido de nuestra revolución —ninguno de estos lamentables sucesos— pudieron propiciar en nuestro país el final advenimiento de la democracia y su deslumbrante cauda de generosas ventajas políticas, económicas, sociales, culturales, ecológicas y educativas, etc... ¿Quién iba a decir que cuando Porfirio Díaz declaró a Creelman en 1908 que él, el tirano octogenario, consideraba que México estaba finalmente listo para la democracia nos íbamos a tardar casi un siglo en alcanzarla? ¿Dónde estuvo la sociedad en estos últimos 100 años?

¿Qué papel jugaron las traiciones en la historia de México? ¿Hasta dónde desviaron el curso de nuestro devenir como nación y obstaculizaron nuestro desarrollo con inmensas consecuencias? Aquí está, en manos del lector, este primer volumen de traiciones noveladas en las que aparecen los protagonistas más destacados en su caracter de víctimas o victimarios...

No podría terminar de escribir este breve prólogo sin agradecer a mi valioso equipo de investigadores su inapreciable ayuda. Ahí están Viviana Kuri Haddad, Mireida Velásquez Torres, Dafne Cruz Porcini, Ricardo Reynoso López, José Sánchez Zolliker, Yamile Neme Nacif, Norma García Arévila, María José Garrido Asperó y Ana Paula Rivas Ochoa. De ellos fue la afanosa y dedicada investigación histórica, mías y sólo mías son las conclusiones.

Párrafo aparte se merece, con honores especiales, Ana Paula Rivas Ochoa, quien coordinó los trabajos reunidos en este primer volumen de *Las grandes traiciones de México*. Ella, invariablemente responsable, ordenada y rigurosamente puntual en todo momento, tuvo que vérselas con un escritor invariablemente distraído, disperso y desordenado. Sus constantes regaños, su insistencia y, sobre todo, su infinita comprensión hicieron finalmente posible este libro.

Otro párrafo aparte requiere Beatriz, mi mujer, quien revisó una y otra vez el texto, corrigió errores y me hizo valiosas aportaciones para dejar bien definidos los perfiles de los personajes históricos. Su inmensa paciencia y dedicación fueron muy motivantes para concluir mis trabajos.

Lomas de Chapultepec, agosto de 2000

¿ES JUSTIFICADA LA TRAICIÓN CUANDO SE TRATA DEL AMOR...?

Encuéntrame un amante razonable
y te daré su peso en oro.
PLAUTO

Los amores secretos son deliciosos, enajenantes, son, por definición, traviesos, mágicos, refrescantes. Ignoran la prudencia, la discreción y el recato cediendo el espacio al placer, al capricho, al embrujo, a la turbación y a la esclavitud en la más hermosa de sus modalidades. No en balde escribía el poeta: "¿De qué me sirve ser rey si después de serlo seguiré siendo tu esclavo...?"

Amantes, dementes, según lo decía Plauto: los amantes apasionados, como Agustín de Iturbide y María Ignacia, la "Güera Rodríguez", subestiman el peligro, desafían todos los riesgos a cambio de saciar una sed insaciable; exponen cuanto tienen sin percatarse de la afortunada erosión de sus niveles de conciencia a cambio de seguir palpando, estrujando y acariciando la materia más exquisita de la Creación: la piel del ser amado. Los amantes, finalmente, viven una realidad festiva distinta a la que padece la mayoría de los humildes mortales, sus semejantes. La dimensión de la amenaza social, el tamaño de la sanción jurídica, la trascendencia del castigo familiar, además del daño personal, son consecuencias irrelevantes, obstáculos insignificantes, nimios, por los que de ninguna manera se debe sacrificar el amor, un poderoso sentimiento reservado a los privilegiados, a los escogidos, quienes así, por el solo hecho de haber disfrutado esa vivencia, pueden dar por justificada toda su existencia.

La visión de los enamorados está felizmente distorsionada. No se puede ser sabio cuando se ama. Ellos mismos han creado un hermético espacio, un espacio impenetrable en donde sólo tiene cabida la pareja. Ellos, los amantes, han construido un mundo de oropel en el que las risas y los vértigos, la hilaridad y la ensoñación, la explotación de los sentidos y las fantasías inconfesables acaparan su atención de día y de noche, soñando despiertos o dormidos, solos o acompañados en sus diarios quehaceres. Para ellos, cada mañana les obsequia mil rosas, agua fresca y cantarina, y por si fuera poco todavía disfrutan su soledad, invariablemente en llamas, cuando la separación momentánea es irremediable.

Las conversaciones inacabables, las disputas enardecidas por la conquista del placer, el intercambio de palabras tiernas o severas, suplicantes o lacerantes; los repentinos arrebatos, la súbita angustia y la invasión gradual de una paz eterna son impulsos, delirios, enfoques y actitudes disímiles que se repiten por instantes como si representaran el baile de las mil máscaras, donde los sentimientos se suceden precipitadamente los unos a los otros como si se interpretara febrilmente la escala tonal del pentagrama en toda su espectacular sonoridad.

Ahí, en el seno de nuestra historia, ahí están los amantes, Agustín y María Ignacia, presas de amores prohibidos por la ley, por la sociedad y, sobre todo, severamente sancionados por la Santa Inquisición y su temido Santo Oficio que, encubierto en sotanas siniestras y oculto bajo enormes capirotes negros, ordena al verdugo encender la hoguera para privar de la vida a supuestos herejes, paradójicamente acaudalados herejes, mientras bendicen la ejecución invocando la misericordia Divina con la mirada clavada en la inmensidad del firmamento. ¿Arrancar confesiones falaces a través de la tortura? ¡Sí! ¿Quemar vivos a los seres humanos? ¡Sí! ¿Matar en el nombre de Dios y en la defensa de la santísima fe como igualmente aconteció en las sangrientas cruzadas? ¿Vender indulgencias plenarias? ¡Sí, también! ¡Horror! ¿Y la piedad cristiana? ¿Y la ética, la dignidad y los valores? ¿Y el evangelio?

La Güera, nuestra Güera, se dice, se afirma, se sabe, sostuvo notables romances. Ahí está el caso, entre otros, de Simón Bolívar, el famoso libertador sudamericano, quien, cuando visitó México con apenas dieciséis años de edad conoció a María Ignacia para no olvidarla jamás. ¿Hubo romance? Es difícil asegurarlo, las condiciones tal vez no eran las más idóneas... Las diferencias de edad en aquellos años bien pudieron impedir cualquier desenlace amoroso. Sólo que ahí quedó constancia del paso de este bravo militar, uno de los padres de la independencia de América del Sur, en la vida de María Ignacia. Y, ¿qué tal la celebrada admiración que causó la bella mujer cuando el famoso barón Alexander von Humboldt pasó por tierras mexicanas?

¿Cómo dejar de mencionar el idilio compartido nada más y nada menos que con don José Mariano Beristáin de Sousa "quien ejercía de canónigo en la Santa Iglesia Metropolitana", el mismo que formaba parte del cabildo de la catedral y que rezaba el oficio divino los domingos en el interior del templo? Ése, sí, ése, el que nuestra Güera invitara a su propia casa, al nido de amor donde también vivía con su marido, para lograr que el sabio, bien sabio sacerdote trabajara en "sosegada calma" en la integración de las largas listas de escritores mexicanos y de la América septentrional... ¿Hay más? Sí: imposible olvidar a otro salaz eclesiástico, don Ramón de Cardeña, un capitular y clérigo claramente disoluto, canónigo también, sólo que de la catedral de Guadalajara, con el que tuvo largos "dares y tomares", no más alegres que desenfadados y felices... Para terminar es menester recuperar la figura de don Juan Ramírez, un escandaloso y seductor párroco de la ciudad de México, quien gozaba de un físico ciertamente atractivo para el gusto de las mujeres, un ensotanado simpático y audaz, dueño de una singular verborrea y que antes que capellán parecía un actor de teatro que bien hubiera podido representar obras de Calderón de la Barca. Los amoríos, pues, con los representantes del clero, de ninguna manera podrían ser tildados de insignificantes o indignos de ser rescatados o recordados.

¿Ellos, los canónigos, los párrocos, los clérigos, presbíteros, obispos y arzobispos cometiendo pecado mortal? ¿Provocando la ira infinita e incontenible de Dios? Qué más daba, al fin y al cabo las indulgencias plenarias se las concedían los mismos vicarios a puerta cerrada, cerradísima después de cada encuentro amoroso con nuestra Güera. ¿Cuál miedo al Juicio Final? Ellos no temían a la Santa Inquisición ni a los verdugos ni a las torturas ni a la ingestión forzosa de agua a través de un embudo ni al potrillo que arrancaba brazos y piernas ni a ser colgados de las extremidades hasta romper todas las coyunturas dentro de gritos agónicos de dolor que sólo podrían ser escuchados en el infierno ni les quitaba el sueño la expropiación de bienes ejecutada en contra del patrimonio de los herejes acaudalados con tal de quedarse con todos sus haberes para financiar la causa católica... ¿No era una auténtica maravilla ser juez y parte y poder disfrutar las excelencias de aquella mujer con el dinero, además, de los poderosos "herejes" incinerados...? ¿Por qué temer si ellos integraban el Santo Oficio y podían concederse el perdón divino: hija mía, querida María Ignacia, te espero hoy a las siete de la noche en la sacristía. Sé puntual, entra por la puerta trasera, debo consagrarte... Trae ropa ligera y, por favor, ya ven sin crinolinas, no me hagas trabajar tanto... La reunión daba comienzo cuando frente a imágenes religiosas el señor arzobispo se desprendía antes que nada de la mitra, después de la casulla para quitarse finalmente el alba, aquella prenda larga y blanca que simboliza la pureza...

Como es bien sabido, María Ignacia Rodríguez se casó en tres ocasiones, habiendo quedado dos veces curiosamente viuda... Dado que su primer marido la golpeaba ferozmente, María Ignacia acudió a las autoridades eclesiásticas con el fin de solicitar su separación. ¡No faltaba más![1] Cuando la Güera rompe con todos los parámetros sociales y religiosos de la época y llega a considerar la separación conyugal, de inmediato recibe el apoyo de la orden de los franciscanos y los canónigos de la catedral —paradójico, ¿no...?—, apoyo que bien pudo incendiar a José Jerónimo López de Peralta de Villar Villamil y Primo, el marido, quien no tardó en denunciar que los religiosos estaban coludidos con su hermosa mujer. ¡Ay, pintoresco siglo XIX mexicano...!

Pero nuestra Güera no sólo rompe con todos los parámetros sociales y religiosos de la época, sino que tiene el atrevimiento de intervenir en la política y no sólo eso, sino en la política absoluta y estrictamente prohibida, al apoyar unas veces abierta y otras en-

---

[1] El abultado expediente de ese escandalosísimo asunto se encuentra en el Archivo General de la Nación en el ramo criminal.

cubiertamente, en algunas ocasiones más hasta con recursos económicos propios, a los cabecillas del movimiento de independencia en México. Por tal respaldo, María Ignacia fue citada a comparecer ante el Santo Oficio de la Inquisición, y aunque el incidente no pasó de un destierro temporal a la ciudad de Querétaro (la Güera sabía muy bien a qué funcionario de alta feligresía acercarse para obtener la máxima benevolencia en la pena...), su "castigo" seguramente motivó serias recriminaciones y numerosos golpes de pecho, la elevación de plegarias, rosarios, avemarías, padrenuestros y todo género de rezos, penitencias y flagelaciones provocadas por el atrevimiento de una mujer singular y, además, perteneciente a un elevado estrato social, el que supuestamente no debería tomar parte activa en la insurgencia, un movimiento libertador rechazado fanáticamente por las buenas conciencias y, desde luego, por la institución más retardataria conocida en la historia de México: la Iglesia católica.

Sin embargo, ella no corrió, ni mucho menos, con la suerte del padre Hidalgo ni la del padre Morelos y Pavón ni la de otros tantos clérigos liberales más, a quienes, una vez presos, la Santa Inquisición los excomulgó no sin antes arrancarles apostólicamente la piel de las palmas con un ácido corrosivo por haber osado tener en las manos los Santos Sacramentos. A nuestra Güera no se le sometió a ninguna tortura para que revelara todo tipo de secretos ni se le introdujo en una mazmorra oscura y saliginosa sin ventilación, y demás, saturada de ratas de todos los tamaños que bien podían devorarle las extremidades ni se le condenó a perecer incinerada en la hoguera por estar prohibidas las penas donde apareciera la sangre ni fue ejecutada de rodillas y de espalda al pelotón de fusilamiento ni le dieron tiros de gracia ni se le cortó la cabeza para exhibirla como escarmiento público en las esquinas de la Alhóndiga de Granaditas, como correspondía a los traidores de la fe católica, un castigo apenas benigno y piadoso, según se acordara en el interior de los salones macabros del Santo Oficio.

Agustín de Iturbide, el consumador de la independencia de México, el genio político que produjera el histórico abrazo de Acatempan, el indiscutible jefe del Ejército Trigarante que convirtiera en astillas a la odiosa colonia para dar nacimiento a un nuevo país, un México libre y soberano, y María Ignacia Rodríguez, la audaz y hermosa mujer de la alta aristocracia que hacía añicos los moldes, dados y troqueles sociales de su época, la famosa Güera Rodríguez, ante cuyos encantos, gracia y talento, los hombres de todas las latitudes sucumbían víctimas de un hechizo bíblico, ambos, decíamos, subsistían consumidos por un fuego interno, devorados por una ansiedad carnal, ávidos de conocer toda la verdad y temerosos de al fin saberla...

Para ellos el amor era eterno, sí, eterno, solamente en tanto durara su pasión, su encuentro, y no se agotaran sus añoranzas. Ésa era la verdadera eternidad en la vida, la momentánea, la única eternidad. ¿Acaso hay otra? ¿Quién no prefiere un minuto en la vida que cien años en la gloria? Bien le había susurrado la Güera en una ocasión al oído de su Agustín mientras yacían desfallecientes en el lecho tratando de recuperar la respiración: "Ama mientras vivas, ¿sabes?, en el mundo todavía no se ha encontrado nada mejor...", concluía entre sonrisas salpicadas de complicidad para envolverse, acto seguido, de nueva cuenta entre los brazos del futuro emperador del Anáhuac.

Gozaban su secreto, una de esas tantas cosas no razonables y maravillosas, estúpidas y locas de que se compone el amor. ¿Cómo olvidar cuando él, sin ceñirse todavía las doradas ramas de laurel sobre sus sienes mortales le confesó: "A ti debo amarte todos los días como si fueras a morirte mañana mismo...", y ella respondía con sonrisas furtivas, caricias atrevidas y arrumacos de felino goloso?

Las sonrisas sardónicas asomaban por las comisuras de los labios cuando la soledad se apoderaba de ellos o cuando se imponía el obligado descanso después de los arrebatados encuentros amorosos vespertinos.

Don Artemio de Valle-Arizpe asegura, y a su vez cita a Vicente Rocafuerte en su *Bosquejo ligerísimo de la revolución de México*, que el frenesí entre María Ignacia e Iturbide llegó a tal punto, que Iturbide quiso separarse de su legítima esposa, doña Ana María Josefa Ramona Huarte Muñoz Sánchez de Tagle de Iturbide. Valle-Arizpe reproduce lo siguiente:

> Contrajo (Iturbide) trato ilícito con una señora principal de México, con reputación de preciosa rubia, de seductora hermosura, llena de gracias, de hechizos y de talento, y tan dotada de un vivo ingenio para toda intriga y travesura, que su vida hará época en la crónica escandalosa del Anáhuac. Esta pasión llegó a tomar tal violencia en el corazón de Iturbide, que lo cegó al punto de cometer la mayor bajeza y traición que puede hacer un marido; con el objeto de divorciarse de su esposa, fingió una carta (y aun algunos dicen que él mismo la escribió), en la que falseando la letra y firma de su señora se figuraba que ella escribía a uno de sus amantes; con ese falso documento se presentó Iturbide al provisor pidiendo el divorcio, el que consiguió haciendo encerrar a su propia mujer en el Convento de San Juan de la Penitencia. Esta inocente y desgraciada víctima de tan atroz perfidia, sólo se mantuvo con seis reales diarios que le asignó para su subsistencia su desnaturalizado marido.[2]

¿Encontraríamos aquí la traición perpetuada por Agustín de Iturbide y la Güera Rodríguez dirigida hacia la esposa del futuro emperador? Por supuesto, ¿o qué, acaso no constituye una perfidia sin límites falsificar una carta de amor e involucrar a su mujer en una relación amorosa inexistente provocándole la pérdida de la libertad y la vergüenza pública sólo por defender un amasiato, un contacto adúltero? Sí, sí, ahí está la traición expuesta sobre la mesa, la prodición a su máxima expresión, la incalificable felonía cometida por el héroe, el libertador de México en contra de su esposa; sí, sí, ahí está, sólo que la realidad, aun cuando en nada

[2] Los paréntesis son de Valle-Arizpe.

exonera al propio Agustín, fue bien diferente. Aquí está: nuestra Güera había decidido ser la primera emperatriz de México. Estaba desde luego dispuesta a todo con tal de ceñirse la diadema de brillantes purísimos tallados para tan fausto acontecimiento por los más reconocidos orfebres holandeses del siglo XIX:

Todo lo que he querido lo he tenido en mi vida. ¿Hombres? Los que fueren: por mi lecho han pasado obispos, príncipes de la iglesia, inquisidores, investigadores, científicos, líderes políticos nacionales e internacionales y empresarios hasta llegar a mi Agustín. ¡Ay, Agustín de mi vida! Él me hará emperatriz, lo juro por los cuatro clavos de Cristo y por la Santa Cruz del Gólgota...

A partir de ese momento y con la actividad y la imaginación febril que la caracterizaban, esa mujer de "vitalidad desbordante y ánimo y pecho brioso" ideó, diseñó y soñó incluso con un sinnúmero de estrategias, las pensó y las repensó, las analizó y las sopesó hasta el cansancio con tal de deshacerse de Ana de Iturbide, impedir a todo trance y a cualquier precio su coronación, honor que, desde luego y por supuesto, sólo le correspondía a ella, a María Ignacia, de acuerdo o no con la suprema gracia de Dios. Así, confirmando su exitosa costumbre de recitarle, en el lecho, poemas a su amado en las tardes veraniegas de bochorno amoroso o de murmurarle todo género de travesuras eróticas o de susurrarle todos sus caprichos al oído, fue precisamente en uno de esos momentos, de la misma manera que el cazador espera pacientemente apuntando a la cabeza de su presa, cuando le expuso a su amante, el futuro emperador, los grandes trazos de su bien urdido plan para ser ungida, en la catedral metropolitana, como la única e indiscutible emperatriz de México. Iturbide escuchó la estrategia sin parpadear y sin percatarse de que cada palabra en apariencia meliflua, en el fondo era cicuta pura inyectada lentamente en sus oídos. Iturbide aceptó, sí, aceptó tartajeando, dudando sin dejar de contemplar precautoriamente de reojo a aquella mujer deslumbrante: cuidado con las mujeres dispuestas a todo a cambio del amor... ¿El amor...?

La Güera, la Güera de nuestra historia, bien disfrazada, se constituyó en la Plaza de Santo Domingo, exactamente en el edificio que cuenta en su planta baja con simétricas arcadas de laja tallada y que paradójicamente se encuentra muy cerca del negro Palacio de la Inquisición, para contratar los servicios de un escribano público, un evangelista a quien ella le dictaría una carta apasionada de amor dirigida al supuesto amante de Ana. En la misma, ella convocaba al dulce mancebo inexistente a una entrevista amorosa a las 7 de la noche en punto en la esquina poniente de la Plaza Mayor, la de la estatua ecuestre de Carlos IV, la obra máxima de Manuel Tolsá, el "Fidias mexicano", porque no podía resistir más el peso de su ausencia. Me aplasta, sol, me aplasta. Amor, amor, amor, me muero sin ti: no quiero ser emperatriz si no estás tú ahí para llenarme de esperanza e iluminar mis días con tu tibia luz de la alborada. Ven, ven, sol, ven a mí antes de que la vida se me escape como un último suspiro por estos labios sedientos que te esperan con avidez de adolescente... Ana, tu Ana. (¿Exagerado? Tal vez. Los amantes tienen un lenguaje muy singular, indigerible para quienes viven en el mundo de la sobriedad y de la razón...)

Terminada la carta e insertada en un sobre abierto, María Ignacia se la entregó a Agustín para que éste la dejara, según lo acordado, tirada descuidadamente en el piso de la recámara principal de su palacio ubicado en la calle de Plateros de la ciudad de México. La estrategia respondía a que uno de los sirvientes, desde luego, la encontraría y se la entregaría de inmediato a su patrón no sin haberla leído previamente y haciendo esparcir el chisme como si se tratara de una mecha conectada a un barril de pólvora. Con ese documento apócrifo Iturbide se presentaría ante el provisor o el familiar del Santo Oficio para que se le hiciera justicia divorciándolo sin más de aquella mujer infiel, madre indigna, hereje irredenta que le había dado tantos hijos.

¿Cómo imaginar o siquiera suponer la expresión del rostro de doña Ana, una santa, una devota, beata, católica, catoliquísima, fervorosa creyente, poseedora de una inquebrantable fe, madre abnegada de cinco hijos, Agustín, Salvador, Ángel, Agustín Cosme y Maribel Josefa; asistente a la misa diaria de ocho de la mañana y a la confesión puntual los jueves por la tarde, cuando en una ocasión al mediodía, se presentaron siete cancerberos con las cabezas cubiertas con grandes caperuzas negras, vestidos con holgadas sotanas recogidas por cíngulos blancos, para hacerle saber, por medio del texto contenido en un pergamino enrollado, que tenía que acompañarlos para ser ubicada de por vida con el cargo de adúltera en el Convento de San Juan de la Penitencia?

—¿Adúltera, yo...? Quiero hablar con mi marido. Están ustedes confundidos. Soy la esposa de don Agustín de Iturbide —advirtió temblando mientras el tejido se le caía al piso sin siquiera percatarse. El susto era mayúsculo.

—¡Acompáñenos! —rezaron las voces a coro.

—Quiero hablar con mi marido —repuso, a punto de desmayarse.

—¡Acompáñenos! —ordenaron implacables.

—Quiero hablar antes que nadie con mi confesor —empezaba doña Ana a llorar sin saber qué hacer con sus manos.

—¡Acompáñenos! —tronaron las voces por última vez sin contemplación alguna.

—Déjenme hablar con el abad, sé que ahora mismo está en el Palacio del Arzobispado, aquí, a un paso, en la calle de Moneda.

—¡Acompáñenos! —insistieron los mensajeros de la Santa Inquisición en tanto la rodeaban y ella trataba entre gritos agónicos de escapar a la pesadilla.

—No oponga resistencia o todo será más difícil, señora nuestra: si su marido no hubiera estado debidamente informado, nosotros no estaríamos aquí...

Ante este argumento la mujer se desvaneció sin más. Los cancerberos, para su sorpresa, pudieron constatar el avanzado estado de gravidez de aquella ilustre detenida.

Doña Ana se vio obligada a cambiar los cabestrillos, las diademas y garbines, los pinjantes, los alcorcíes, los brazaletes, las manillas, los medallones y tiranas, las sortijas y los cintillos, además de las telas brochadas, los rasos, tisúes y gorgonelas. Cambió toda la pompa de los encajes, sedas y brocados, por el humilde hábito conventual o el sayal penitente, que se debe llevar con los brazos, el cuello, los dedos y los oídos desnudos. Adiós a los saraos, a las sonrisas, a la futura corte, a los candiles palaciegos, a la abundante servidumbre, a los tapetes, perfumes y carruajes: en adelante viviría —¿viviría?— en un apartado cenobio y sus días y noches transcurrirían en el estrecho hermetismo de un tabuco, en cuyo interior habría de pasar sus últimos días. María Ignacia, por el contrario, disfrutaría a plenitud llenando todo el vacío que la "adúltera" le había cedido para poder expiar sus monstruosas culpas.

Doña Ana fue privada de la libertad indefinidamente. Debería rezar, guardar silencio, leer el evangelio, elevar plegarias, guardar rigurosos ayunos, infligirse flagelaciones con látigos de crines de alazán entero, quemarse las manos para imponerse castigos por haber tocado al diablo, al mismísimo satanás encarnado en la figura de su amante, pedir, reconciliarse con Dios, arrepentirse tirada boca abajo a un lado de los reclinatorios de la capilla sur, cerca de los confesionarios, sobre el piso helado de cantera con los brazos abiertos en cruz.

Sólo que faltaban unos detalles importantes que el Santo Oficio debería atender para tratar de preservar el buen ejemplo y cuidar las debidas formas en el seno de la muy noble y leal ciudad de México. ¿Cómo conceder la anulación matrimonial al futuro emperador cuando éste había procreado una enorme familia con doña Ana, su única mujer, la legítima, ante la cual había unido su vida de cara al Señor, unión que Él y sólo Él podía deshacer de acuerdo con su infinita misericordia? ¿El matrimonio no se había consumado? ¿No...? ¿Y los cinco hijos que habían engendrado quedarían desamparados y etiquetados como naturales, expuestos así a la maledicencia social? ¿Cómo urgar una salida airosa en el inagotable articulado del Código Canónico para que, acto seguido, el emperador contrajera nupcias con una mujer que, a pesar de sus consabidas influencias con las altas autoridades de la Santa Inquisición, era de alguna manera conocida por los abusos que había hecho de su incomparable belleza, hechizando a un sinnúmero de hombres con tan sólo clavarles la mirada? ¿La Güera Rodríguez, emperatriz de México?

Tan es cierto que su relación sobrevivió a la historia y que los involucrados llegaron a ser más célebres por los juegos perversos del corazón que por sus hazañas o errores históricos, que es ampliamente conocida la anécdota que cuenta cómo el futuro emperador cambió la ruta del Ejército Trigarante tras su entrada triunfal en la ciudad de México el 27 de septiembre de 1821. No era desde luego un desfile más, ¡qué va!, se celebraba nada menos que la feliz independencia de México después de 11 años de lucha para romper las gruesas cadenas de hierro que nos habían unido durante 300 años como una colonia más a la metrópoli, la capital del colosal imperio español, en "cuyos territorios —como bien lo sentenció para siempre Carlos V— jamás se ponía el sol" y en donde el principio del orden político y admininistrativo establecía con toda rigidez: "Obedézcase pero no se cumpla..."

Según consta en los anales de la historia y de acuerdo con las narraciones de nuestros abuelos, el colorido desfile lo encabezó fastuosamente la banda de guerra precedida por el glorioso Agustín de Iturbide, quien apartado de todo protocolo mandó desviar la columna con el galante fin de que doña María Ignacia Rodríguez de Velasco pudiera presenciar la magnífica procesión desde el balcón de su casa, artísticamente decorado con flores de Xochimilco para estar a la altura de la ocasión.[3] El ejército de las tres garantías, la Armada de la Libertad, pasó frente a la casa misma de aquella mujer humillando ante ella sus armas, elevando sus desafiantes bayonetas hacia el cielo, desenvainando en su honor las espadas de acero refulgente, en tanto los tacones de miles de botas militares marchaban enérgicamente al unísono, sometiéndose al ritmo marcial ordenado por el lacónico retumbar de los tambores y el entusiasta llamado de los clarines y fanfarrias que anunciaban el nacimiento de un nuevo país entre vítores, aplausos, confeti y vivas. El paroxismo era inimaginable. Las esperanzas fundadas en un México nuevo dotado de millones y más millones de kilómetros cuadrados e inmensas riquezas surgía promisoriamente a la luz. El festejo era mucho más que justificado.

[3] Guillermo Prieto cuenta y ratifica en sus *Memorias* cómo Iturbide cambió la ruta del Ejército Trigarante porque así lo quiso la dama favorecida por el caudillo de las tres garantías.

Se había acordado que la marcha se llevaría a cabo bajando por San Cosme, siguiendo por el Puente de Alvarado y pasando a un costado de la Alameda Central para continuar por Tacuba hasta desembocar en el Zócalo capitalino y llegar al Palacio Virreinal, donde se encontraba esperando el recién llegado virrey, don Juan de O'Donojú, aquel famoso representante de Su Majestad, el rey de España, que fuera reprendido por el soberano por haber entregado la colonia en lugar de defenderla, tal y como eran sus instrucciones precisas. Pues bien, en lugar de respetar la ruta acordada, don Agustín, quien encabezaba la comitiva montado en un brioso alazán negro manchado de espuma blanca en las partes donde la piel del animal hacía contacto con las bridas o con las botas perfectamente pulidas y rematadas con regias espuelas doradas, desvió la procesión para pasar por la Calle de la Profesa, donde estaba precisamente la casa de esta formidable mujer que, por lo visto, era capaz de detener el paso del tiempo paralizando las manecillas de todos los relojes del México independiente.

Por supuesto que el público asistente pudo ovacionar rabiosamente a los regimientos de infantería y a los escuadrones de caballería, cada uno custodiado por sus respectivas bandas de música y su debido equipo de artillería. A paso más lento hicieron acto de presencia los batallones de zapadores armados de picas, barras, escalas y tablones, tiesos, solemnes, sin mirar a los presentes, quienes los aclamaban como corresponde a héroes, dignos hijos de la patria. No podían faltar los uniformados de blanco, los doctores y enfermeras que trabajaban afanosamente en la retaguardia. El golpeteo de las herraduras de los caballos sobre las calles adoquinadas de la ciudad, el rodar de los cañones, el vuelo en círculo de parvadas de palomas blancas, las jubilosas rechiflas, las porras, los repetidos, cercanos y lejanos "¡viva México!", los "mueran los gachupines", los diferentes acordes de las diversas orquestas justificaban la explosiva euforia del México nuevo. Por allá se escuchaba también el repiqueteo de las campanas de todas las iglesias y, por supuesto, de la catedral misma, mientras caían nubes multicolores de papel picado al paso festivo del cortejo flanqueado por cientos de banderas trigarantes.

De golpe se detuvo el desfile. Privó una transitoria confusión. Sólo quienes iban al frente, cerca, muy cerca del héroe de la independencia, el verdadero padre de la patria, se pudieron percatar de lo que ahí acontecía. Agustín de Iturbide se apeó de su imponente alazán. Acto seguido se ajustó el uniforme, el peto rojo cubierto de bordados y charreteras de grueso fleco rojo, revisó cuidadosamente sus altas botas negras deslumbrantes, se caló bien el sombrero del que sobresalían tres plumas, que significaban religión, independencia y unión, y se apresuró a entrar con paso decidido en la casa de la Güera Rodríguez, quien contemplaba extasiada el histórico momento desde el balcón florido de su casa. Se hizo un pesado silencio en tanto Iturbide desapareció por instantes de la escena. La luz de aquella mañana cubierta por nubes lejanas, acaso pintadas por Tiépolo, permitió ver a algunos privilegiados el instante en que el futuro emperador de México, previa una marcada genuflexión, entregara una rosa roja y una de las plumas de su sombrero a María Ignacia, quien ya flotaba extraviada en el mar sin límites de su fascinación, imaginándose, soñándose ya como la futura emperatriz mexicana.

Cuando el desfile continuó su paso encabezado de nuevo por don Agustín de Iturbide, quien recibía aplausos y vítores por doquier, nuestra Güera pasó una y otra vez la pluma, como si se abanicara con ella, a lo largo y ancho de su pronunciado escote, rematado por brocados, en tanto clavaba la mirada en el ínclito jinete del que dependería el destino de México. Los festejos continuaron hasta la noche, cuando los mejores polvoristas de la otrora colonia dieron rienda suelta a su imaginación y encendieron, uno por uno, los mejores fuegos artificiales de los que se tenga memoria, al tiempo que lanzaban cohetes desde los cuatro costados de la plaza para iluminar un firmamento impoluto que permitía contemplar todas las estrellas.

Mientras el virrey, don Agustín de Iturbide, María Ignacia y los más distinguidos integrantes de la corte contemplaban deleitados la histórica fiesta de la libertad, brindando felices desde uno de los balcones del palacio, doña Ana, ¡ay!, doña Ana, la única esposa con la que don Agustín había contraído nupcias ante Dios y ante la ley, se lamía sus heridas sepultada en su tabuco del Convento de San Juan de la Penitencia...

Los integrantes del Santo Oficio, aun aquellos ciertamente cercanos a María Ignacia, los mismos que recordaban los favores recibidos con una sonrisa bordada con la imagen de la complicidad, no pudieron hacer nada para anular el matrimonio de Iturbide y Ana, menos aún cuando la futura cónyuge de don Agustín iba a ser la Güera Rodríguez, para muchos considerada injustamente como una lebrona, si acaso y con benevolencia, una mera casquivana. Nadie pudo hacer nada para acceder a las peticiones recurrentes e insistentes de los apasionados amantes: la evidencia infernal en la que hubiera quedado el alto clero hubiera sido temeraria, por más agradecimiento que hubieran podido tenerle, por diferentes razones, a los dos ilustres tórtolos. ¿Y los hijos de ambos? ¿Y el divorcio de ella y sus dos viudeces anteriores? ¿Y el ridículo eclesiástico derivado de un precedente inmoral y herético que no se podía sentar en un caso que nadie podría defender? ¿Y las futuras nupcias que la Iglesia tendría que avalar? El escándalo hubiera sido mayúsculo. ¿Un emperador divorciado...? Ni hablar: ¡No a la anulación! La emperatriz sería doña Ana. Punto. Fin de la discusión.

El día más triste de la vida de María Ignacia Rodríguez fue cuando, escondida tras una de las columnas de la catedral de la que pendían colgaduras de damasco y terciopelo carmesí, con galones, flecos y borlas de oro, pudo contemplar cómo a un lado del presbiterio donde se encontraba un trono mayor y otro menor, Iturbide le colocaba a Ana, sentada mayestáticamente dentro de un rígido protocolo de corte litúrgico, la diadema cubierta de diamantes que la convertía, recién extraída y liberada de los horrores conventuales, en la primera emperatriz de México.

Cuando las letanías, los himnos y las interpretaciones de coros litúrgicos se elevaban como volutas de humo en dirección al ábside del mayor templo de los mexicanos; cuando un grupo de arcángeles parecía descender lentamente flotando sobre un lecho de nubes para coronar la augusta cabeza de Agustín de Iturbide, Agustín I, emperador de México; cuando todas las campanas de todas las iglesias y parroquias del nuevo imperio repiqueteaban al unísono para conmemorar tan fausto acontecimiento; cuando todos los asistentes elevaban sus cabezas después de la celebración del *Te Deum* y Mangino, el presidente del Congreso, se aprestaba a colocar la corona de tres diademas sobre la testa perínclita de Iturbide, ambos encontraron dificultades para dejarla firme... Intentaron inútilmente una y otra vez, sólo que la corona no se detenía por nada del mundo.

—No se le vaya a caer a Vuestra Majestad... —susurró Mangino al oído del recién ungido emperador.

—Yo cuidaré de que no se me caiga...[4]

Dos años más tarde, cuando Iturbide enfrentaba a un pelotón de fusilamiento, sus últimas reflexiones recordaron las palabras de María Ignacia, quien tal vez por despecho y ante la evidencia de que ella ya no sería ungida emperatriz, recomendó a su enamorado rechazar su nombramiento imperial.

—Guardaos bien de aceptar la corona, don Agustín, porque yo sé que cuantos hombres entran a palacio pierden la cabeza —advirtió la Güera.

—Daré garantías, conservaré el orden —repuso Iturbide.

—Pensad —observó la dama—, que la primera cabeza que caerá será la vuestra...[5]

Nada limpiaría, sin embargo, ni siquiera el fusilamiento del emperador, producto a su vez de una traición, la felonía sin límites cometida por Agustín de Iturbide en contra de la persona de su mujer, doña Ana. ¡Ay, doña Ana!, quien probablemente, una vez conocido su trágico destino real, hubiera preferido pasar hasta el último de sus días en el interior del tabuco del Convento de San Juan de la Penitencia...

---

[4] Rafael F. Muñoz, *Santa Anna, el dictador resplandeciente*.

[5] Artemio de Valle-Arizpe, *La Güera Rodríguez*.

PANCHO VILLA Y LA REVOLUCIÓN TRAICIONADA

> No estoy de acuerdo con los sueldos que ganan los profesores que atienden la escuela; el día que un maestro de escuela gane más que un general, entonces se salvará México. En consecuencia, quiero que le subas el sueldo a todos los maestros que atienden la escuela Felipe Ángeles.
>
> FRANCISCO VILLA, petición a Adolfo de la Huerta, presidente de la República, 1920

La sentencia irrevocable de muerte la suscribió mi general Villa, mi querido y bienamado Centauro del Norte, cuando le concedió una entrevista a Regino Pagés Llergo, en la que manifestó su preferencia por Adolfo de la Huerta, en lugar de Plutarco Elías Calles, para ocupar la Presidencia de la República. Jamás se la perdonaron. Tal vez nunca sospechó que Obregón y Calles lo harían asesinar cuando declaró que él era un delahuertista consumado, que se jugaría todo por su candidato favorito y que, llegado el caso, lo haría fuerte con sus famosos dorados hasta volverlo a sentar en la mismísima silla presidencial... ¡No faltaba más! Mi general apoyaría a don Fito a través de un nuevo movimiento armado en contra del presidente Obregón y de Calles, su también paisano, su incondicional, su hombre de confianza y aspirante invencible a la primera magistratura. Tenía sobrada experiencia en la lucha armada en contra de tiranos y asesinos...

Ésa fue sin duda la gran batalla que perdió don Pancho: no sopesó los alcances de sus enemigos, como tampoco mi general Zapata supuso la trampa fatal que don Venustiano Carranza y el tal Guajardo le habían tendido para matarlo. Los dos, Villa y Zapata, no tenían más alternativa que morir asesinados, acribillados a tiros, masacrados para poder exhibir y fotografiar sus cadáveres ensangrentados de modo que no quedara la menor duda de que estaban totalmente muertos y bien muertos, por la sencilla razón de que ambos personificaban la genuina ideología de la Revolución, la auténtica reforma agrícola y política, la de los hombres que se obstinarían en impedir que el movimiento armado se desvirtuara o se desviara de sus propósitos sociales originales. Los dos tenían que desaparecer y desaparecieron para cederles su histórico lugar a los traidores. ¿Dónde quedó la Revolución? ¿Dónde la reforma agraria? ¿Dónde la democracia tan cantada y dónde la mentada libertad y el final prometido de la tiranía y sus malditas persecuciones? ¿Dónde? ¿A dónde fue a dar la Revolución cuando los mataron a ambos?

Ustedes perdonarán mi castellano, pero deben saber que cuando mi general Villa me contrató para dictarme los pormenores de su vida, porque él todavía no sabía ni leer ni escribir, era analfabeto, sí, ¿y qué...?, yo mismo estaba aprendiendo a hacerlo sin que él lo supiera. Es falso que me hubiera mandado fusilar por mentiroso: él era una persona eminentemente buena con los suyos, tal y como lo describiré más tarde... De los cuatro resúmenes que existen de las *Memorias* de Pancho Villa ninguna se conserva completa hasta hoy: sólo la mía es fidedigna, sin saber lo que consta en los archivos extranjeros que a los mexicanos nos ha costado tanto trabajo consultar. ¿Cómo saber la verdad de su vida si los gobiernos de la "revolución" se encargaron de borrar sus huellas y de destruir evidencias para que el pueblo confundido se preguntara si mi general había sido un héroe o un villano, siendo que fue un gigante, a quien ya no se le podrá nunca hacer la debida justicia histórica, hijos de perra? ¿Por qué desaparecer las pruebas? Yo estoy aquí con mis tres letras y mis recuerdos para defenderlo y rescatar la nobleza de su causa y la realidad de lo acontecido. Vayamos al grano:

No diré, faltaría a la verdad si lo dijera, que lo vi nacer en 1878 en Río Grande, Durango, ni que acompañé a Pancho Villa, antes Doroteo Arango, desde que le pegó de balazos en las piernas a López Negrete, el patrón donde trabajaban don Agustín Arango y doña Micaela Arámbula, sus padres, cuando el muy hijo de la chingada del hacendado quiso ejercer el derecho de pernada al tratar de violar a Martina, la hermana de mi general, un día antes de la noche de bodas, según la negra tradición de los latifundistas mexicanos. Cabroncitos, ¿no? Mi general, con tan sólo 16 años en los lomos, tomó el rifle de su padre que ya se había resignado a lo peor, le disparó al infame hacendado —quien lloró, según supe, como una mariquita, son muy machos cuando tienen un látigo en la mano— y se peló a la sierra hasta que la Revolución lo volvió a bajar del monte para luchar por los pobres, esta vez ya con cañones, balas, caballos, trampas, sobornos, carabinas, espías, amenazas, palos, cananas, piedras, fintas y mecates para colgar a los rotitos o a los federales de las ramas de los sauces o ahuehuetes del Bajío o para mandarlos al otro lado —no precisamente a la frontera— cuando los pasábamos por las armas de espaldas al paredón. Cuantas veces oíamos ¡fueeegoooo!, y escuchábamos las descargas del pelotón estábamos haciendo justicia en nuestro campo y en nuestro México. Todo se valía en la guerra... Ya nos veríamos las caras...

Villa, el peón, creció en la sierra, se hizo solo, se formó sin ayuda de nadie, comió lo que Dios le dio a entender, aprendió a defenderse y a valerse por sí mismo, durmió en el piso pelón años y más años hasta que pudo tener un petate, un comal de tres piedras, un anafre y más tarde un jacal, cuya puertucha bien se ocupaba de cerrar él mismo en las noches, para que no se fueran a meter las mazcuatas ni las tarántulas ni los animales venenosos que entraban arrastrándose, incluidos algunos humanos traidores para los que siempre había botas para pisarlos, cuerda para colgarlos o bala para espantarlos, jijos de su rejija...¡No aguantaba nada que se arrastrara a su lado, nadita de nada, *verdá* de Dios... O aplastaba a los bichos o los colgaba o los fusilaba...!

La vida del bandolero no era fácil. Vivíamos huyendo todo el tiempo, apartados de la familia, luchando sin descanso no sólo contra fuerzas muy superiores en número y armamento, sino contra las nevadas, las enfermedades, las lluvias y las privaciones más canijas. Teníamos que dormir en cuevas o en descampado, pasando todo tipo de peligros debido a ataques de animales salvajes o pasando miedos espantosos porque las traiciones estaban a salto de mata, como cuando nos íbamos a cazar agachonas a los trigales. Bien lo sabíamos: a quien pescaran de nosotros, más temprano que tarde nos lo encontraríamos ahorcado o fusilado contra cualquier palo del camino. Todos teníamos precio por nuestras cabezas, fijados por los hacendados, por los mineros y más tarde por el gobierno de Estados Unidos. Nos buscaban incansablemente. Nada más que cualquier riesgo valía la pena por sólo estar a un lado de don Pancho. Así asaltábamos diligencias, bancos, haciendas y negocios; robábamos vacas y todo tipo de ganado, del gringo y del mexicano, y les expropiábamos a nuestros antiguos patrones, por nuestros purititos güevos, sus cosechas de algodón, mismas que se las vendíamos bien caras y en dólares a los carapálidas para comprar armas y parque del otro lado de la frontera. Todo era para la causa. Que no quede duda: Villa nació pobre y murió pobre, sin quedarse nunca con un solo centavo de lo robado o de lo expropiado, como ustedes quieran, y no como otros hijos de la "revolución", auténticos ladrones, que cuando los conocí jamás habían comido caliente y tiempo después ya tenían tierras, coche con chofer y hermanas prestadas quién sabe en cuántos lados y camas, y todo con el pretexto de defender quesque a la patria... A otro perro con ese hueso...

Si ya de por sí mi general era alto, la vida en el cerro lo fue haciendo robusto, bravo, macizo como una roca, su fuerza era impresionante, sobre todo cuando lo veíamos luchar con las manos limpias y el pecho descubierto contra toros, a los cuales tiraba al piso doblándoles la cornamenta. ¿Qué tal? Muchos hombres temblaban con tan sólo ver su musculatura; otros charlatanes, hocicones, dejaban de hablar y de presumir al encararlo, y los demás se apabullaban o se meaban con sólo oír su voz de trueno, para ya ni hablar cuando les clavaba la mirada para tratar de arrancarles la puritita *verdá*... ¡Cuántos espías, saboteadores, chantajistas y sobornadores no se acercaron a mi general Villa para sorprenderlo y, al sentirse descubiertos, se tiraron a sus pies y, de rodillas, llorando, le suplicaron piedad...!

A un tal representante de los gringos, ¿no lo fusiló después de que trató de sobornarlo a cambio de que abandonara la Revolución, y mi general le contestó que si su propia madre intentara cohecharlo, a ella misma la pasaría por las armas? La entrevista concluyó cuando el Centauro le pidió al maldito yanqui que lo acompañara.

—¿A dónde mi general? —preguntó, sorprendido, el extranjero.

—Al paredón; sólo voy a fusilarlo en este momento si usted no tiene inconveniente...

Cinco minutos después lo pasó por las armas para que no quedara duda de que él era más derecho que una regla. Mi general siempre tenía un pelotón a sus órdenes, listo para fusilar, como quien tiene un coche con chofer a la puerta...

Sí, sí, era impulsivo, bronco, violento, caprichoso, un hombre controvertido, discutido dentro y fuera de su país, como cuando mató a un chorro de gringos en Santa Isabel; un indudable personaje de excesos, pero se le pasaba al ratito, con la pena de los que ya había fusilado en uno de sus arrancones. ¿Cómo pedirles perdón a los que colgamos por giritos? Ellos se lo buscaron por pendejos...

Para algunos, mi general era un ladrón, asesino, violador de mujeres, desequilibrado mental, títere de intereses extranjeros, intrigante, comunista, borracho, traidor, y para otros era la esperanza, un auténtico Dios aquí en la tierra, porque se dedicaba igualmente de cuerpo y alma a ayudar a los pobres; un líder obstinado en la impartición de justicia, hoy, ahorita y aquí mismo; un vengador de los verdugos de los desamparados, perseguidor de los dueños de las tiendas de raya o de los propietarios de las minas que hacían trabajar a los nuestros mucho más que a cualquier animal, sólo para que sus empresas valieran una fortuna. En el caso de ellos sí oí decir a mi general: ¡Cuélgame ahorita a este rotito! ¡Ajusílame a ese perfumadito que nunca ha sabido trabajar y le gusta lo ajeno! ¿Sabes cuántos niños perdieron la vida o la salud en las minas de este malnacido? ¡Despáchatelo...!

Sí es cierto que mi general tuvo hartas viejas, era bien atravesado y faldero, sólo que a ninguna violó: con todas se casó ante la iglesia porque no las quería en falta ante Dios... Él se iría al diablo, sí, pero a ellas las dejaría casadas ante la ley del Señor y por un cura y con todo y sus santos sacramentos: así nadie podría atacarlas de pecado ni mandarlas al infierno por haber cometido falta alguna.

—Te casaste conmigo por la iglesia, ¿no, reinita? Nada tienes que reclamarme.

¿Desequilibrado mental? Si por desequilibrado mental se entiende meterle dos tiros a quien quiere violar a una hermana de uno o a quien le ha robado a uno el pan toda la vida o a quien lo tiene a uno hundido en la miseria junto con los chamacos o a quien permitió que México fuera invadido por los *pershings*, esos hijos de puta, o si desequilibrado mental es también colgar de un árbol a los traidores a la causa o a los espías o a los sobornadores y chantajistas y desviadores de la Revolución, entonces mi general Villa sí es un desequilibrado a quien por cierto idolatran millones de mexicanos por ser el *Rovin Jud* de los aztecas. ¿Más...?

¿Títere de los intereses extranjeros? Eso habría que decírselo a Huerta cuando les entregó el petróleo mexicano a las compañías inglesas al igual que lo hizo Díaz, el tirano. No su hijito, Porfirito, grandísimo cabrón, ¿no era director de la compañía petrolera El Águila, propiedad de inglesitos que apestaban a lavanda? También habría que habérselo cantado al tal Carranza para que nos explicara cómo le hizo para que la Casa Blanca lo reconociera como presidente de México y además le enviara armas y municiones, así porque sí, en lugar de dárnoslas a nosotros... Venustiano es un traidor, por eso acabó con 20 tiros en el pecho en Tlaxcalantongo... ¿Y Calles no reformó toda la legislación petrolera porque, según se decía, el embajador Morrow ejercía poderes hipnóticos sobre el jefe de Estado mexicano? ¿Y Obregón no traicionó la Revolución también a través de los Tratados de Bucareli, otra vez por el pleito del petróleo y los grandes inversionistas extranjeros? ¿Quién era el títere?

La Revolución es el inesperado placer que se descubre al poder tomar a los déspotas del pescuezo para meterles la cabeza entera en la mierda de los marranos, nos decía mi general cuando nos sentábamos alrededor de la fogata con una armónica o una guitarra a comer una buena barbacoa al final de una batalla librada en contra de los constitucionalistas traidores, hijos de su muy puta madre...

¡Cuánto nos reímos en una de aquellas noches cuando Villa nos contó el caso de un curita muy sospechoso, de unos 30 años de edad, que alguien descubrió huyendo como podía de un pueblo recién tomado por la División del Norte! Cuando lo llevaron frente a Francisco Villa, éste le preguntó:

—¿Por qué huía, padre...?

Silencio. La tropa observaba curiosa.

—¿Por qué? —empezaba mi general a encolerizarse por la falta de respuesta—, ¡hábleme claro!

Silencio otra vez. Murmullos del batallón.

—O cantas o te fusilo.

El silencio era como el del camposanto.

Después de perder la paciencia y conocido que Villa era un hombre de mecha corta, ordenó:

—Fusílenme ahorita mismo a este cabroncete por traidor.

—No, no mi general —repuso finalmente el fugitivo cuando ya se lo llevaban a empujones tras una loma.

—Villa no se anda con bromas: háblele rapidito o me lo chingo...

—Huía porque tengo miedo, mi general.

—*Adio* —repuso Villa con acento norteño—, si ustedes los curas nada más le tienen miedo al Señor, ¿o no? Ahora bien, si no eres sacerdote y si me estás contando cuentos...

—Sí, sí lo soy, mi general.

—¿Sí? Pues a ver: échate una misa aquí mismo para mis muchachos, sólo que si descubro que tú tienes de cura lo que yo de carmelita descalza, yo mismo te meto un balazo donde más te duela y luego te mando fusilar.

Aquel hombre confesó de inmediato que no era cura ni espía: era pianista.

—¿Pianista? —se cuestionó Villa sonriendo mientras los suyos ya estallaban en carcajadas—. Tráiganme un piano y tócame *Las tres pelonas*, ¿te la sabes...?

—Sí, mi general...

El piano fue traído de inmediato y el artista se sentó sobre un banco improvisado. Empezó a tocar la pieza solicitada, la favorita de mi general. Éste llamó entonces a Rodolfo Fierro y le pidió que se pusiera a un lado del pianista apuntándolo con la pistola y en el momento mismo en que dejara de tocar le disparara toda la cartuchera en la mera maceta. Cuando se canse me lo despachas por mentiroso...

Villa era feliz contando la escena que concluyó cuando el cura-espía-pianista pidió permiso para ir al baño, después de tocar cinco horas sin despegar ni un solo instante las manos del teclado, momento que aprovechó el divisionario para perdonarlo e invitarlo a merendar envuelto en una frazada mientras se secaban los pantalones del artista...

Digan lo que digan, mi general Villa fue el líder político y militar más querido y respetado no sólo de México, sino de América Latina, salvo que haber juntado sólo por amor y confianza, sin soldadesca ni alimentos ni paga ni comodidades de ningún tipo, sólo con la seguridad, eso sí, de poder morir en cualquier instante, a un nutrido ejército de 70,000 valientes que lo seguían a donde fuera, sólo por la magia que inspiraba su nombre, no deba ser considerado una verdadera proeza. ¡Viva Villa 'i ñor...! ¿Quién junta tantos valientes por admiración, amor y respeto?

Mi general pasó casi 30 años de su vida luchando contra la prepotencia de los latifundistas, contra la miseria, las levas obligatorias, los trabajos esclavizantes y la arbitrariedad; también peleó contra banqueros, espías, policías arbitrarios y secretos, contra los temidos rurales porfiristas, contra los terratenientes, patrones influyentes, industriales explotadores, mexicanos vendepatrias, traidores de todo tipo, miramoncitos camuflados que todavía quedan por ahí. ¡Ése era mi general! Salió airoso de la expedición Pershing y sus 12,000 hombres perfectamente armados que invadieron el territorio nacional sólo para buscarlo hasta abajo de las piedras. Tampoco pudieron con él... se pelaron por donde vinieron sin dar con el Centauro.

¿Cómo no ser bandolero cuando el hambre, la enfermedad,

la miseria y la muerte temprana de los chicos acaba con uno? ¿Quién no va a luchar contra el salvajismo de nuestros amos? ¿Qué hace un pueblo entero antes de morirse de hambre, cuando además no ignora que adentro de las haciendas los dueños tienen que tomar pastillas para facilitar la digestión de patés? Millones de mexicanos nos transformamos en delincuentes o en impartidores prácticos de justicia social... Ser bandolero, como nos enseñó mi general Villa, era una forma de protestar... Él, mi general, le daba un contenido social al bandolerismo, una estructura ideológica que lo distinguía de los vulgares maleantes de caminos. Sólo buscaba la igualdad de oportunidades. En cada hambriento hay un rebelde —fíjate bien—, un bandolero en potencia, uno de los nuestros, un aguerrido soldado para la Revolución y, también, un candidato a una diputación a la conclusión de la guerra y un guerrillero, finalmente, en el gobierno para defender a los pobres. A más guerrilleros "civiles" en el gobierno, más bienestar para los que ya ni bolsas tienen en sus trajes de manta. ¿Para qué las bolsas si no teníamos ya nada que guardar?

La vida de mi general Villa es la historia de un rebelde de punta a punta, la de un precursor, la de un bandolero; es la vida de un campesino valiente, lúcido, convincente, buen jinete, audaz y con gran capacidad natural para el mando, un hombre, al fin, lleno de virtudes y defectos de gente como él. Hay bandidos corruptos que delinquen por enriquecerse personalmente: don Pancho repartía el fruto del pillaje entre quienes no tenían ni petate para dormir... De ahí el amor y la debilidad que el pueblo sentía por él... La historia del Centauro es la de un perseguido y también la historia de sus acusadores y victimarios que nunca le perdonaron su magnetismo popular ni su capacidad para levantar en armas al país en cuestión solamente de días. Con tronar los dedos ponía de pie a una división entera que estaba dispuesta a dar la vida por él. Desde que salvó a Martina de las manos de López Negrete hasta que Obregón y Calles lo mandaron asesinar a los 45 años de edad, fue un rebelde tenaz, insobornable e incontrolable. ¡Qué bueno que toda su rebeldía la pudo empezar a utilizar para derrocar en Ciudad Juárez nada menos que a Porfirio Díaz!

¿Quién le ha reconocido a don Pancho el derrocamiento del tirano, del Llorón de Icamole, si Madero mismo le había ordenado abstenerse de tomar dicha plaza? Villa provoca la renuncia de Díaz y, sin embargo, ¿no fue más fácil darle el crédito militar e histórico a Madero porque el Centauro era un semianalfabeto? ¿Por qué no se honra su memoria recordando también que fue él quien aplastó y largó del país a cañonazo limpio a Victoriano Huerta y a Aureliano Blanquet, los asesinos de Madero y Pino Suárez, de Gustavo Madero, Belisario Domínguez, Adolfo G. Gurrión y Serapio Rendón, entre otros tantos más?

Quienes piensan en un general Villa químicamente puro, en un soñador, en un idealista que planea distribuir la tierra y la riqueza a través del convencimiento y la negociación, pierde su tiempo: a los ricos hay que ablandarlos primero con palabras —siempre dijo Villa—, y si no se logra nada, como desde luego no se logrará, entonces a los mecates o a las balas. Así no te equivocarás ni fallarás, hermanito querido: si tú quieres convencer a un ricote perfumado de que no trabajen los niños en sus minas ni en sus milpas y deseas evitar que los hombres y mujeres se sigan matando 18 horas al día a cambio de un jornal de miseria y pretendes que las embarazadas tengan un par de meses de descanso con goce de sueldo, no es a través de respetuosas negociaciones como vas a lograr que los industriales, banqueros y hacendados abran el puño: únicamente podrás doblegarlos al platicar con ellos enfrente del paredón o subidos en un caballo con las manos amarradas en la espalda, los ojos vendados con un paliacate, un dogal de henequén grueso colocado alrededor del pescuezo y una buena rama de pirul: así y sólo así, cuando se les estreche el nudo alrededor del gañote, te firmarán lo que les pongas enfrente...

¿Cómo olvidar cuando caímos de golpe y porrazo en la hacienda "Los Álamos", propiedad de la familia Terrazas, donde los pobrecitos tenían seis millones de hectáreas, que según le habían comentado a mi general, equivalían a la superficie de Holanda, Suiza y Dinamarca juntas? ¿Cómo un par de *huercos* iban a tener la misma tierra que tres países de Europa juntos sólo para que sus chamacos pudieran jugar a las escondidas, eh, mientras nosotros no teníamos tierra ni para enterrar a nuestros queridos difuntitos? Ahí estaba justificada la Revolución, ¿o no? Por eso Villa los puso contra la pared, les clavamos toda la pinche lana, les robamos sus cosechas y su ganado —unos animales enormes que nunca habíamos visto— y les vendimos todo a los gringos para comprar sarapes, petates, zapatos, botas y alimentos que les regalamos a los peones de los Terrazas y a los campesinos de la zona, quienes a partir de entonces fueron nuestros aliados. ¡Claro que era un santo con los peones y un diablo con los patrones! ¿Cómo entonces su figura no iba a ser controvertida, más aún cuando no se quedaba con nada de lo expropiado? A propósito, cuando un gobierno expropia, sus representantes son estadistas; cuando lo hacemos nosotros, los revolucionarios, entonces somos una punta de bandidos... ¿Quién escribe finalmente la historia...?

El acaparamiento de tierras y el de empresas mexicanas en manos de extranjeros provocó el estallido de la Revolución. Fue demasiado. Las panaderías, carnicerías, lecherías y tiendas de ultramarinos y abarrotes estaban en manos de españoles; los textiles en las de franceses; las minas de plata, oro, cobre y cinc y buena parte del petróleo, la industria eléctrica, los ferrocarriles y los aserraderos en las de norteamericanos e ingleses. ¿Qué le quedaba a México? ¿Cuánta de esa riqueza iba a dar a manos mexicanas blancas o prietas? ¿A dónde íbamos como país si en 1910 México tenía 15 millones de habitantes, de los cuales 13 vivíamos en el campo sin ser propietarios ni tenedores de tierras ni siquiera de una triste mula o de una gallina clueca? ¡Cuánta fuerza desperdiciada, cuánta, demonios, cuánta gente improductiva y cuánta riqueza perdida por la soberbia y avidez de unos pocos!

La fiesta de las balas comienza en 1910, cuando 97% de toda la población del país carecía de tierras, mismas que estaban detentadas por 834 malditos latifundistas, entre norteamericanos, españoles, mexicanos, por supuesto, además de las haciendas propiedad de prestanombres de la iglesia. ¿Más razones para iniciar la fiesta? Los hijos de los patrones se educaban en Europa o Estados Unidos para no tener contacto con nosotros, los prietitos, los ignorantes, los parásitos sociales, los inútiles y tarugos, siendo que el que tiene los conocimientos asegura su futuro. ¿Qué nos quedaba? ¿Teníamos que esperar la misma suerte que la de nuestros abuelos y padres y morirnos de mal del viento o de trago o de entripada o tuberculosis y que echaran nuestro cadáver en un agujero, como a un perro querido, sin siquiera una bendición, porque no teníamos ni un centavo para pagarle al cura? ¿Eso queríamos también para nuestros hijos y nietos? ¡Falso que la esclavitud la hubiera derogado Morelos! ¡Falso! La esclavitud se dio en cada hacienda porfirista. ¿Y nosotros así, quietitos, cruzados de brazos...? Al carajo: o nos lo dan o se los arrebatamos...

No éramos bandoleros sólo porque 90% de la población no sabía ni leer ni escribir, no señor, protestábamos también y robábamos y matábamos porque no había empleos y los que había pagaban sueldos de hambre y porque no disfrutábamos de libertades ni de seguridades ni garantías de ningún tipo; los sufragios eran una farsa tragicómica en la que la voluntad del pueblo era irrelevante: quien cuenta los votos gana las elecciones... Para rematar, la aplicación de la ley recaía únicamente sobre nosotros, los sombrerudos, los eternos incapaces de leer, para ya ni hablar de entender un código o de contratar a un abogado o de llamar por teléfono a un político influyente. Los ricos estaban exentos de todo tipo de leyes y de ahí la sabrosa tentación por las armas, el mejor instrumento de venganza... Nada de juicios y trámites y solicitudes o demandas: ¡A las manos! ¡Al cuello! ¡A las balas! Sí, carajo, sí, sí, sí...

¿No es una maravilla sacarle los ojos con nuestros propios pulgares a los patrones que violaron a nuestras hijas o a los que nos pateaban para que los sirviéramos o a los capataces que acabaron con nuestros padres cuando al verlos vomitar sangre todavía los volvían a meter a las tripas de la tierra para sacar más plata pagándoles con fichas que se quedaban en la tienda de raya? La Revolución es reconciliación. Es la única manera de progresar, es la conversión de bandido a soldado, de asaltabancos a general, de jefe de la banda a jefe del movimiento armado. En la Revolución ya no se disparan tiros a diestra y siniestra, ahora se toman pueblos y ciudades dentro de un plan conjunto: los objetivos son militares.

Mi general fue el primero en lanzar batallas relámpago enviando a todos sus contingentes armados a la línea del frente. Jugaba con el factor sorpresa, sembraba el terror porque el enemigo no sabía con cuántos leales iba a salir ni de dónde ni con qué trampa los masacraría a todos después de descubierto el engaño. Así ganó, entre otras, las batallas de Gómez Palacio, Casas Grandes, San Andrés, Tierra Blanca, Ojinaga, Torreón, San Pedro de las Colonias y Paredón, hasta cubrirse la frente con laureles de olivo en la de Zacatecas, en donde enterró a Huerta, el asqueroso animal que se alimentaba de vísceras en descomposición...

Villa tenía contratados espías por todos lados: cualquiera de ellos se hubiera dejado cortar una mano por él. Los peones le proporcionaban refugio, alimento, informes, pistas y disfraces. Imposible dar con él. En cada campesino había un Pancho Villa. Su ejército, la famosa División del Norte, era el pueblo mismo, todos nos ocupábamos de esconderlo en lugares seguros, de protegerlo, de ayudarlo y cuidarlo de modo que los federales jamás pudieran descubrirlo. La policía montada porfirista o los federales o los constitucionalistas siempre encontraban el campo en paz, sin imaginarse o suponer que el campesino que araba pacíficamente y sembraba aventando semillas de un lado al otro, espantando cuervos a pedradas o a palabrotas, de pronto sacaba la carabina de entre las milpas, se quitaba el traje de manta que escondía el uniforme de divisionario, se calzaba las botas, se calaba las cananas, desenganchaba una mula de la yunta y corría a pleno galope para formarse puntualmente en las filas de mi general Villa. ¿Quién podía con él...?

De la misma manera en que don Pancho odiaba a Carranza, tenía debilidad por Madero. ¿Quién no lo vio llorar como un niño pequeño el día del entierro del presidente mártir? Cuando Victoriano Huerta fue definitivamente derrotado, mi general Villa se tuvo que ver cara a cara con el "barbas de chivo" quien, sólo con el apoyo de Estados Unidos, pudo rajárnosla, eso sí, por la espalda, desde el momento en que le permitieron pasar a Obregón por territorio norteamericano para sorprendernos por atrás. Los yanquis nos vendieron parque cebado y nosotros disparándolo a lo pendejo, haciendo mucho ruido, pero ignorando que ni las bombas ni las balas tenían pólvora, hasta que nos cayeron los constitucionalistas por la retaguardia y nos partieron toda la madre. Así se las gastan los gringuitos, ¿por qué entonces nos reclaman cuando nos echamos a unos cuantos de ellos en Santa Isabel? ¿Qué les iba a pasar? Fue una traición de los carapálidas que mi general Villa no iba a dejar así porque sí: pinches gabachos traidores, había que darles su merecido...

¿Que si es cierto que el Kaiser alemán le dio a mi general Villa 800,000 marcos a cambio de que invadiera Estados Unidos y fusilara a varios gringos en Santa Isabel? Era tal el coraje de mi general porque los malditos yanquis y su presidente Wilson reconocieron diplomáticamente al gobierno de Carranza y lo abastecieron de armas y lo traicionaron, que no es difícil que lo haya pensado ni mucho menos que lo haya hecho. Son secretos que se habrá llevado a la tumba. La verdad de las cosas es que yo creo que la matazón se la hubiera echado gratis, así de furioso estaba en contra de la Casa Blanca. De haberse logrado una intervención armada masiva como la de 1847, el principal problema hubiera recaído en las espaldas de Carranza y con ello habría matado dos pájaros de un tiro: se hubiera vengado del "barbas de chivo" y al mismo tiempo de los gringos traidores como siempre, hijos de su mal dormir...

Es válido afirmar que el Kaiser deseaba provocar una nueva guerra entre el Coloso del Norte y México, a la que Estados Unidos tendría que mandar por lo menos 500,000 efectivos, mismos que ya no podría enviar al frente europeo en caso de ingresar en la primera guerra mundial al lado de los aliados. Su plan era bien claro: mientras Estados Unidos dedicaba todo su poderío en la exterminación de indios mexicanos, Alemania se ocuparía de aplastar a Inglaterra y a Francia y el zar asistiría impotente al estallido de la revolución y contemplaría cómo los rusos se matarían entre sí, forzando a su país a salir de la primera conflagración mundial... Menuda logística teutona. No estaba mal pensado, ¿verdad? Mientras el Kaiser se apropiaba de Europa y los rusos se mataban entre sí mismos, Estados Unidos arrasaría México mandando medio millón de soldados: ya luego los alemanes se entenderían a balazos únicamente con nuestros primos del norte para llegar a ser los amos del mundo. ¿Qué maravilla, no?

Mi general Villa sí recibió a varios agentes alemanes, ¿por qué negarlo? Tampoco se puede negar que invadió Estados Unidos y se echó a uno que otro güerito, tan es así que el presidente Wilson mandó a la expedición Pershing para atrapar a don Pancho en pleno territorio mexicano en contra de todas las leyes internacionales. En México, al que se agacha se le ven los calzones: si ya diste un paso, da el otro o te caes... Escondimos a mi general en graneros, en marraneras, en cuevas y jacales; lo disfrazamos de caporal, de vagabundo, de monja, de curita parroquial o de amable profesor municipal después de rasurarle los bigotes; lo sacamos cargado sobre los lomos de una mula haciéndose el perdido de borracho, cuando los gringos llegaron una vez de improviso a un pueblo. Nadie pensó siquiera en la posibilidad de cobrar la recompensa establecida por los norteamericanos. Ellos apostaban a que con dinero encontrarían no una sino 500 cabezas de Villa, que los mexicanos éramos histórica e irremediablemente corruptos y, para su sorpresa, no dieron ni con una uña de mi general. Se regresaron por donde vinieron. El caballo destinado a transportar preso a mi general Villa se volvió sin jinete a Estados Unidos. Pinches carapálidas, nunca supieron con quién se metían...

De Victoriano Huerta, ya podrido en el exilio español, sí supimos que efectivamente recibió el dinero del Kaiser en Barcelona y que navegó de regreso a México llegando primero a Nueva York, donde los espías norteamericanos lo seguían paso a paso: el plan consistía en volver a la presidencia, por supuesto con la ayuda de Alemania, para declararle la guerra de inmediato a Estados Unidos como parte de otro plan de dicho emperador alemán. Sólo que el chacal se les murió en San Antonio de cirrosis, después de haberlo operado en sus cinco sentidos, una vez que se tomó una botella completa de coñac y mientras mordía desesperado una gasa blanca doblada. Nadie le administraría cloroformo por nada del mundo: tenía pánico de hablar dormido, el muy bribón...

De cualquier manera, ésas son nimiedades, en lugar de Santa Isabel y de los güeritos, ¿por qué mejor no vemos a mi general instalado como gobernador provisional de Chihuahua, nombrado por las brigadas de la División del Norte? Ése era un señor al mando del Poder Ejecutivo del Estado. Un presidente de la República en potencia, encerrado por lo pronto en un laboratorio regional. ¿Juárez no había tenido un origen igualmente humilde, aun cuando con otra preparación académica, y llegó a ser el Jefe de Estado más popular de la historia de México? ¿Por qué mi general no iba a poder emularlo? ¿Por racismo o por desprecio político? ¿Por qué? Mi general Villa estaba determinado a ejecutar paso a paso un programa revolucionario que sin duda le habría dado la vuelta a México orientándolo hacia el progreso definitivo. Villa dispuso, entre el aplauso del pueblo, la expulsión inmediata de los extranjeros que habían intervenido en los asuntos internos de México; abarató los precios de frijol, del maíz y de la carne; estableció control de precios por decreto en época de guerra; como todo buen enemigo de la flojera, puso en práctica una política de ocupación, haciendo trabajar a soldados y guerrilleros en tareas productivas; reorganizó el telégrafo y los ferrocarriles; repartió tierras otrora propiedad de latifundistas; expropió residencias y bienes bancarios de los enemigos de la Revolución y los puso a disposición del gobierno estatal; inauguró la primera estación telegráfica de la frontera, reactivó la industria y el comercio; estableció el banco del Estado; emitió la moneda local que se cotizó más cara que la nacional; creó colonias agrícolas facilitándoles créditos y ayuda tecnológica. ¡Ay, mi general!, era usted toda una potencia administrativa, un ejército en marcha, un precursor, un transformador: el auténtico revolucionario.

¿Y Carranza? A Carranza se le vería un tiempo después en el Castillo de Chapultepec, rodeado de empresarios, generales enriquecidos de la noche a la mañana y agentes de inversionistas extranjeros. ¿Y el pueblo y sus repartos de tierras y sus hambres? ¿Cuántos metros de tierra, ya no hectáreas, repartieron Madero o Carranza, Obregón o Calles? Mientras menos tierras repartían, más traidores eran a la causa. Traidores, eran unos traidores al movimiento armado, y cuando Carranza asesinó a Zapata, y

Obregón y Calles, por su parte, ordenaron el asesinato de Villa, más traidores fueron a los elevadísimos intereses de la patria. Traidores, traidores, traidores...

El pleito a muerte entre Villa y Carranza sólo terminó cuando Obregón se ocupó exitosamente de mandar asesinar a don Venustiano. Muy a su estilo, un día se enteró de que al presidente de la República lo habían matado en la sierra de acuerdo con sus propias instrucciones, de las cuales él se sintió muy sorprendido... Sus manos estaban limpias de sangre derramada por él... El presidente provisional, don Adolfo de la Huerta, negoció con mi general su retiro. La paz, la bendita paz se consolidaba en todo el país. La pacificación era una realidad. No era necesario asesinar también a Villa. Los generales envainaban sus espadas y las guardaban relucientes en las vitrinas de la historia familiar. Ningún líder promovería ya levantamientos armados. ¿Razones para iniciar una nueva revolución? Sí, el reparto agrícola estaba pendiente. Diferido hasta nuevo aviso... ¿Suficiente argumento?

¿Y el millón de muertos?

Aquí las preguntas las hago yo. ¡Se acabó la conversación!

Villa, de 42 años de edad, pasaría los últimos tres años de su vida en una finca privada, conduciendo otro experimento social que dejaría boquiabiertos a propios y extraños. Creía a fondo en su proyecto agropecuario. Era un convencido. Lo que pasaba en el interior de aquella hacienda era la verdadera revolución, un ejemplo vivo que debería calcarse a la brevedad en todo el país. Mi general debería ser escuchado. Se le debería facilitar una tribuna nacional para mostrar los alcances de su proyecto, el cambio tan radical en tan corto plazo, los sistemas de motivación, los estímulos, el sentimiento de solidaridad, la cohesión fraterna, los incrementos de productividad, el bienestar reinante, de todo ello debería hablar en una sesión plenaria en el Congreso de la Unión y ante toda la prensa nacional y extranjera. Eso, eso precisamente se había propuesto el movimiento armado: crear oportunidades para todos, llenarnos de esperanzas, construir nuevas realidades, progresar, educarnos y crecer compartiendo el bienestar y los beneficios de la libertad y de la paz.

A través de los Tratados de Sabinas, el gobierno le otorgó a mi general Villa la hacienda Canutillo, localizada en Durango, su estado natal. Le permitió conservar una escolta de 50 hombres, cuyos sueldos estarían a cargo del Estado. El resto de su famosa división fue indemnizada con el pago de un año de haberes. Comenzó una nueva vida para don Pancho, experimentó momentos con los que siempre había soñado; descubrió con su gente y entre su gente, entre todos nosotros, la verdadera felicidad. A nadie le cabía la menor duda de que Francisco Villa había nacido para el campo. Él ya era parte del paisaje, si no es que el paisaje mismo. Cambiaría el olor a pólvora por el del estiércol; las balas por blanquillos, los cuarteles por graneros y las carabinas por arados; la explosión de los cañones, por el estallido de los cohetes los días de las fiestas pueblerinas; la caballería sería utilizada en los jaripeos. En las noches, alrededor de la fogata, ya no se planearían batallas, sino que se hablaría del futuro, de la capacidad de producción de la tierra, de la reparación del casco, de la compra de aperos agrícolas, de la contratación de mano de obra, del trabajo en comunidad, de la generación de excedentes exportables, de la distribución de las ganancias, de la inversión de las reservas líquidas, de la educación de los chamacos, de las guarderías, de las facilidades sanitarias para que las mujeres pudieran dar a luz sin exponer sus vidas... Planes, planes, planes alrededor de la hoguera. Los cartuchos se utilizarían para cazar, los rifles se fundirían para la manufactura de arados. Las adelitas ya no cargarían las carabinas mientras sus hombres disparaban, sino que palmearían tortillas al amanecer y llenarían los guajes para el almuerzo. Ya no utilizarían los paliacates para cubrirse la cara del polvo del combate, sino para no tragar el levantado por la yunta. El tequila, el mezcal y el sotol se beberían en ocasiones muy particulares, y ya no para darse coraje antes de enfrentar la muerte, sino para festejar en las fiestas del rancho. Finalmente, el clarín ya no llamaría a la formación de filas, sino que anunciaría la hora de levantarse o de concurrir a la merienda. Todo había cambiado. Del rostro severo de mi general surgió una sonrisa constante y bondadosa que la mayoría desconocía. Se trataba de otro hombre, de un campesino ilusionado y optimista como todos nosotros, más aún cuando los resultados de Canutillo en un plazo realmente corto empezaron a deslumbrarnos a nosotros mismos...

La hacienda llegó a tener, de 1920 a 1923, una población aproximada que variaba entre 400 y 800 personas. Reparamos los caseríos mágicamente. La mística del trabajo era contagiosa. Construíamos un nuevo país. Contábamos con agua y pastizales para la crianza de ganado de exportación. Mi general tenía experiencia como comerciante de reses y como carnicero cuando les vendíamos a los gringos el ganado robado, perdón, expropiado a los ricos hacendados mexicanos, para ayudarnos a sostener a la tropa. Don Pancho hizo traer de Estados Unidos crías de cabras, ovejas y cerdos para su reproducción en Canutillo. Antes de lo que podría ser creíble, ya vendíamos los animales en Texas. La prosperidad prometida en los discursos electorales municipales se hacía realidad en nuestra finca. Nos visitaban de todas partes para conocer nuestro experimento. Villa no sólo había sido un extraordinario estratega militar, también confirmaba sus habilidades como agricultor. Igual coordinaba soldados que peones. De la misma manera instruía a sus lugartenientes que orientaba a sus capataces. Vengan a ver lo que acontece en Canutillo, ésta es la verdadera revolución, por esto y sólo por esto murieron más de un millón de mexicanos: sí valió la pena. No sólo abastecíamos el mercado nacional, sino también, en parte muy pequeña, el norteamericano.

Cuando las cosechas empezaron a satisfacer las necesidades de la hacienda, empezamos a vender productos en Parral y hasta en Torreón. Comíamos bien, alimentábamos correctamente a nuestros animales y vendíamos afuera lo restante. No había desperdicio ni corrupción. En nuestra tienda se surtían muchos pueblos circunvecinos. En Canutillo estaban prohibidas las tiendas de raya y las cantinas: ni quiero que se queden endeudados de por vida ni que dejen en el cubilete o en los naipes los dineros de la raya semanal. Sean responsables: ¡ay de aquel que lo llegue yo a ver ahogado de borracho, tirado en la calle en las puertas de su casa! No al sotol. No a cualquier forma de esclavitud...

—Si pedos se ven mal, colgados de un árbol se verán peor,

de modo que no le muevan. En Canutillo yo mismo cuelgo a los briagos: ¡quietecitos y cuidadito...!

En nuestra "miscelánea", de respetable tamaño, había diferentes mercancías. Las de uso y consumo diario. No sé si porque mi general hubiera fusilado a cualquier ladrón que hubiera dispuesto de los ahorros de Canutillo, no sé, pero lo cierto es que nunca faltó ni un quinto. Las cuentas eran impecables y todos las conocíamos. Los tenedores de libros no se las querían ver en el centro del paredón con 40 carabinas apuntándoles directamente a los güevos. En ese sentido no había manga ancha en la hacienda: la ley era la ley, ésa fue la base de nuestro éxito: el respeto entre todos nosotros, forzado o no por la amenaza de enfrentar un pelotón, pero al fin y al cabo respeto.

—Ya saben ustedes que el día en que se carranceen algo en Canutillo no me habrán de entregar cuentas a mí, sino al Señor que dicen que está allá arriba y que todo lo sabe y todo ve... No le anden tentando el agua a los camotes porque les juro que tengo la mano pesada y buen tino...

Funcionábamos. Funcionábamos bien. Más y mejor empezamos a funcionar cuando mi general acordó con Vasconcelos, el secretario de Educación Pública del presidente Obregón, que mandara a Canutillo a un preparado grupo de profesores, llamados "misioneros culturales", para que alfabetizaran a todos los habitantes de "su pequeño mundo". Mi general ayudaría a los maestros con una paga adicional y les proporcionaría, además, hospedaje, comida, lavado de ropa, armas para cazar, caballo y presupuesto para libros.

—Yo no soy pendejo, soy ignorante, que no es lo mismo, y no quiero que nadie de ustedes sufra lo que yo sufrí —no se cansaba de repetir don Pancho.

Fundó la escuela "Felipe Ángeles", la misma que llevaba el nombre de nuestro artillero estrella, nuestro artillero genial, de una pureza comparable a la de don Pancho y que el presidente Carranza también mandó asesinar para reducir sus riesgos cuando la Revolución ya se había extinguido. Además de las aulas, mi general puso especial empeño en la construcción de una biblioteca en la que él mismo empezó a cultivarse leyendo el *Tesoro de la juventud* y biografías de grandes guerreros como Alejandro y Napoleón. ¡Qué orgulloso estaba ese hombre! El día de la inauguración nos hizo saber que vendrían 250 niños de Torreón de las Cañas, de Torreoncillo, de la hacienda La Carreteña y Las Nieves y de otras poblaciones aledañas y que la mayoría eran hijos de sus "dorados". Deseaba que se les educara muy bien y que se les alimentara mejor antes de iniciar las clases, por si llegaban con el estómago vacío. Canutillo dará para la educación y la alimentación gratuita de esos chamacos... En la noche quiero clases para adultos: ni modo que sean tan grandotes y tan burros y sus hijos sepan más que ellos... Tendremos turno matutino y turno vespertino.

Cuando mi general no se sentaba en una banca para escuchar las clases de canto, entonces de repente se aparecía en las de gimnasia, donde igualmente se quedaba horas viendo a los chiquillos saltar la reata o jugar a los quemados o animándolos en las carreras con las piernas envueltas en sacos. Arrastrando las pesadas espuelas sobre el polvoso piso de madera, se dirigía a caballo a supervisar la cosecha o a comprobar que estuvieran haciendo bien el surco, porque el que hace bien el surco con la yunta, sí sabe sembrar. Sabía dirigir. Ésa había sido una de las claves de su éxito. La fidelidad hacia él era la misma en Canutillo que en el campo de batalla. Otra prohibición: el que hablara de política sería fusilado... ¡Ay, paradojas de la vida! El primero que violó dicha regla fue él mismo. Una indiscreción le costó la vida y con ello Canutillo, y todo el experimento agrícola que bien se hubiera podido expandir a nivel nacional, como era su sueño, se lo tragó la barbarie de un solo bocado...

Dos hechos determinarían el fin de los días de mi general Villa: uno, la invitación para asistir a un bautizo en Parral, y dos, las declaraciones que hizo a Regino Pagés Llergo y a otros reporteros norteamericanos. Con ellos habló en Canutillo de política nacional, declarándose partidario absoluto de la candidatura presidencial de Adolfo de la Huerta, nada menos que el enemigo a vencer de Obregón y de Calles. Él y sus "dorados", llegado el caso, conducirían a don Fito escoltado al Castillo de Chapultepec...

Mi general no podía ignorar el alcance de sus palabras. De sobra conocía los recursos del presidente y de Calles, el aspirante. Sabía que no se detendrían ante nada con tal de mantenerse en el poder. La inquietud crecía en el ánimo de mi general. Obregón, indiferente, todavía refaccionó cínicamente con los gastos de Canutillo a Miguel Trillo, el último secretario de Villa. Villa se tranquilizó y entonces emprendió un último viaje a Río Florido, sin saber que desde tiempo atrás, un grupo de verdugos, matones a sueldo, esperaban arteramente el momento preciso para ejecutarlo. Unas posibilidades militares y políticas tenía De la Huerta con el apoyo de Villa, y otras, muy diferentes, si se le abandonaba sólo a su suerte. Francisco Villa, el Centauro del Norte, el pueblo mismo, mi general dorado, un ideólogo de la Revolución, impulsor de la reforma agraria y defensor del antirreeleccionismo, un campesino mexicano con talla de estadista, amado por todos los suyos, el último promotor de la nueva Constitución, tenía que ser asesinado, liquidado, baleado y rematado: su desaparición física de todos los escenarios del país era impostergable e inevitable. Sólo faltaba la orden de fuego. La traición estaba en marcha...

La mañana del crimen Trillo dudó: no sabía si llevar consigo a su escolta montada, o, por razones de economía y rapidez, escoger mejor a un pequeño grupo de guardaespaldas que iría a bordo del automóvil Dodge de mi general Villa. Se decidió por esto último. Los de a caballo permanecerían esta vez en Canutillo.

La víspera de la salida de su hacienda, una mujer del pueblo pide con insistencia hablar con don Pancho. Lo consigue. Le revela, presa de un llanto compulsivo, la existencia de una conjura para asesinarlo. Ella también se estaba jugando la vida al delatar los planes para matarlo. Villa le agradece y simultáneamente le ordena que se retire, dándole un par de palmaditas. Crece en su interior la angustia: el temor a una celada. No olvidaba sus declaraciones. Imposible ocultar la amenaza que su presencia militar implicaba, tanto para el presidente como para su heredero político. No podía permanecer vivo un hombre que era capaz de poner en pie de guerra a una fuerza de miles de hombres en cuestión de días. Menuda amenaza de cara a los planes de Obregón y de Calles. En aquel día, cuando Villa se despide de su familia, Soledad y sus hijos lo abrazan de los pies. Ella también le pide que no vaya: un presentimiento fatal los invade igualmente a todos ellos. Él responde bromeando: "No está mal morir en Parral..."

Obregón y Calles ultimaron los detalles en el interior del Castillo de Chapultepec. Ya habían esperado lo suficiente, analizando con una lupa todos los movimientos y todas las declaraciones del Centauro del Norte. Nunca se había dado nada extraño. Del comportamiento de mi general no podía desprenderse ningún hecho sobresaliente ni alarmante que justificara semejante acción criminal. La labor de espionaje, precisa y exitosa, lo confirmaba: don Pancho realmente se había dedicado en los últimos tres años a las tareas del campo y a su gente, hasta que se vino encima la sucesión presidencial y tuvo que decidirse, como era de esperar, por don Adolfo de la Huerta, su amigo. ¿Qué no haría mi general por amistad? Su sentido de la nobleza nunca dejó de sorprendernos.

Para ejecutar el crimen y consumar la alevosa traición fue coordinado un grupo de nueve individuos, feroces enemigos de Villa, entre los que figuraban: Melitón Lozoya, Librado Martínez, José y Román Guerra, José Barraza, Ruperto Vera, Juan López y los hermanos Sáenz Pardo, rancheros de la región, todos con algún resentimiento en contra de don Pancho. Nadie dudaba de que el asesinato de mi general Villa había sido ordenado por Plutarco Elías Calles de acuerdo con el general Obregón. Los asesinos materiales habían alquilado, tres meses atrás, una casa en la calle de Gabino Barreda, en Parral, por donde forzosamente tenían que pasar los viajeros que entran o salen de la población rumbo al noroeste. Estaban cazando al Centauro, esperando el mejor momento, la mejor ocasión para no errar el blanco con toda la premeditación, la alevosía y la ventaja. Se trataba de masacrarlo, de disparar desde diferentes ángulos, de tal manera que la víctima no pudiera devolver el fuego, es más, ni siquiera desenfundar su pistola. ¡Mátalos en caliente...! La acción ejecutada al estilo de las campañas militares de mi general tenía que ser relampagueante, precisa, puntual, avasalladora. Tenía que producirse una lluvia de balas de alto calibre, balas expansivas, balas disparadas a mansalva, balas alevosas, balas criminales que acabarían con la vida de un mexicano ejemplar, de esos que nacen una vez cada dos siglos... ¡Ni con cien mil Plutarcos Elías Calles se hubiera hecho un solo Pancho Villa! ¡Ay, mi general! ¡Cuánto bien le hubiera hecho a México un presidente como usted en lugar de matones como Obregón o Calles! Usted nunca mandó asesinar ni robó: ellos se cansaron de hacerlo... Don Pancho no tendría todos los conocimientos ni la formación universitaria, no, pero tenía la sensibilidad política, el amor inconfundible de su pueblo, además de la capacidad para rodearse de un equipo de trabajo que llenara sus vacíos y que se ocupara de tomar las decisiones procedentes, tal y como aconteció cuando fue gobernador provisional de Chihuahua. Él sí hubiera respetado la democracia. Él sí hubiera respetado la voluntad de la nación y se hubiera abstenido de mandar asesinar a sus enemigos políticos. ¿Don Pancho, mandar matar a alguien como si fuera un vulgar hampón? Él no era un hombre de esa calaña ni disparaba por la espalda ni tenía en su nómina a criminales a sueldo para balear a Obregón o a Calles, por ejemplo... ¿Por qué no? ¿Por qué ni siquiera pasó por su mente la idea de hacerlo? Porque él no era un hombre perverso ni enfermo de poder ni enemigo de la democracia ni ávido de bienes materiales. El día 20 de julio de 1923 se fija la vuelta a Canutillo, donde ha quedado su esposa en turno, próxima a dar a luz.

La mañana trágica, mi general le externa a Trillo su deseo de conducir él mismo su automóvil. Era, sin duda, uno de sus grandes placeres. Trillo se acomoda a su lado derecho. Él haría las veces de copiloto. En el vehículo no hay un espacio vacío: está ocupado a toda su capacidad por sus guardias personales, la mejor prueba de que mi general conocía muy bien a sus rivales políticos.

Todo estaba perfectamente organizado. Un vendedor de dulces se quitaría el sombrero cuando Villa pasara frente a él a bordo de su automóvil. Tenía que verlo, comprobar su presencia en el interior del vehículo y hacer de inmediato el movimiento con el sombrero. La señal esperada. Los asesinos cortan cartucho en ese instante. Están seguros de que podrán abrir fuego contra su presa en cualquier momento. Se apostan, cada uno, en su lugar. Cuentan con todo el tiempo para apuntar cuidadosamente. Lo hacen, sin embargo, con el pulso tembloroso. No cualquiera se atreve a dispararle a Pancho Villa. ¿Y si les revive? ¿Y si se les aparece a cada uno por la espalda mientras están disparando y les parte todita su madre? Su fama de héroe invencible impone a los criminales. Cuando en la última esquina, mi general da la vuelta, es el momento preciso de accionar todos los gatillos. La descarga de fusilería es atroz, imponente, ensordecedora. Los rifles escupen fuego una y otra vez. Aciertan. Vuelven a acertar. Hacen blanco desde todos los rincones con suma facilidad. Cargan. Vuelven a disparar hasta que se hinchan los dedos índices. Un regimiento, una división, todo un ejército disparaba de aquella casa siniestra para acabar con la vida del famoso divisionario y con la de sus compañeros de viaje. No debe sobrevivir ni uno solo para contarlo. Aquí nadie puede contar nada: ¿está entendido? El famoso Dodge de mi general se enfila en dirección a un árbol contra el que se estrella. Su motor se silencia de inmediato. Al mismo tiempo acallan las bocas de los rifles humeantes de los criminales. En el amanecer de Parral sólo se escuchan lamentos aislados, ayes de dolor que se van apagando gradualmente. El silencio ahora es total, sólo es interrumpido cuando uno de los asesinos sale de la casa alquilada para disparar a quemarropa el tiro de gracia sobre el cráneo desecho de mi general, quien se encuentra colgando de la puerta del vehículo con la mano derecha puesta sobre su pistola, como si quisiera desenfundarla y morir combatiendo. Las balas expansivas le habían destrozado el pecho y la cabeza. Su fotografía macabra se sumaría a la de Zapata y a la de Carranza. La de Madero y la de Obregón mismo se perderían en la noche de la historia.

Desde que el presidente de la República pensó por primera vez en el asesinato de mi general Villa en los altos del Castillo de Chapultepec, hasta que se ejecutó el crimen, jamás pasó por su mente aquello de que "juro defender la Constitución política de los Estados Unidos Mexicanos y las leyes que de ella emanen y si no que la patria me lo demande..." ¿Qué les importaba a Obregón y a Calles lo dispuesto por la Carta Magna promulgada tan sólo seis años atrás, muy en particular cuando la máxima ley de los mexicanos establecía y mandaba que "nadie puede ser privado de la vida, de la libertad... sino mediante juicio seguido ante los tribunales previamente establecidos..."? ¿A cuáles juicios fue sometido mi general Villa o Field Jurado o Salvador Alvarado entre otros tantos más? ¿Cuáles tribunales? ¿Cuáles leyes? ¿Cuáles? ¿Cuál México moderno nacido de la Revolución? Cuando el presidente Carranza sabe y acuerda el asesinato de Zapata, tampoco piensa en el artículo 14, de la misma manera que el propio presidente Calles y el candidato Obregón también ignoran el juramento y toda legislación existente cuando se ordena la captura y asesinato de Serrano y Gómez y de sus seguidores en Huitzilac.

¿Qué suerte corrieron en la historia del crimen político, casi siempre impune, los asesinos materiales de Madero y Pino Suárez, y los de Zapata y los de Carranza, y los de Villa y Field y Alvarado y etc... etc... etc...? Los crímenes y las traiciones jamás fueron sancionados ni por el poder público ni por la sociedad.

¿Quién nos devolverá a mi general Villa, uno de esos mexicanos que hubiera podido cambiar el destino de nuestro país? ¿Cuándo volverá a nacer un mexicano de estos tamaños con su inteligencia natural, su estructura liberal y sus convicciones democráticas? Era y es cierto que México cambiará cuando los maestros ganen más que los generales... ¡Cuánta razón tenía! México no sabe lo que perdió cuando abrieron fuego contra él en Parral... Ni siquiera lo enterraron con honores militares y una bandera cubriendo su ataúd ni se dispararon salvas en su memoria ni se organizó un desfile fúnebre ante tan ilustre muerto. Sólo el pueblo le llevó flores al cementerio. Pero Pancho Villa, como él mismo lo predijera, ¡no habría de reposar tranquilo ni en su misma tumba...! Tres años después de su muerte alguien violó la última morada para extraer el cráneo de mi general. ¿Humor negro de mi pueblo? ¿A Calles no le bastó con hacerlo asesinar...?

La Revolución fue tan justa que al día de hoy, a 50 años de la conclusión de nuestro movimiento armado, tengo menos patrimonio que cuando me escapé, en 1910, con Villa a la sierra. El día que me muera, ya pronto, afortunadamente, habrán de enterrarme con el único bien que me acompañó fielmente toda mi vida: mi petate...

¡Cuánta tentación tengo por volver a usar mi vieja carabina! Sí, sí, ¿pero dónde está mi general...? ¡Ay, Pancho Villa!, ¿dónde está Pancho Villa? ¿Dónde está mi general para que acabe con la corrupción y con el hambre? Yo lo sigo, yo, yo, yo...

YO, MI ALTEZA...

> Comenzó su carrera traicionando a Iturbide y convirtió la traición en un refinado arte político.
>
> FRANK TANNENBAUM

> Hay pueblos que se controlan con la publicación de libros y la difusión de razones e ideas; a otros se les somete a través del poder de las armas... Con los mexicanos no se requieren ni libros ni razones ni ideas ni armas, simplemente unos buenos barriles de mezcal o de tequila, hartos "cuetes" para tronarlos el meritito día de la fiesta y un "Quince Uñas", al que le falte una pierna perdida en defensa de la patria, para lucrar políticamente con la piadosa misericordia de estos desnalgados...
>
> MARTINILLO, *Memorias de un suspiro*, parafraseando a Enrique Serna

El 20 de junio de 1876 don Antonio de Padua Severiano López de Santa Anna, Su Alteza Serenísima, falleció en la cama. Sí, en la cama, acostado, no colgado de los pies de una de las robustas ramas de cualquier ahuehuete del bosque de Chapultepec ni fusilado de espalda a un nutrido pelotón que, a la reconciliadora orden de ¡Fuuegoooo...!, lo hubiera pasado por las armas con la casaca puesta al revés, tal y como corresponde a los traidores, asestándole, acto seguido, uno y mil tiros de gracia en las sienes, otrora portadoras de laureles de olivo, ni pereció acuchillado en la calle por un patriota fanático ni acribillado por uno de tantos tejanos resentidos de que milagrosamente salvara la vida después de la toma de El Álamo...

No, no, ninguno de los soldados sobrevivientes, defensores de México durante los aciagos días de la guerra contra Estados Unidos en 1847, intentó estrangular al ilustre "Benefactor de la República" después de haber perdido, curiosamente, todos los combates y todas las batallas en contra de los invasores y de haber conducido torpemente a sus ejércitos al matadero. No, tampoco fue asesinado a tiros por un esbirro de Iturbide o de Bustamante o de Gómez Farías o de Juan Álvarez, entre otros tantos resentidos más, ni sus peones de El Encero o de Manga de Clavo lo ahorcaron con sus propias manos por la insultante ostentación de su riqueza mal habida y las paupérrimas condiciones en que ellos penosamente subsistían.

No, Santa Anna, Su Alteza Serenísima, El Benemérito, El Salvador de la Patria, El César mexicano, no murió encerrado en un tabuco subterráneo, sentenciado a cadena perpetua ni purgó su condena en el interior de una lóbrega mazmorra saliginosa del fuerte de San Juan de Ulúa ni resultó envenenado por cualquiera de sus mujeres o amantes al beber el primer trago de tequila ni dejó de existir entre gritos de horror víctima de la sífilis, después de haber asistido a tantos burdeles como imaginación o apetito tenía ni fue ajusticiado por deudas de juego a manos de un apostador estafado en uno de sus palenques después de una pelea de gallos.

Antonio López de Santa Anna, el hombre que, como bien dice Tannenbaum, convirtió la traición en un refinado arte político, el militar que traicionara a todos, empezando por él mismo y continuando con sus esposas y amantes, superiores y subordinados, amigos y gobernados, colegas de armas y compañeros de la vida; el hombre rico y más tarde pobre, el héroe y el villano, el patriota y el apóstata, el reo y el general brigadier, el líder que incendiara al país a través de levantamientos, golpes de Estado y asonadas, el mismo individuo que volviera 11 veces a la Presidencia de la República en la primera mitad del siglo XIX, muere en paz heredando una estela de daños a la nación imposibles de restañar, daños en los que, partiendo del sabio supuesto de la inexistencia de las culpas absolutas, la propia sociedad mexicana era obvia y proporcionalmente responsable. Santa Anna era la exacta representación del pueblo, una síntesis social que comprendía todas las clases de la Nueva España. Finalmente el subproducto más claro de 300 años de dominación española.

Santa Anna muere, pues, en la cama:

—Nunca ningún mexicano olvidará jamás mi nombre[1] —fueron las últimas palabras que pronunció Su Alteza en el lecho de muerte, hundido en sus propias heces, víctima de una diarrea incontrolable que finalmente acabó con él a los 82 años de edad.

El primer nombre que nos viene a la cabeza cuando se habla de los grandes traidores en la historia de México es, sin duda, el de Antonio López de Santa Anna, un singular personaje que apareció en la escena nacional desde la consumación de la Independencia hasta convertirse en la figura política más representativa, para desgracia de todos, a lo largo de la primera mitad del siglo XIX.

Mucha tinta se ha invertido para tratar de describir la pintoresca personalidad de este simpático y temerario veracruzano que ejerciera una influencia definitiva en México. Se trata de un hombre carente de escrúpulos, ególatra, vanidoso hasta el delirio, arrogante, embustero por naturaleza, fino y profundo conocedor de la chusma con la que lucraba políticamente, explotando sus peores defectos siempre en beneficio propio. Amigo del populacho al que sorprende bailando, sin timideces ni complejos, el *siquisirí*, el zapateado o el fandango sobre una improvisada tarima.

Viva la diversión: Báilele canijo... Manos atrás entrelazadas, espalda recta, taconeo fuerte sin dejar de ver nunca a su mujer: fíjese bien... Oiga la música, no se mueva a lo tarugo...

Estudia al pueblo para después controlarlo y dominarlo como militar y político; conoce sus fibras íntimas, sabe cómo tocarlas al igual que las cuerdas del requinto o las tablillas de la marimba. Nadie se anudaba el paliacate como él alrededor del cuello ni sabía calzarse el sombrero de palma con la picardía con la que él lo hacía. La ropa blanca del trópico veracruzano parecía haber sido diseñada especialmente para él. Se acerca a su gente como un apasionado conversador, estupendo bailarín de sones jarochos, uno más

[1] *Diccionario Porrúa de historia, biografía y geografía de México.*

de ellos, siempre ocurrente, vivaz, ingenioso, un seductor profesional, un experto cortesano, cálido galán que se entona y canta en los saraos, en los palenques y en los jaripeos, donde se exhibe, además, como el mejor jinete, invariable proveedor de cohetes y de alcohol para divertir a los suyos: Santa Anna, el gran animador en bautizos, comuniones y bodas, siempre dispuesto a firmar como el testigo, el padrino, el compadre de todos, el amigo fiel y confiable. ¡Cuánto hubiera deseado ser el muerto en los entierros para disfrutar el placer de los honores funerarios y gozar en silencio los lamentos y llantos de las magdalenas contratadas a sueldo!

Según Tannenbaum, Santa Anna es el genio malo del destino mexicano... Sus dotes personales eran las de un ventrílocuo o las de un ilusionista y su poder sobre sus compatriotas tenía algo de patológico... Para Roberto Blanco Moheno, estamos frente al peor de los mexicanos, el más hábil explotador de todos nuestros trágicos defectos. Rafael F. Muñoz sostiene que era un hombre atolondrado, despótico y caprichoso... sensual y jugador... de temperamento tropical que pasa de la más intensa actividad a la indolencia más completa... Desde el punto de vista de González Pedrero, El salvador de la patria tenía... el hábito de concebir al país como patrimonio personal, y, sobre todo, disposición autoritaria e ilimitada ambición de poder.

No es fácil encontrar en la historia universal a un político tan ávido de honores, dignidades, estrellas, listones, entorchados, condecoraciones y homenajes como quien después fuera llamado el Quince uñas, apodo impuesto por la chusma, por el populacho, por el ingenio sarcástico de los léperos en razón de haber perdido una pierna en la "guerra de los pasteles", librada en contra de los franceses. ¿Cómo olvidar cuando el gobierno en turno le organizó un *Te Deum* para enterrar su extremidad con todos los honores exigidos, primero por la liturgia religiosa y después por la militar? Salvas, cañonazos, himnos, coros, papel picado multicolor, desfiles ceremoniosos, bandas de guerra, duelo de campanas, cánticos y bailes para homenajear al mutilado, concediéndole todo género de licencias políticas para compensarlo por su decrepitud.

Santa Anna sentía encarnar a la patria, a la mismísima patria:

la patria soy yo, parecía decir en sus arrebatos megalómanos que tantos años, ¿años?, ¿lustros?, ¿medio siglo o tal vez un siglo de atraso?, le costaran a nuestro país. Durante sus 11 encumbramientos como jefe del Estado mexicano, su nombre aparece estrechamente relacionado con los que, sin duda, son los hechos más traumáticos de nuestra historia: la pérdida del enorme territorio de Tejas, así, con "jota", como debe escribirse, Tejas y sus gigantescas y ricas planicies, mismas que fueron condenadas a pertenecer a Estados Unidos después de que el general Sam Houston encontrara dormido, antes de la batalla de San Jacinto, nada menos que al propio presidente de la República y general en jefe del ejército mexicano, dormido, sí, sí, dormido a la sombra de un frondoso sauce junto con todo su regimiento que, al igual que su jefe máximo, se había entregado feliz y desprendido a disfrutar los placeres de la tan mexicana siesta...

¿Se puede acaso olvidar cuando Santa Anna, con todas sus condecoraciones, bandas multicolores cruzadas sobre el pecho, además de estrellas y galardones, nuestro "Salvador de la patria", título que él mismo se confirió, fue conducido, esposado e inmovilizado con grilletes en ambas piernas, ante la presencia del presidente Jackson en la propia Casa Blanca, después de un maravilloso viaje por el Mississippi en 1836? ¿Verdad que no es posible recordar una humillación más devastadora y vergonzosa sufrida por algún jefe del Ejecutivo mexicano? Por si fuera poco, su nombre, el mismo que nunca ningún mexicano habrá de olvidar, aparece vinculado a la trágica cadena de derrotas sufridas durante la guerra de 1847 y que finalmente propiciara uno de los robos más escandalosos conocidos en la historia universal: el despojo por parte de Estados Unidos de los territorios mexicanos de Tejas, Arizona, Nuevo México, parte de Utah y la Alta California a través de una "venta" legitimada por el rigor de las bayonetas puestas en la nuca de los negociadores a través del Tratado de Guadalupe Hidalgo. El poder de los cañones norteamericanos impusieron la última razón. Por si todo lo anterior fuera de poca envergadura, Santa Anna todavía volvió al poder después de perder la guerra contra Estados Unidos, sólo para mutilar una vez más al país a través de la venta del territorio de La Mesilla, cuyo precio pagado nunca llegó a las menguadas, como siempre, vacías y saqueadas, arcas de la nación...

Santa Anna traiciona y se traiciona para, finalmente, volver a traicionar

En 1810, cuando Antonio López de Santa Anna contaba con 16 años de edad, se registró como cadete del ejército español en el Regimiento Fijo de Veracruz. Así empezó su carrera militar, que lo llevó de un bando a otro, siempre en busca de su provecho personal, en los numerosos conflictos que enfrentaban a diferentes sectores del naciente país. Una mañana se levantaba con que era realista, y otra, con que era insurgente. Un día era centralista y en la tarde, federalista. Cuando anochecía era conservador y en el amanecer, el más fanático de los liberales. "Santa Anna recorrió, a lo largo de su aventura política [...] nunca fue, propiamente, otra cosa que llana y sencillamente santannista", nos dice González Pedrero.

Comenzó por traicionar siendo muy joven aun a su propio protector, a su jefe y maestro, casi su padre, el general José Dávila, gobernador de Veracruz. Lo traiciona, en primer término, cuando éste lo comisiona para que se constituya, nada menos que ante la presencia del virrey Apodaca, con el propósito de aclarar intrigas tramadas en su contra para destituirlo.

—Ve y habla por mí. Defiende mi dignidad. Ensalza mi figura: rescátame de las fieras, hijo mío.

¿Resultado? En lugar de salvar el honor de su superior y cumplir con su delicado encargo, Santa Anna logra para sí un ascenso, el despacho de capitán graduado. La suerte de su superior es clara: Dávila es cesado. Sin embargo, tres años después, el rey lo repone en su elevado encargo. No deja de contemplar con la ceja levantada a su por lo menos extraño subordinado... Santa Anna es nombrado comandante del Ejército Realista por sus merecimientos en campaña en contra de los insurgentes, sus feroces enemigos, distinción que le será de breve utilidad...

—Querido Antonio —le dijo Dávila, al entregarle los dorados galones—, te los ganaste a pulso. Dale las gracias al rey.

En 1821, estando en Orizaba, a donde ha ido para defender la plaza en acatamiento de instrucciones vertidas por el mismo Dávila, no hace sino traicionarlo nuevamente al igual que a todos sus correligionarios, los realistas, al pasarse al bando contrario, es decir, al bando insurgente, después de negociar un doble ascenso en la jerarquía militar: a partir de ese momento ya no será comandante, su rango será de teniente coronel, sólo que del lado de sus anteriores enemigos.

¡Viva el Plan de Iguala!, es el grito ensordecedor que se escucha durante el festín de celebración, en el que los altos oficiales insurgentes, ya incluido Santa Anna, brindan con vino, mientras comen confituras y jamones. Dávila, por su parte, muerde el polvo presa de una furia incontenible. Ha sido traicionado por quien respetaba y quería como a su propio hijo. El coraje y la decepción lo devoran. Santa Anna festeja y se exhibe como el más leal de los iturbidistas, al extremo de que exige combatir sin tregua, ya con el uniforme insurgente, nada menos que al propio Dávila, créanme, yo lo conozco como la palma de mi mano. Lo obliga, entonces, a desalojar Veracruz y a acuartelarse en San Juan de Ulúa, sitiándolo, privándolo de agua y comestibles, condenándolo al hambre y orillándolo a capitular sin condiciones. Él, Santa Anna, terminaría con el último reducto de la resistencia española.

Oye, ¿Dávila no era como un padre para ti...?

El nombre del flamante teniente coronel crecía vertiginosamente a los ojos del pueblo y también ante los de Iturbide, el consumador de la Independencia, quien lo asciende, con ciertas sospechas y reticencias, al grado de Brigadier con Letras y Comandante General de la Provincia de Veracruz. ¿Tendría los merecimientos para semejante ascenso?, se preguntaría en su soledad. ¡Ay! ¡Ay! ¡Ay...!

En mayo de 1822, Agustín de Iturbide es proclamado emperador de México. Santa Anna, quien había sido su leal aliado en la última parte de la lucha armada contra los españoles, lanza al pueblo una arenga desde Veracruz:

> ...corramos velozmente a proclamar y a jurar al inmortal Iturbide por emperador, ofreciéndole ser sus más constantes defensores hasta perder la existencia. Multipliquemos nuestras voces llenas de júbilo, y digamos sin cesar, complaciéndonos en repetir, viva Agustín I, emperador de México.

¿No es una maravilla de proclama digna del mejor crédito? Sin ocultar su escepticismo y a modo de un dudoso reconocimiento, el monarca todavía le obsequió a su súbdito jarocho un estandarte con la bandera de las Tres Garantías, precisamente el que había exhibido orgullosamente el lugarteniente de Vicente Guerrero el día de la consumación de la Independencia. Antonio Santa Anna era el más fanático de los iturbidistas hasta que dejó de serlo... ¿Razones? Iturbide no lo quería en la corte: desconfiaba profundamente de él. En el fondo siempre deseó verlo con los codos amarrados uno junto al otro y la boca llena de trapos. ¿A dónde voy con un probable traidor, irresponsable, apostador y mujeriego a mi lado...?

Santa Anna llegó al extremo de buscar los favores de la hermana de Iturbide, una mujer de 65 años de edad, para tratar de ingresar por derecho propio al círculo elitista que rodeaba al emperador. ¡Cómo ignorar cuando, sorprendiendo a toda la concurrencia, el joven don Antonio, contando 28 años de edad, entró en la catedral de México, precisamente el día de la coronación de Iturbide, acompañando nada menos que a la hermana del propio monarca! Ella desfilaba orgullosa con la mano enguantada y ensortijada colocada sobre el antebrazo levantado del bravo insurgente. El teniente coronel elegantemente vestido con el uniforme de gala y escuchando arrobado los vibrantes acordes de la marcha triunfal de *Aída*, condujo lentamente a María Nicolasa a lo largo del pasillo principal, flanqueado por los reclinatorios ocupados por la realeza y por los distinguidos invitados, rumbo al altar central, donde los emperadores, sentados sobre sus respectivos tronos, contemplaban atónitos la escena, no menos cínica que irritante. El propio padre de Iturbide, habiendo perdido la respiración, tuvo que tomar asiento antes de desfallecer...

Doña María Nicolasa era fea, vieja, representaba más edad de la que en realidad tenía, soltera, solterísima, con nariz aguilucha y pelo corto rizado y grisáceo, sí, sólo que si el pintoresco jarocho llegaba a casarse con ella, se convertiría en príncipe, Gran Cruz de la Orden Imperial de Guadalupe, Excelentísimo y Grande del Imperio. ¿Qué tal un cargo de esos tamaños para el afortunado veracruzano experto en zapateado? El príncipe Antonio de Santa Anna, etc... etc... etc... El emperador no podía salir de su azoro.

¡Imposible, maldito mentecato! ¿Santa Anna? Bribón malnacido, mira que escoger ese camino... Es una bajeza, un acto ruin y deleznable, tratar de utilizar los sentimientos de una pobre y vieja mujer para satisfacer las ambiciones políticas...

El emperador decide ofrecerle un cargo en la ciudad de México para controlarlo y, desde luego, mantenerlo apartado de su hermana... En Veracruz no podré vigilarlo nunca... A las víboras hay que sujetarlas por la cabeza para que no muerdan. A mi lado lo tendré entretenido...

Por su parte, Santa Anna, advirtiendo la intención del emperador de someterlo y limitarlo, negándole toda posibilidad de evolución política dentro de su gobierno, decidió, a modo de agradecimiento, ejecutar otra traición, esta vez de dimensiones históricas: proclamó el Plan de Veracruz, desconociendo a Agustín I de México como emperador: el dignísimo y particularmente amado monarca se volvía el déspota más injusto. Santa Anna colaboraría generosamente en la caída de su régimen. Iturbide, indignado por la actitud asumida por aquel que se había llamado a sí mismo *su defensor*, pensaba fusilarlo por traidor a la primera oportunidad. No tuvo tiempo de hacerlo para mal de todos: sólo un mes después abdicó. En su lugar quedaba un triunvirato compuesto por Nicolás Bravo, Guadalupe Victoria y Pedro Negrete, que con el título de Supremo Poder Ejecutivo asumía el poder provisionalmente. El más fanático admirador del imperio, su más constante defensor "hasta perder la existencia" traicionaba ahora a Iturbide a través de un levantamiento armado simplemente porque no había reconocido su talento ni sus habilidades ni le había concedido los espacios políticos que él creía merecerse. Bien hubiera podido don Antonio acudir al llamado de Iturbide y tratar de ganárselo a través del trabajo, la dedicación y la lealtad, sólo que esa alternativa no estaba en él: la traición era para Santa Anna un refinado arte político...

La traición a Anastasio Bustamante

La caída del imperio de Iturbide puso al país al borde de la desintegración. Las características geográficas del territorio, las distancias, la incomunicación y el poder que ejercían los jefes políticos en los estados reducían notablemente los alcances del poder ejecutivo. Al mismo tiempo, el fracaso del imperio propició la construcción de la República, la única forma de gobierno que parecía permitir la cohesión del naciente país. Lo que se discutía entonces era cuál sería la mejor forma de organizarlo: el dilema estribaba entre la adopción del centralismo o del federalismo.

El Congreso firmó el 4 de octubre de 1824 la nueva Constitución que creaba la República, al frente de la cual quedaría como presidente durante los siguientes cuatro años don Guadalupe Victoria. Al término de su mandato, la flamante República convocó por segunda vez a elecciones. Vicente Guerrero las pierde. Santa Anna se vuelve a levantar en armas. Emite un nuevo pronunciamiento en favor del perdedor. Las elecciones son anuladas. El Congreso, sometido a todo género de presiones militares e intereses políticos, declara ilegalmente a Vicente Guerrero y a Anastasio Bustamante como los triunfadores en la elección para ocupar los cargos de presidente y vicepresidente respectivamente. Santa Anna triunfa traicionando el orden legal: al pueblo de México no se le respeta por primera vez su voluntad expresada en las urnas. Cualquiera podría suponer el destino del gobierno de Vicente Guerrero sobre la base de que éste llega a la Presidencia de la República sin saber ni leer ni escribir: era todo un analfabeto que un día firmaba un decreto creyéndole a sus secretarios de Estado respecto de la veracidad de su contenido y días más tarde se veía obligado a revocarlo al conocer por un tercero la auténtica trascendencia de su decisión. ¿A dónde iba un gobierno así? ¿A dónde iba un país en dichas condiciones?

La buena estrella de Santa Anna se ocuparía de cubrirlo de una luz blanca, celestial, concediéndole una serie de "triunfos gloriosos" que él sabría capitalizar políticamente aun cuando fueran auténticas verdades a medias.

Veamos. Durante el mandato de Guerrero, en el año de 1829, el decadente imperio español intenta a través del general Barradas una invasión militar en Tampico para volver a hacer de México la misma colonia de los últimos 300 años. Para tal efecto, desembarcó en Tampico con un pequeño contingente proveniente de Cuba. A Barradas le habían mentido los espías que trabajaban en México para la corona española. Le habían hecho saber que el pueblo mexicano vería con agrado el regreso a la sumisión colonial. Así que el comandante llegó a la costa de nuestro país con un puñado de hombres, sin estar preparado para enfrentar una resistencia seria ni mucho menos la fortaleza destructiva de los elementos de la naturaleza. Un furioso huracán, las severas marejadas, la malaria, la disentería, además de otras enfermedades y calamidades hacen que Santa Anna se vista de héroe "derrotando" al invasor y convirtiéndose en el *Vencedor de Tampico* y el *Segundo Padre de la Patria*. Su estatura política se agiganta: había vencido a los españoles, una importante potencia militar, con una pequeñísima fuerza gracias a su talento, a su visión de estratega, a su capacidad logística, a su valentía e intrepidez, y eso que contaba con una artillería insignificante y una infantería fatigada después del viaje desde la ciudad de México. Mentira: los furiosos vientos del norte, los naufragios, los mosquitos, la enfermedad, las plagas, las pestes y el agua contaminada dieron al traste con los planes españoles. ¿Cuál batalla? ¿Cuál gloria...? ¡Embustes y más embustes!

Los quítate tú para que me ponga yo continuaron a lo largo del siglo XIX mexicano hasta hundirnos en el atraso y en la ignorancia extremas. Imposible conocer México sin haberse aventurado a descubrir lo acontecido en el país en dichos 100 años. Las traiciones se suceden las unas a las otras: esta vez Anastasio

Bustamante, el vicepresidente, traiciona a Guerrero levantándose en armas en su contra: su superior, su jefe, nada menos que el presidente de la República. Guerrero opta por la renuncia. Bustamante toma el poder a través de un cuartelazo. Santa Anna lo apoya. Guerrero, en su silencio, no deja de llamarle traidor, calificativo con el que también lo etiquetaron su padre putativo y el emperador Iturbide. Empezaba a surgir un claro consenso respecto de la personalidad aviesa del veracruzano. Para Santa Anna cualquier compromiso, juramento o lealtad tenía un carácter temporal, una vigencia sumamente corta. ¿Cuánto tiempo tardaría en iniciar un nuevo levantamiento armado, esta vez en contra de Bustamante? El 2 de enero de 1832 Santa Anna encabezó finalmente un pronunciamiento contra dicho gobierno y contra el presidente electo Manuel Gómez Pedraza. ¡No faltaba más! Era tanta la confusión que guiaba los actos del *Salvador de la Patria* —o tanta su ambición—, que al poco tiempo exigía el reconocimiento de Gómez Pedraza, a quien también había desconocido como presidente. Santa Anna encontraba políticamente rentable la traición, anotándose una más en contra del propio Bustamante.

La guerra de Tejas

La situación del país durante sus primeras cuatro décadas de existencia libre y soberana era de absoluto caos. Estados Unidos, instalado en un franco proceso de expansión, había comprado la Luisiana a Francia y la Florida a España. Tocaba el turno a Tejas, un inmenso territorio mexicano. Los yanquis habían venido diseñando, de buen tiempo atrás, una estrategia para apoderarse de las enormes y ricas planicies tejanas, mismas que permanecían prácticamente deshabitadas como consecuencia de la indolencia o de la incapacidad colonial y del desorden del México independiente. En 1825 y 1827 Estados Unidos hizo una oferta a México para comprarle las apetecibles llanuras. Por toda respuesta obtuvo una negativa: México rechazaba la idea de vender ninguna parte de su territorio ni aceptaría sentarse a negociar otro tratado de límites entre ambos países. Para México eran bien claras sus líneas fronterizas. Para apoderarse de Tejas, la Casa Blanca tendría que optar por trazar planes más eficaces y, sobre todo, radicalmente distintos a una compraventa civilizada…

Durante años promovieron encubierta y astutamente el asentamiento de colonos estadunidenses en la región. Día con día, aquí, allá, acuyá, iban llegando en diligencias los anteriores habitantes de las 13 colonias a lo que más tarde sería la estrella solitaria de la Unión Americana. La migración era lenta pero abundante, constante e interesada. Cuando el gobierno mexicano se diera cuenta, después de tantas convulsiones internas, levantamientos armados, golpes de Estado, asonadas, disputas por el poder, indefinición política e inhabilidad administrativa, mientras todo esto se daba, Tejas se estaría poblando mayoritariamente por norteamericanos. Cualquier decisión que posteriormente recayera en sus habitantes en el caso de que tuvieran que consultarles algo, la respuesta sería bien clara: somos estadunidenses y estamos con Estados Unidos. Por cuerda separada se continuaron estimulando proyectos separatistas que preparaban mañosamente una anexión *de facto* al futuro Coloso del Norte, misma que el gobierno mexicano ya no podría contener, menos, mucho menos, si se tomaba en cuenta la anarquía política, la miseria económica, la incapacidad de ahorro y generación de riqueza, la profunda división del país originada en rivalidades internas, la carencia de instituciones políticas y de autoridades respetables, a lo que se debía sumar la gran distancia que separaba a aquel Departamento de Tejas de la ciudad de México, asiento centralizado y monolítico del poder político, económico y militar, que por lo general encarnaba un solo hombre.[2]

---

[2] Como lo menciona Michael P. Costeloe en su libro *La República Central en México, 1835-1846*: "Para los mexicanos era bien sabido que el dominio sobre Texas, estado tan distante, era muy débil y las ambiciones de Estados Unidos por adquirirlo mediante la compra o por la fuerza se venían presentando desde 1820. Por esta razón, no fue sorprendente que los texanos se rebelaran en defensa del sistema federal, el 22 de junio de 1835. Para Santa Anna esto significó otra oportunidad para aumentar su gloria y para persuadir a los dudosos de que él era digno de ceñirse una corona."

Los tejanos entonces, estimulados por la Casa Blanca y en general por el gobierno norteamericano, decidieron escindirse de México. Santa Anna, ya convertido, una vez más, en presidente de la República, montado en su caballo blanco a la imagen y semejanza de Napoleón I, el máximo ejemplo digno de ser imitado en el ejercicio de una carrera político-militar, después de posar para un retrato de cara a la posteridad, arengó a las multitudes, a la tropa en general, sacudiéndola de las solapas para no escatimar esfuerzo a la hora de rescatar a la patria de las manos perniciosas y maculadas de los extranjeros voraces, e inició su campaña militar contra la independencia de Tejas en 1836. Después de la toma de El Álamo, un fuerte al que sitió para asesinar de inmediato a la mayoría de sus inquilinos "texanos", se presentó como héroe invencible de la nación. Mis guirnaldas, denme mis guirnaldas... Sin embargo, cuando en México seguían celebrando su gran triunfo y discutiendo sobre su posible ascenso como dictador, Santa Anna perdía Tejas, y con ella todas las batallas precisamente en San Jacinto —el desastre de San Jacinto— el 21 de abril de 1836. ¡Ay!, el horror de la siesta de San Jacinto, el merecido descanso del guerrero...

Santa Anna, el general-presidente, fue despertado en plena siesta por las bayonetas de Sam Houston, que casi le perforan el cuello, devolviéndolo violentamente a la realidad. Santa Anna, el ilustre jefe del Estado mexicano, fue hecho preso como consecuencia de las "hostilidades". San Jacinto no fue una batalla perdida, fue una masacre producto de la incapacidad y falta de previsión del mando militar mexicano; 400 soldados muertos, 200 heridos y 730 prisioneros fue el resultado de la suficiencia, de la excesiva confianza, de la irresponsabilidad, de la indolencia y del absoluto desprecio por la auténtica causa mexicana. Dormirse irresponsablemente fue una traición inconsciente que se hizo bien pronto consciente cuando, a cambio de salvar su vida, el señor presidente asumió compromisos inadmisibles en su caracter de titular de hecho y de derecho de todas las instituciones mexicanas.

Y de nuevo, su Alteza Serenísima, El Benefactor de la Patria, su Salvador, el Benemérito, el héroe inmortal, con tal de salvar el pellejo, recurrió a la traición tratando de convencer a los mexicanos de que su capitulación era casi un acto patriótico bajo la lógica de que más vale un cobarde vivo —o un traidor vivo— que un valiente muerto.

Santa Anna cometió, hasta ese momento, una de las peores felonías de su vida, la más artera de las traiciones, al firmar los Tratados de Velasco el 14 de mayo de 1836. ¿Y los supremos intereses de la patria? ¿Y la dignidad y la personalidad nacional? Antes está la preservación de la epidermis... En el primero de ellos se comprometió a no volver a tomar las armas en contra de Tejas, a suspender las hostilidades y a ordenar al ejército mexicano su inexplicable repliegue hasta el Río Bravo. Nada de esto parece convenir a los intereses de la patria, mismos que había jurado defender a costa de la vida misma...

Juro, lo juro y si no que la patria entera me lo demande...

Los compromisos adquiridos en ese tratado constituyen indudablemente una traición. Pero eso no es lo peor: hubo un segundo tratado, un tratado secreto en el que el prisionero prometía usar su influencia —que no era poca— para que el gobierno de México —que era él— reconociera la independencia de Tejas. ¿No era eso precisamente lo que trataba de impedir la campaña emprendida por Santa Anna? ¿No es un acto de traición a la patria y a los propios principios —si es que los tenía— comprometerse a colaborar en la victoria del enemigo? Aunque México trató de reorganizar el ejército para recuperar Tejas, ya era demasiado tarde: el ilustre general Santa Anna había traicionado nuevamente al país y había canjeado Tejas por su libertad. En Washington, Santa Anna conferenció con el presidente Jackson y, a cambio de que se le permitiera salvar la vida, abandonar Estados Unidos y regresar a México, ratificó dichos tratados indignos de un jefe de Estado. ¡Dicha felonía debería haberla pagado con la vida!

¿Verdad que después de estos acontecimientos ya era del todo improbable que Santa Anna volviera a ser ungido como presidente de la República? Si lo habían sorprendido en plena siesta, dormido, antes de la batalla; si había sido aprehendido vergonzosamente por el enemigo; si antes que nada había tratado de salvarse entregando el patrimonio territorial mexicano que supuestamente había ido a rescatar; si cometió todo género de traiciones firmando tratados secretos, tratados inconfesables con los norteamericanos, y si finalmente casi le entrega las llaves de México al presidente Jackson con tal de recuperar la libertad, ¿verdad que la sociedad entera debería haber pedido la ejecución pública de su Alteza Serenísima, en la Plaza Mayor, de cara a todo el pueblo que él traicionó una y mil veces sin experimentar la menor culpa? ¿Qué clase de sociedad tendría que ser la mexicana para haber permitido que un individuo con semejantes características volviera a ocupar un cargo tan elevado, trascendente y distinguido? Si llegaba a ocupar de nueva cuenta la primera magistratura de México, el único responsable ya no sería él, sino la nación entera por consentirlo. ¿Dónde terminaba la responsabilidad de Santa Anna y comenzaba la de la nación entera por consentir semejante estado de cosas?

Pero Santa Anna no sólo traicionó al gobierno que lo había nombrado para el honorable cargo de presidente de la República, no, claro que no, también traicionó, como quedó claro, a su propio país, igual que traicionó a su padre putativo, a Dávila y más tarde a Iturbide, a Vicente Guerrero y a Bustamante y a Gómez Farías, su vicepresidente. ¿Falta nombrar a alguien más? Sí, a sus soldados, a sus compañeros de campaña, a los que se jugaban la vida con él, acatando sin chistar sus instrucciones en relación con las estrategias de ataque. A ellos, a los suyos, también los traicionó no sólo al ordenarles que se abstuvieran de dar un paso más en el territorio tejano que se pretendía recuperar, de modo que a él no le costara la vida o se le sometiera a una serie de torturas, los intereses supremos del país quedaban en un segundo término, sino que los traicionó al declarar que todo lo acontecido se debía a la mala calidad de sus tropas: si el barco se hundió —como bien dice Enrique Serna—,[3] se debió a "la desidia y a la torpeza de los marineros..." ¿Acaso no se nombran jefes, en cualquier actividad de la vida, para que conduzcan a otras personas y caiga sobre sus hombros la responsabilidad de la misión que se les encomienda?

[3] Enrique Serna, *El seductor de la patria*, p. 50.

Cualquier jefe militar que trate de escapar a sus faltas y errores acusando a sus subalternos de sus derrotas y fracasos desde luego los traiciona exhibiéndose, además, como un cobarde e incompetente. Cuidado con las personas incapaces de aceptar sus responsabilidades... Cada negativa es una traición.

Un samurai japonés se hubiera practicado un harakiri. De llegar a encontrarse en las condiciones de Santa Anna hubiera tomado un cuchillo y, siendo incapaz de sobrevivir con semejantes cargos y culpas, se hubiera abierto el vientre antes de volver a verse frente al espejo, para ya ni hablar de ver a quienes le confiaron el rescate de la patria. Un soldado prusiano se hubiera dado un tiro en su celda de castigo arrebatándole la pistola a cualquiera de sus cancerberos. ¿Qué hizo Santa Anna tan pronto regresó a México el 21 de febrero de 1837 a bordo del *Pioneer*, una maravillosa fragata norteamericana?

Bien: se dirigió apresurado a su rancho Manga de Clavo desde donde juró apartarse de la política para siempre. Ahí, sentado, contemplando extasiado el casco de su hacienda del que sobresalía la cúpula mayor en la que se encontraba un reclinatorio y un retrato de la virgen de Guadalupe para exhibirse ante los jerarcas de la iglesia, quienes lo visitaban permanentemente, como el más fiel de los feligreses, escribió las siguientes líneas para la posteridad, mismas de las que no se desprende el menor sentimiento de culpa ni asoma el menor remordimiento:

> Bendije mi bella soledad, y gustoso entré a las ocupaciones del hogar doméstico, que en mi melancolía se me presentaba como el oasis del desierto al fatigado peregrino.

¡Qué harakiri ni qué samurai ni qué prusianos ni suicidio ni honor ni tiros en la sien ni nada de nada! Mis gallos: ¿es cierto que ayer en el palenque, hijo de tu pelona, casi me matan al "Cola de Plata", mi lidiador predilecto, mi gladiador invencible? ¿No sabías que mi gallo favorito vale más que mil soldados de esos que son como tú?

—Sí...

—Sí, señor presidente o te fusilo, jijo…

—Sí, señor presidente…

—Si serás pendejo... ¿Cómo lo permitiste?

Silencio.

—¿Le acariciaste el pico?

—Sí, señor presidente…

—¿Le soplaste harto tequila en la meritita cara?

—Sí, señor presidente…

—¿Le sobaste el lomo?

—Sí, señor presidente…

—¿Le pusiste los espolones bien filosos?

—Sí, señor presidente…

—Pues sigues siendo un gran pendejo…

—¿Por qué, señor presidente? Lo hice todo.

—Pues de todos modos eres un pendejo por haberlo hecho todo.

Otra vez silencio… Un silencio incómodo.

—Habla, pues... ¿A ver, perdiste o ganaste? ¡Di!

—Perdí, señor presidente…

—¿Ves? Eres un gran pendejo… Lo que cuenta son los resultados.

—Señor, es que…

—Ya no me replique —tronó del fondo de su alma jarocha— o me encabrono de verititas —aseveró en tercera persona del singular—: usted tiene toda la culpa... ¡Sshhhhh…! ¡Calladito!, entiende? ¿Cómo no iba a perder usté, pinche sombrerudo… con esos pelos necios que se carga, esos bigotes de aguamielero, esos huaraches de mierda, esos ojos de chivo a medio morir y esas moscas que le papalotean todo el día? ¿Ya conoce lo que se hace con el jaboncito y la jícara? ¿Sí? ¡Pos, desaparézcase y báñese, carajo!

Sin duda, Santa Anna pensaba que al país le hacía mucha más falta su persona que el maldito territorio de Tejas. Y sin embargo, después de todo lo acontecido, el impredecible veracruzano, el amigo del populacho, el bailarín de *siquisirí*, de sones jarochos, el seductor profesional que canta en los saraos, en los palenques y en los jaripeos, el gran conocedor de las fibras íntimas de los suyos, regresó al máximo poder mexicano, como se verá a continuación...

La invasión de Estados Unidos

En 1841 Santa Anna volvió a acceder al poder como resultado de un sinfín de pronunciamientos y del caos que reinaba en el país. Lo legitimaba su actuación en Veracruz frente a los invasores franceses en 1838, refriega, no batalla ni combate, misma que le costara una pierna al rechazar un ataque parcial del enemigo durante la "guerra de los pasteles". Santa Anna lo puso en los siguientes términos de cara a la historia:

> El 5 de diciembre de 1838... perdí el pie izquierdo, que aquí ofrezco a mi nación en testimonio del amor que le profeso...
>
> Tuve la gloria de rechazar la invasión... Vencimos, sí, vencimos... Probablemente será la última victoria que ofrezca a mi patria...
>
> Pido también... que los mexicanos, todos, olvidando mis errores políticos, no me nieguen el único título que quiero donar a mis hijos: el de buen mexicano.

La mentira, otra forma de traicionar, está también presente en sus enfoques literarios destinados a manipular a la chusma explotando exitosamente el sentimentalismo de sus paisanos. Basta que hubiera perdido esa extremidad para que el pueblo, compadeciéndose de su dolor, le concediera todo tipo de licencias para hacer y deshacer. Los "pobrecitos" en México cuentan con autorizaciones inadmisibles y concesiones suicidas, muy particularmente en el caso de los líderes políticos. Este género de lástima de profunda extracción social tiene un sinnúmero de consecuencias en el orden político y moral de un país. Todo pareciera indicar que una mutilación física en el ejercicio del cargo produce la derogación de un código de ética social vigente, permitiéndole al incapacitado actuar impunemente en cualquier orden de la vida nacional.

Santa Anna mintió porque era claro que la "batalla" en que fuera herido no trajo como consecuencia directa el levantamiento del bloqueo de Veracruz ni la salida de los barcos franceses del puerto. Los galos abandonaron México cuando se pactó con ellos un pago injusto de 600,000 pesos y desde luego no como resultado de la "contienda sanguinaria" en que perdiera la pierna Santa Anna. Los franceses se retiraron de México en febrero de 1839, con lo que se demuestra que la invasión no fue rechazada el 5 de diciembre del '38, la fecha en que la metralla del enemigo hizo blanco en la extremidad de Santa Anna para concederle 15 años más de impunidad y de involución política. Miente el Benefactor de la Patria para lucrar una vez más con la misericordia, la lástima y la piedad populares. Sabio explotador de los más graves defectos del mexicano. Mintió con Barradas; volvió a mentir en la "guerra de los pasteles"; volvería a mentir siempre...

Y, sin embargo, a pesar de que el bloqueo se levantó gracias a que México acordó pagar los 600,000 pesos y no por las gloriosas y heroicas gestas de la campaña militar, el pueblo agradecido a través de su gobierno, le hizo llegar a Santa Anna una condecoración con el siguiente texto:

> El General en Jefe llevará en el pecho una placa y cruz de piedras, oro y esmalte, con dos espadas cruzadas, una corona de laurel entrelazada en ellas en el punto de la intersección y por orla el lema siguiente: Al General Antonio López de Santa Anna, por su heroico valor el 5 de diciembre de 1838, la Patria Reconocida. La placa sobre el corazón y la cruz pendiente de un ojal de la casaca, en listón azul celeste...[4]

Al año siguiente se llevó a cabo el solemne traslado de la pierna de Santa Anna al Panteón de Santa Paula, nada menos que para

[4] Rafael Muñoz, *Santa Anna, el dictador resplandeciente*, p. 169.

celebrar la consumación de la Independencia. Una curiosa masa de ciudadanos ociosos vio desfilar una columna de carrozas con el gabinete y los representantes del clero y del ejército que asistía a una solemne ceremonia en la que se enterró la extremidad del héroe de 1838.

¿Dónde termina la culpa de Santa Anna y comienza la responsabilidad de la sociedad? ¡En ningún lado en ninguno de los dos casos! No hay líneas fronterizas y, por lo tanto, mientras todos se justifican culpándose los unos a los otros, el país va al garete, sin controles ni rumbo ni sentido y sí con todos los riesgos, peligros y acechanzas que tarde o temprano se convierten en tragedias, infortunios, desamparo y catástrofes. La nación mexicana es desmemoriada por naturaleza, se puede tropezar una y mil veces con la misma piedra. ¿No es cierto que responde con arreglo a sentimentalismos, impulsos y prontos que nada tienen que ver con la razón y con los argumentos? ¿No es cierto el fatalismo existente que sentencia con inevitable determinismo que "hagas lo que hagas, sea como sea, de cualquier forma nos llevará el carajo"?

Santa Anna permaneció entre la Presidencia de la República y Manga de Clavo y sus peleas de gallos, sus burdeles y sus apuestas, sus dimes y diretes, quiebras y súplicas, esperanzas y frustraciones, desplomes y desfalcos, apatías e indolencias, intrigas palaciegas, golpes y traiciones, hasta finales de 1844, cuando el pueblo agradecido y comprensivo se hartó de él, de su Excelencia, y desenterró furioso su pierna arrastrándola por la ciudad como señal ominosa de su más feroz apetito de venganza. Para saciar aún más su malestar, destruyó la estatua que se le había levantado a Su Alteza en la plaza de El Volador. Santa Anna podía morir de la tristeza y de la incomprensión. Maldito pueblo malagradecido... Manuel Posada y Garduño, el arzobispo de la ciudad de México, reía a carcajadas: él había financiado el movimiento que condujo al derrocamiento de don Antonio. Sabía, lo sabía perfectamente bien, que uno de los peores golpes asestados en la vanidad del dictador, consistía precisamente en desenterrar la pierna del patriarca y hacerla arrastrar como un objeto apestoso y deleznable por la ciudad. Las lágrimas y más tarde la ira del Benefactor fueron incontenibles.

Todo parecía indicar que Santa Anna no volvería a dirigir el gobierno de México. Ya estaba bien, ¿o no? Los motines se repetían. Se sucedían los alzamientos militares, los golpes de Estado. El atraso social era ya patético. El analfabetismo, el abandono cultural y la ignorancia en todas sus manifestaciones alcanzaban extremos temerarios. El futuro sobre esta base era perfectamente predecible. Al extinguirse la academia, y dejar morir a la universidad se extinguía el futuro y se marchitaba la esperanza antes de nacer. ¿Qué podía interesarle la academia a Su Alteza? ¿Cómo hablar del futuro en el seno de una sociedad de iletrados y de una nación de resignados? La incapacidad de autogobierno era evidente. Cuando los españoles emigraron o fueron expulsados y abandonaron la cosa pública a la suerte de criollos y mestizos, los unos más ignorantes que los otros, México se extravió por desconocimiento administrativo en materia de asuntos de Estado. El centralismo colonial monopolizó el uso de la información en materia de operación del gobierno en muy pocas personas, las manos escogidas de los españoles peninsulares, mismos que, cuando fueron echados de México y zarparon del Puerto de Veracruz rumbo a España, se llevaron consigo las claves para manejar el aparato oficial, haciendo que el país se perdiera, hasta nuestros días, en la noche de los tiempos... No hubo transición, hubo, a cambio, un escandaloso desastre.

Santa Anna va, Santa Anna regresa de Manga de Clavo. Toma la presidencia. La deja. El poder se lo disputan desde luego el Benemérito, pero además Bustamante, Gómez Pedraza, Bravo y Álvarez, entre otros tantos más. En México, en la primera parte del siglo XIX, es imposible poner una piedra encima de la otra. ¿Qué se puede construir sin paz ni orden ni democracia ni estabilidad política ni presupuesto para educación ni respeto a las arcas públicas ni a las instituciones ni al país en general? ¿Cómo no poder predecir el futuro de México si como reconocimiento a los méritos de campaña se le entregaban a los militares destacados las rentas públicas de un Estado? Imposible comprender México sin conocer la catastrófica realidad interna vivida en el siglo XIX. Y, por si fuera poco, la cadena de invasiones e intervenciones extranjeras que asolaban al país acentuando dramáticamente la ya de por sí agónica asfixia financiera.

Santa Anna fue desterrado de México con fanfarrias destempladas y cornetas desafinadas el 3 de junio de 1845; 800 hombres lo custodiaron desde Perote a La Antigua para asegurarse de que se marcharía para siempre a Cuba sin voltear siquiera la cabeza en dirección a las costas mexicanas. Sólo que al igual que la invasión francesa y la pérdida de una extremidad, le permitió a Su Alteza volver a la presidencia a modo de compensación popular, el hecho de que el 1° de marzo de ese mismo 1845 el congreso estadunidense hubiera declarado que Tejas se unía a su federación como un nuevo estado, le volvería a conceder a don Antonio la dorada oportunidad de volver al poder una vez más. Las fanfarrias, ya afinadas, tocarían de nueva cuenta, esta vez para festejar su regreso.

El gobierno mexicano se mostró indignado ante este hecho: reconocería la independencia de Tejas con la condición de que ese Estado no se anexara a Estados Unidos, sólo que ya era demasiado tarde, la decisión legal y militar era irreversible. El expansionismo del presidente James Knox Polk lo llevó a negociar también la compra de California. Hizo una serie de ofertas sin éxito. Para los estadunidenses la negativa mexicana resultaba extraña, ya que habían hecho una propuesta de compra por unos territorios despoblados que, según ellos y sus propósitos, México perdería de todas formas. Los mexicanos son tontos, ¿no? Pudiendo aprovechar una jugosa indemnización a cambio de sus planicies y llanuras, cuya existencia ignoran, rechazan una importante cantidad de dinero que bien podría resolver todos su problemas, desconociendo que es más conveniente quedarse al menos con algunos capitales que perderlo todo a la hora en que se lo arrebatemos sin consideraciones ni liquidaciones ni contraprestaciones de ningún tipo, como no sean nuestras balas y nuestras bombas. ¿Qué recibieron por la pérdida de Tejas, eh?

El 11 de mayo de 1846 Estados Unidos declaró formalmente

la guerra a México con arreglo a pretextos irrelevantes. ¿Quién fue llamado para defender a la patria? Don Antonio López de Santa Anna: el único que podía aglutinar al ejército a su alrededor, conseguir financiamiento y organizar la defensa del país... Nadie más. Únicamente él. Lo paradójico en este caso es que los mexicanos no eran los únicos que deseaban su regreso... En La Habana, dedicado a la crianza de gallos de pelea y a apostar en los palenques que él mismo fomentó, se dio tiempo, desde luego, para tramar la traición más escandalosa de todas las que hubiera concebido en contra de su país.

Unos meses antes, el 13 de febrero de 1846, el presidente Polk había recibido en su oficina a Alejandro Atocha, enviado de Santa Anna, quien le indicó que éste estaría dispuesto, de llegar por décima vez a la presidencia, a suscribir un tratado de paz bajando la línea fronteriza al mismísimo río Bravo, no al río Nueces, a cambio de 30 millones de dólares, mismos que México utilizaría para cubrir sus deudas más apremiantes, sostener decorosamente a su ejército y fortalecer su economía en general... Al terminar la reunión secreta, cuando el presidente Polk tenía en la mano la perilla de la puerta y, puestos de pie para despedir a su visitante, Atocha transmitió al jefe de la Casa Blanca el último mensaje del César mexicano: "Cuando vea al presidente (Polk), dígale que tome enérgicas medidas y, entonces, podrá hacerse el tratado y yo lo sostendré..."[5]

El presidente Polk, contra la opinión de Buchanan, su secretario de Estado, envió de inmediato al almirante Alex Slidell McKenzie a La Habana para que se entrevistara con don Antonio... No faltaba más... Según consta en los documentos anexos al diario de Polk, Slidell le dijo a Santa Anna que *el presidente* (de Estados Unidos) *vería con gusto el derrocamiento del despotismo militar existente del general Paredes*. Y también que *vería con gusto* la instalación de Santa Anna en el poder, por lo que había instruido a la escuadra naval que bloqueaba los puertos mexicanos para que le permitieran regresar libremente al país.

---

[5] José Fuentes Mares, *Santa Anna: el hombre*, pp. 185-186.

En el documento que preparó el almirante se le advertía a Santa Anna que Estados Unidos iba a exigirle, como presidente de nuestro país, una nueva línea divisoria entre las dos naciones, lo que significaría una nueva cesión de territorio en favor de los estadunidenses a cambio de una indemnización económica. Slidell ratificaba todas y cada una de las aseveraciones de Atocha y al mismo tiempo aclaraba que Santa Anna había recibido el mensaje *con notoria satisfacción*, declarando a continuación que, de no poder regresar a su país, se iría a radicar a Tejas y se naturalizaría ciudadano de Estados Unidos... Era obvio: Santa Anna era un auténtico ciudadano del mundo, la patria estaba donde se encontraran sus testículos. El nacionalismo era válido en tanto obtuviera beneficios de él y le reportara honores y dinero.

¿Santa Anna pactando con un enemigo invencible de México, el que, además, ya le había declarado la guerra y que contaba con la fortaleza militar necesaria como para hacer desaparecer al país entero de la geografía política con todo y sus enormes territorios? ¿Otra traición? Sí, desde luego: don Antonio estaba dispuesto a todo. Iría tan lejos como fuera necesario... Redactó entonces una contestación para Polk, sobre la cual le pidió guardar el más absoluto secreto. En ella aceptaba que, una vez al mando del país y de su ejército, trataría de suscribir un convenio bilateral con Estados Unidos basándose en los términos que le acababan de dar a conocer y en los que estaba "de acuerdo..." Y fue más lejos aún: recomendó al ejército invasor que ocupara Saltillo y Tampico y que atacara Veracruz. Por si fuera poco todavía, les dio consejos e información militar para llevar a cabo estas *fáciles* acciones. Seguramente se daba cuenta de la gravedad de sus declaraciones, por lo que pidió a Slidell que tradujera y copiara su respuesta y luego destruyera el original.

Ahora Santa Anna podía regresar a México sin contratiempos. Efectivamente regresó. Las naves estadunidenses lo dejaron pasar a través del bloqueo y desembarcar en Veracruz ante el azoro de propios y extraños. ¿Es un bloqueo o no es un bloqueo? ¡Aquí no entra ni sale nadie! ¿O no? ¿Por qué entonces se le concede el paso nada más y nada menos que a Su Alteza Serenísima, un hombre más peligroso que mañoso o viceversa, más aún cuando se le había desterrado de una buena vez por todas y para siempre? ¿Por qué, por qué lo dejan pasar entre cruceros, bajeles, cañoneras y fragatas...? ¿No era muy sospechoso? ¿Quién podía suponer o siquiera imaginar que el Benefactor de la Patria tenía un pacto con Polk, el jefe de la Casa Blanca, a través de Slidell? ¿Quién...?

Después de una y mil peripecias políticas, del saqueo de las arcas nacionales y de la catástrofe política, la guerra contra los vecinos del norte le permitió a Santa Anna volver una vez más a encabezar la Presidencia de la República y, por supuesto, dirigir el ejército nacional mexicano en su caracter de general en jefe, en el entendido que, según gobierno y gobernados, ¡horror!, el único hombre con capacidad para aglutinar a las fuerzas armadas, animarlas, organizarlas, estimularlas, capacitarlas y dirigirlas hasta la expulsión definitiva de los norteamericanos del territorio nacional era precisamente Su Excelencia. Hay pueblos que se controlan con la publicación de libros y la difusión de las razones y de las ideas; a otros se les somete a través del poder de las armas... Con los mexicanos no se requieren ni libros ni razones ni ideas ni armas, simplemente unos buenos barriles de mezcal o de tequila, hartos "cuetes" para tronarlos el meritito día de la fiesta y un "Quince Uñas", al que le falte una pierna perdida en defensa de la patria, para lucrar políticamente con la piadosa misericordia de estos desnalgados... Las sienes de Santa Anna se cubrirían nuevamente con guirnaldas de oliva, ya que de la misma manera que El Salvador de la Patria había "derrotado" a los invasores españoles comandados por Barradas en Tampico y también había "vencido" heroicamente a los invasores franceses, durante la "guerra de los pasteles", esta vez Su Excelencia aplastaría a los yanquis, los colgaría uno por uno de cada sauce llorón del Bajío o de cada ceiba veracruzana, malditos gringos devoradores de países, ladrones profesionales que sometían a los débiles con arreglo a la fuerza, privándolos, como en un asalto callejero, de todos sus bienes personales. ¿Quién no se rinde frente al cañón de una pistola?

Don Antonio organizó la defensa del país. Santa Anna sólo quería que se le concediera el honor supremo de ser nombrado

"General en Jefe del Ejército Libertador". Otro título más a su fabulosa colección de distinciones de la patria. Sin que a éste le sorprendiera, de hecho conocía bien a su gente, sólo siete de los 19 estados que formaban la Federación contribuyeron a la lucha por la libertad. El patriotismo mexicano se revelaba en su máxima expresión. El resto de las entidades "se disculpan" alegando que necesitaban a sus efectivos militares para asegurar su defensa, en caso de ser atacados, o para hacer frente a las luchas internas y a los grupos armados que, aunque eran pequeños, no habían dejado de atacar en sus respectivas regiones...

Los invasores penetran al territorio nacional por la frontera norte y a través de Veracruz. Las batallas se suceden las unas a las otras. La resistencia más seria del ejército mexicano tuvo lugar en La Angostura, el 22 y 23 de enero de 1847. Las tropas mexicanas estuvieron a punto de obtener la victoria, sólo que la noche anterior Santa Anna convirtió todo en un desastre al ordenar la retirada de las tropas... Raro, rarísimo, ¿no...? El pueblo le llamó traidor, se le acusó de estar en contubernio con Estados Unidos para entregarles el país; se recordó que los barcos enemigos le habían permitido desembarcar en Veracruz. Las reclamaciones, en todo caso, eran extemporáneas... La guerra ya había estallado. ¿Por qué habría ordenado la retirada en La Angostura cuando estuvo a punto de convertirse en héroe...?

Contando con la guarnición suficiente como para impedir el desembarco norteamericano, Tampico y Ciudad Victoria son abandonados sin mediar combate alguno. La decisión estratégica tan sospechosa vuelve a hacer recaer todo género de dudas respecto de la verticalidad y honestidad de don Antonio... ¿Verticalidad y honestidad...? ¿Qué pasó...? El avance extranjero continuaba en todos los frentes: a partir del 9 de marzo los cañones invasores bombardearon Veracruz, que capitula una semana después. El 28 de febrero se pierde Chihuahua a raíz de la batalla de Sacramento. Surge la idea de formar una nación independiente entre los estados de Durango, Sonora, Zacatecas y Sinaloa. Por si fuera poco, estalla la rebelión de los polkos en la ciudad de México. La iglesia, la única institución mexicana que contaba con abundantes recursos, se niega a colaborar en el financiamiento de la defensa, en cambio, promueve una nueva revuelta que obliga a Santa Anna a regresar a la ciudad para sofocarla. El arzobispo de México financia el movimiento rebelde con recursos propios y con capitales entregados por los propios norteamericanos para debilitar la defensa del país y dividir los ejércitos. Traición, traición, traición... ¿Quién es leal con México? "Quizá el escudo nacional debería modificarse para colocar un buitre en lugar de un águila."[6] Mientras la patria está siendo invadida, el clero convoca a una revolución interna. ¿Quién es más traidor? El país se desintegraba. Todos contra todos en plena intervención extranjera. El patriotismo mexicano, el desprendimiento y el egoísmo quedaban nuevamente expuestos como una realidad palpable. La traición se imponía en todos los niveles. Cae Resaca de la Palma y Monterrey. El 18 de marzo Santa Anna es derrotado en Cerro Gordo. La sospechosa cadena de fracasos militares continuaba día con día sin que nadie imaginara las razones. ¿México no iba a ganar ni un combate como años más tarde acontecería el 5 de mayo, nuevamente en contra del ejército francés, esta vez el de Napoleón III?

El 15 de mayo las tropas estadunidenses entraron en la ciudad de Puebla sin disparar un tiro. Los poblanos recibieron a las tropas invasoras entre aclamaciones, salvas y confeti. El obispo Vázquez, el mismo que le hubiera negado préstamos a Santa Anna para organizar la defensa, le ofreció su propia casa al general Scott para que pernoctara durante el tiempo que durara la ocupación. El humilde obispo pone a disposición del militar yanqui todo su servicio doméstico para proporcionarle las debidas comodidades inherentes a su elevado rango. También distingue la presencia del invasor homenajeándolo con un *Te Deum* en la catedral poblana. El palio, el palio: vamos a necesitar el palio... Santa Anna, es claro, no es el único traidor: la iglesia, siempre al lado del vencedor y del poderoso, traiciona igualmente al país y tal vez a la feligresía, aun cuando una buena parte de ésta estaba de acuer-

[6] Enrique Serna, *op. cit.*, p. 174.

do con los jerarcas de la iglesia, es decir, con la traición, si no, ¿por qué les rinden semejantes honores a los invasores cuando toman la ciudad y por qué Puebla se rinde sin disparar un solo tiro? ¿México es un país de traidores o sólo lo son los poblanos? ¿Y los 12 estados de la Federación que decidieron no participar en la lucha contra los yanquis y abandonaron el país a su suerte? ¿Y los "ilustres" mexicanos, los espías que se ofrecieron tanto a Scott, a Taylor y a Worth, para que a cambio de un puñado de dólares les revelaran cada uno de los movimientos de las tropas y los planes de ataque diseñados en los cuarteles santannistas? Espías, sí, espías mexicanos registrados en las nóminas norteamericanas. ¿Dónde está el peor de los traidores cuando tantos mexicanos parecen confabularse en contra de su propio país? ¿Dónde estuvo en todo momento la resistencia mexicana, la resistencia de la sociedad, la resistencia heroica del pueblo de México contra los invasores? ¿Y el ojo por ojo y diente por diente?

La guerra marchaba de mal en peor. Churubusco cayó porque el parque enviado para la defensa no era del calibre requerido para las armas de quienes defendían el convento... San Ángel cayó porque, cuando se iba a ganar por primera vez una batalla, el clarín tocó a retirada en lugar de ¡al ataque...! Paradójica confusión, ¿no...? Padierna cayó porque Santa Anna decidió, aviesamente, no apoyar al general Valencia según lo acordado. A cambio contempla desde las alturas cómo la artillería, las bayonetas, la caballería y la infantería norteamericanas despedazan sin piedad al ejército mexicano. ¡Ay, los héroes de Padierna! Traición, traición, traición, gritan los escasos sobrevivientes. Los héroes son acribillados ante un Santa Anna impertérrito, quien sólo se mueve nerviosamente de un lado al otro montado en su caballo blanco impoluto. Chapultepec cayó finalmente en franco estado de indefensión porque las tropas tampoco llegaron con la debida oportunidad. Son pasados por las armas los patrióticos cadetes que defendían el histórico castillo.

Para el 16 de septiembre —menuda fecha—, la bandera estadunidense ondeaba enhiesta y orgullosa en Palacio Nacional. La cadena de traiciones se había ejecutado puntualmente. La traumática derrota, 20 mil soldados norteamericanos contra 10 millones de habitantes de todo el país, era francamente patética, dolorosa y aberrante; una auténtica desgracia. Santa Anna había renunciado a la presidencia y trataba de organizar la defensa, pero, nuevamente, era demasiado tarde. La opinión pública intuía en la conducta de Santa Anna una secreta confabulación con el enemigo. Se le acusaba de traidor a la patria. Su credibilidad era nula. Cada paso del "Quince Uñas" era considerado como parte de un plan pérfido.

¿Qué acaso pasaré a la historia como un felón cuando entre todo el ejército no se hace ni un cabo de cualquier regimiento yanqui? Es muy fácil ganar con soldados como los norteamericanos. Ya quiero ver a un general norteamericano, a Taylor o a Scott, dirigiendo a esta cáfila de elementos que tengo por armada... ¿Quién puede controlar a mil indios para que tomen por asalto una posición enemiga cuando no saben ni montar en burro, jamás han disparado un arma y son incapaces de entender y de ejecutar las instrucciones, en el caso de que no lleguen totalmente pedos al combate?

Sólo faltaba "legitimar" lo ganado en el campo de batalla. Nicholas P. Trist llegó a México con el fin de encabezar las negociaciones con el gobierno de los vencidos. Los negociadores mexicanos entregaron Arizona, Nuevo México y Alta California, más de la mitad del territorio nacional (dos millones cuatrocientos mil kilómetros cuadrados) a cambio de una indemnización de 15 millones de pesos. Polk, quien a pesar de todo pasaría a la historia como un presidente gris, sin obelisco en Washington ni un monumento a su augusta memoria en las márgenes del Potomac, impuso dicho precio del cual escasamente llegaron cinco millones de dólares a las arcas mexicanas. El resto se perdió tras la cortina de humo de nuestra histórica corrupción.

En la larga lista de actos traidores que se atribuyen a Santa Anna, se dice que se apropió parte de esos recursos para incrementar su fortuna personal. Polk decidió no engullirse todo el país por la gran cantidad de indígenas ignorantes, analfabetos y torpes que existían en México: tendríamos que matarlos a todos, a seis millones, igual que habían hecho con los apaches... De hacerlo, me convertiría en un genocida de cara a la historia. Quedémonos sólo con lo despoblado, ¿para qué nos echamos plomo en las alas...?

En Querétaro, en febrero de 1848, finalmente se firma "la paz". Se perdieron para siempre Tejas, a partir de esa fecha Texas, hasta el río Bravo del norte y la totalidad de los territorios de Nuevo México, la Alta California y Arizona. La traición estaba consumada. Santa Anna se embarcó para Kingston, Jamaica, el 9 de abril de 1848. Ahí permaneció dos años hasta que decidió trasladarse a Turbaco, Colombia, a la casa que alguna vez perteneciera a Simón Bolivar, donde pasaría otros dos años dedicado a la agricultura, a la producción de azúcar y tabaco, a la ganadería y a la cría de gallos de pelea. Disfrutaba su fortuna a plenitud. Gozaba las mieles de un gran hacendado. Él es un incomprendido.

Fui demasiado presidente para tan poca cosa como son los mexicanos... ¿Cómo defender a un país de Estados Unidos con regimientos y ejércitos de léperos e inútiles?

Todo parecía indicar, sin embargo, que después de la famosa siesta de San Jacinto, de la traición contenida en los Tratados de Velasco, de la nueva traición expuesta, manifiesta, publicada en los diarios de Nueva York, tal y como aconteció en el *Herald*, el que delatara el pacto secreto Polk-Santa Anna antes, durante y después de las hostilidades entre ambos países que finalmente le costara a México la mitad de su territorio; después de esta patética realidad y de haber comprobado una y mil veces el daño causado por Santa Anna, el Protector de la Libertad, el Benefactor, el Benemérito, el César, el Salvador de la Patria, ya nadie podría pensar siquiera en la remota posibilidad de su regreso ni a la política ni mucho menos a la Presidencia de la República. ¿No era un traidor? ¿No había cometido todas las felonías demostrables en contra de México? ¿No había perdido todas las batallas ante los yanquis? ¿No se había mutilado el país que estuvo a punto de desaparecer políticamente, gracias a que se lo entregó a los yanquis, unos individuos más voraces de lo que él jamás sospechó? ¿No estuvo amenazada de muerte la nacionalidad mexicana? Sí, sí, sí, ¿y qué pasó? Pasó que a pesar de todo, gobierno y gobernados le suplicaron que por diversas razones volviera a ocupar por decimoprimera vez la Presidencia de la República.

En una ocasión, cuando fumaba un puro manufacturado en su planta tabacalera de Turbaco, llegó a visitarlo de México una comisión que, en nombre de los santannistas de la vieja guardia, le pidieron, le rogaron fervorosamente que regresara, que regresara como dictador mexicano, ungido con todos los poderes imaginables para un jefe de Estado. Tirano, dictador, Su Alteza, como sea, Su Excelencia, pero vuelva: es usted el Salvador de la Patria.... Santa Anna, convertido en dictador, habiendo aceptado *sacrificarse* por la patria, llegó a la ciudad de México el día 20 de abril del propio 1853, sólo para cometer, ya como Su Alteza Serenísima, la patria soy yo, todos los poderes se concentran en mi persona, una serie de traiciones más entre la que destacaría la venta indigerible de La Mesilla.

En la Cámara de Diputados, Santa Anna juró ante Dios defender la Independencia y la integridad del territorio mexicano y hacer todo por el bien y la prosperidad de la nación... El congreso decidió darle el tratamiento de *Alteza Serenísima*. Bien pronto la nación podría comprobar los alcances de las promesas y juramentos hechos de rodillas por Su Alteza, dorada y elevada ante el altar de la patria...

Hacia finales de 1853 el general William Car Lane, gobernador de Nuevo México, declaró que el territorio de La Mesilla era parte de su demarcación, procediendo a ocuparlo por la vía de los hechos.

Por otro lado, la mayor preocupación a cargo de su *Alteza Serenísima* se llamaba dinero, ya que tenía que hacerle frente a una nueva rebelión, esta vez provocada por el Plan de Ayutla, por Juan Álvarez, el mismo que desconocía su gobierno. El movimiento no constituyó en un principio una amenaza real, sólo que era parte de un descontento popular extemporáneo en contra de su gobierno.

El general-alteza-benefactor-presidente estaba más preocupado por la insurrección en su contra que en conservar un territorio lejano, de muy poca o ninguna importancia. No había manera de enfrentar un levantamiento contra su gobierno a menos que el ejército federal contara con los recursos necesarios para armarse y llevar a cabo una campaña militar. Así que Santa Anna le puso precio a La Mesilla: pidió 50 millones a cambio de un *semillero de discordias y conflictos con la nación vecina, del cual no se sacaba ningún provecho*. La transacción se hizo a la voz de que es mejor ganar unos buenos millones de pesos vendiendo estos terrenos en los que no crece ni el zacate que enfrascarnos en una guerra que no podemos financiar porque nuestra tesorería está como siempre quebrada... Este país —sentenció Su Alteza para la posteridad— nació quebrado, está quebrado y morirá quebrado, y no por culpa de sus gobernantes, ¡qué va!, sino porque entre todos los mexicanos que forman la nación no se hace uno como yo... ¿Qué más da —concluyó— que hayamos roto las cadenas que nos unían a España, si ahora nos atan unas más fuertes a Estados Unidos? Sólo cambiamos de patrón: los mexicanos siempre hemos necesitado de un jefe, alguien que presida nuestras relaciones en todos los niveles y con todas las personas.

Gadsden, el representante del gobierno yanqui, ofreció 20 millones de pesos, cinco millones más que la indemnización que Estados Unidos le habían otorgado a México por la cesión de los territorios perdidos en 1848. Santa Anna pareció complacido con la propuesta, así que estampó su firma en el documento y le encargó a Juan Nepomuceno Almonte, el hijo de José María Morelos y Pavón, su operador en Washington, que vigilara de cerca el proceso de ratificación del tratado y le mantuviera informado de los avances. En junio firmó el tratado con Gadsden y le dio instrucciones a Almonte de que se apresurara a cobrar la totalidad del dinero. El ministro sólo logró obtener siete millones de pesos depositándolos en diferentes bancos de Estados Unidos a nombre de interpósitas personas nombradas por Santa Anna. La venta de La Mesilla, como siempre, no le reportó a México beneficio alguno. ¿Y el destino de los recursos...?

La rebelión en contra de Santa Anna continuó hasta que éste huyó de nueva cuenta al Caribe, de donde volvió a la ciudad de

México muchos años más tarde sólo para morir ignorado en 1876 durante el gobierno de Lerdo de Tejada. ¿Ignorado? En esos momentos, tal vez: la realidad es que como él bien dijo en su lecho de muerte, nunca, nadie, ningún mexicano, de ninguna generación, olvidará jamás su nombre... Y así fue...

JOSÉ MARÍA MORELOS Y PAVÓN
TRAICIONADO Y ¿TRAIDOR...?

Cuando los primeros rayos de la alborada empezaron a asustar a las sombras de la noche y pude contemplar por última vez en mi existencia cómo éstas trataban de huir despavoridas antes del arribo del día, pensé a mi vez, en resignada meditación, que el bien acaba venciendo irremediablemente al mal de la misma forma que la luz siempre desvanece las tinieblas. ¿Dios, nuestro Señor, no termina acaso dominando invariablemente a Satanás? ¿El diablo no huye ante la presencia de la santa cruz? ¿Verdad que Lucifer no puede penetrar ni en la más humilde de las parroquias? Tan las fuerzas del bien son más poderosas que las del mal que aun cuando hayan guerras y devastación, a la larga terminará imponiéndose el progreso y la convivencia civilizada. No, no importa que me fusilen junto con mil de mis mejores insurgentes ni menos que me vayan a ejecutar con la casaca al revés y de espaldas al pelotón, como se pasa por las armas a los traidores a la patria, no, nada de eso cuenta ni vale —bien sé yo que no soy ningún traidor—, lo único trascendente es el ejemplo heredado, las mechas prendidas que dejo en este país, las semillas de la libertad sembradas en millones de conciencias mexicanas y que habrán de germinar el día de mañana...

¿Qué ganan Calleja y los realistas con matarme? ¿Por qué la Inquisición y el Santo Oficio me cortarán la cabeza, la colocarán dentro de una jaula de hierro[1] y mutilarán el resto de mi cuerpo como lo hicieran con el padre Hidalgo y tantos otros insurgentes más? ¿Por qué igualmente exhibirán mis restos en alhóndigas y edificios públicos? ¿Por qué...? ¿Ése es el concepto que tiene la

[1] Tomado de la sentencia dictada por Miguel de Bataller, oidor decano y auditor de guerra, miembro de la jurisdicción unida que juzgó a Morelos. Ernesto Lemoine Villicaña, *Morelos: su vida revolucionaria a través de sus escritos y de otros testimonios de la época*, pp. 650-651.

iglesia católica de la piedad cristiana? ¿Por qué el salvajismo de mi propia santa madre iglesia apostólica y romana? ¿Piensan acaso que privándome de la vida se extinguirá la sed de libertad de este pueblo harto de la opresión y se impedirá el nacimiento del México nuevo y próspero con el que todos soñamos? No sean ilusos: podrán terminar conmigo, me matarán, me decapitarán y me despedazarán, sí, pero nunca podrán extinguir lo que yo represento... Esa llama ya no la apagará nadie...

Al escuchar el paso marcial, la marcha mecánica y puntual de un piquete de soldados y percibir las voces que ordenaban el ritmo y destino del pelotón, Morelos entendió que todo había terminado. Un repentino temblor le recorrió el cuerpo entero. Le quedaban escasos minutos de vida. Una última esperanza, un pensamiento ilegítimo en su caso, por tratarse de un sacerdote, cruzó por su mente: ¿Y si vinieran en realidad por el vecino de la celda anexa? Cuando se corrió violentamente el cerrojo oxidado de la puerta del calabozo número uno, supo que había llegado finalmente el momento: uno de sus últimos momentos. ¡Imposible mostrar la menor debilidad ni flaquear en el peor trance de su vida!

El "Siervo de la Nación" pasó la noche evaluando los cargos en su contra. El gobierno virreinal lo había acusado de alta traición, mientras su propia iglesia lo perseguía por hereje, deísta y traidor de lesa majestad. ¿Traidor, José María Morelos y Pavón? ¡Desvergonzados! ¿Traidor yo? —sentía que le ardía la sangre—. Jamás supliqué a mis juzgadores mi deseo de ir a España a solicitar el perdón del rey, y yo nunca, en ningún caso, me dirigí a Fernando VII como "el rey, nuestro señor". ¡Falso! ¡Falso! ¡Quien crea tales infamias es porque no me conoce ni sabe de los chantajes, manipulaciones y mentiras de que es capaz el Santo Oficio con tal de defender sus privilegios...! ¡Quien ha ingresado a la sala de la tortura ya entendió los alcances de un Estado inquisitorial! Mis huesos lo aprendieron para siempre... ¿A quién se le ocurre pensar que yo me iba a embarcar a España nada menos que para ir a solicitar el perdón del rey por haber intentado lograr la independencia? Mentira y mil veces mentira... Es una canallada, como lo es que yo hubiera propuesto a los realistas, encabezados por el virrey Calleja, mi mortal enemigo, un plan de pacificación que implicaba delatar a todos los militantes insurgentes, revelar nuestros escondites, rutas de abastecimiento y fuentes financieras. ¿Yo, Morelos, iba a acusar a los que se jugaban la vida conmigo a cambio de la independencia de México? Si el plan de pacificación supuestamente propuesto por mí era tan bueno y efectivo, ¿por qué entonces el virrey no lo utilizó en lugar de seguir matando, sitiando, persiguiendo, torturando y fusilando a diestra y siniestra? Si les di toda información, ¿por qué no la aprovecharon? ¡Otra mentira! ¡Otro embuste más! ¡Miserables!

Caminando de un lado al otro en la estrechez de la celda, con todo y los grilletes puestos, no había dejado de analizar su conducta con el rostro demudado en su íntima soledad: sí, sí confesé la imposibilidad de lograr la independencia de México porque en este maldito 1815 sólo hubiéramos podido consumarla con la ayuda de Estados Unidos. ¡Claro que lo dije! ¿Ésa es una traición? ¡Falso, otra vez falso! ¿Ya se olvidó que los insurgentes estábamos divididos y desintegrados y que Calleja había adquirido un poder militar imponente? ¿Cuál traición, si precisamente en ese año el movimiento volvió a quedar condenado al fracaso como cuando en 1811 fusilaron a Hidalgo? El movimiento se había quedado al garete y pedir ayuda para lograr la independencia no era ni es la comisión de una traición. ¿Cuántos países no han solicitado auxilio para liberarse de la opresión? ¿Cuál traición?

La furia creciente aparecía gradualmente en sus profundos ojos negros. El brillo reflejaba la ira y la impotencia: nunca, ni cuando fui salvajemente torturado, comprometí a ningún jefe insurgente ni confesé planes ni ubicaciones de algunas armas ni referencias de los recursos con los que contábamos: la información que di se refería a datos conocidos por los involucrados en la guerra. Los realistas, los militares al servicio del virrey, jamás detuvieron a uno solo de los nuestros por culpa mía. Es más, ni sometido a todos los suplicios que la más degenerada de las mentes pudiera concebir, revelé nada nuevo, nada que no se supiera ya. ¿Cuál traición? ¿Cuál confesión mía se puede relacionar con el destino trágico de un solo insurgente? ¿Cuál? Jamás delaté a ningún integrante clandestino del movimiento ni hice saber la identidad de nuestros agentes financieros: de haberlo hecho los sabuesos de la Inquisición y los esbirros realistas hubieran caído sobre ellos un día después. ¡He ahí la mejor prueba de mi inocencia! Nadie fue recluido ni torturado ni muerto por una confesión mía: estoy limpio de culpa ante Dios y ante los míos.

Se echó entonces para atrás y recargándose en la pared se dijo y se repitió una vez más que ya todo era inútil. Sus reflexiones carecían de sentido si no fuera porque algunas le servían para apagar su angustia. Su iglesia, por ejemplo, en lugar de llamarlo traidor y hereje y autor de delitos ideológicos, entre otros tantos cargos, debería haber estado al lado de los pobres, de los desamparados, de los oprimidos y perseguidos, amparándolos con su fe y protegiéndolos del gobierno. ¿Qué había hecho? Se había aliado con el poderoso en lo político y con el rico en lo económico, y defendería contra viento y marea su influencia y su patrimonio no sólo contra un Morelos, sino contra todos los miles de Morelos que se presentaran con ideas liberales y principios de vanguardia. Por eso la iglesia católica había estado en contra de la independencia, en contra de los insurgentes, en contra de cualquier movimiento orientado tanto a lograr la tan ansiada libertad como a ampliar los espacios democráticos. La menor apertura política significaba una amenaza para el clero, desde el momento en que cualquier cambio podría afectar el creciente proceso de acumulación de riqueza, así como pertubar su inmenso poder en todas las esferas. De modo que cambios, ninguno, y precisamente él, Morelos, encabezaba el cambio, la evolución y el progreso que sólo se obtendría a través de un rompimiento definitivo con España.[2] La guerra era inevitable. Un es-

[2] Según la confesiones de Morelos ante el Tribunal de la Santa Inquisición, éste no se muestra opuesto a ningún desempeño de la iglesia católica, su único y supuesto interés consistía en romper con la España napoleónica, siendo que él estaba de acuerdo con el gobierno y la autoridad de Fernando VII. El autor por supuesto desconfía de cualquier acta levantada en los cuartos de tortura del Santo Oficio, en donde se hubiera dejado constancia de estas declaraciones del Siervo de la Nación. Tanto el articulado de la Constitución de Apatzingán, como el clausulado de *Los Sentimientos de la Nación*, dejan una muestra clara de las verdaderas intenciones políticas del ilustre sucesor del cura Hidalgo.

tado clerical tan lucrativo no se podía abandonar al capricho de curitas aldeanos... Con la cruz en la mano, las hogueras y mosquetes y paredones, con todos los poderes unidos, combatirían a los rebeldes y a los herejes. Cualquiera que se levantara en armas y amenazara con romper el *statu quo*, el régimen de canonjías políticas y económicas que disfrutaba la iglesia, sería atacado con la excomunión y acusado de traidor a la patria...

Cuando uno de los verdugos vestidos con el uniforme militar realista pronunció su nombre completo, José María Morelos y Pavón se puso de pie con enormes dificultades. El peso de los grilletes en pies y manos era insoportable. La piel de los tobillos y de las muñecas había desaparecido. El constante roce con las cadenas le había dejado la carne viva, expuesta. Pequeñas perlas de pus proliferaban en los contornos. El Siervo de la Nación contempló por última vez su entorno, era claro, se despedía de este mundo. Ahí estaba una tarima de azulejos que había hecho las veces de cama, así como algunas de sus pertenencias: una chaqueta de indiana, una camisa vieja de bretaña, un sarape listado, un pañito blanco, dos taleguillas de manta, unas calcetas gallegas y un chaleco acolchado. Ése era todo su patrimonio. Ni él ni Hidalgo habían utilizado sus cargos ni sus influencias ni sus liderazgos para enriquecerse a título personal. ¿Jesús no había hecho una revolución universal teniendo como único patrimonio una túnica, unas sandalias y su mensaje? ¿Cuándo iban ellos a resultar dueños de inmensas haciendas y ranchos apropiados como consecuencia del hurto o a permitir que los congresos emitieran leyes haciéndolos llamar Su Alteza Serenísima o ilustre Benefactor de la República o Benemérito o Salvador de la Patria o César Mexicano? El interés que los movía no era megalómano ni amoral. El dinero no era una meta, en todo caso era una vulgaridad, una estafa política e intelectual. Ambos eran impulsados por dos propósitos similares: la libertad y el bienestar social. ¿Dónde cabía en este esquema el robo, el crimen o el secuestro como móviles personales inconfesables?

Repasó entonces el reducido espacio de su calabozo, su última morada: tenía un largo de 16 pasos y 10 de ancho perfectamente contados por él durante la breve noche de luna inmóvil y, además, una pequeña ventana con rejas dobles a través de la cual escasamente podría escaparse un breve suspiro. Echó un vistazo a aquellas paredes como si quisiera recordarlas en el más allá. Le pidió al coronel realista Manuel de la Concha, uno de sus captores, que lo abrazara. Aquél se negó francamente avergonzado. Unos instantes después tendría que fusilarlo y rematarlo a tiros...

—Deme un abrazo —insistió Morelos—, será el último que me den en mi vida, ¿o le va usted a negar su última gracia a un condenado a muerte? ¿Verdad que no...?

Humillado, el coronel realista cumplió lo solicitado con el rostro congestionado. Ya era muy tarde para arrepentirse.

Morelos se ajustó el hábito. La Inquisición había ordenado que su sotana de manta se recortara hasta la rodilla con el ánimo de hacerlo quedar en ridículo. Se trataba de exhibirlo y denigrarlo. El cíngulo de henequén caía casi suelto del lado izquierdo. En esa ocasión no llevaba ya puesto el paliacate de campaña utilizado también para sujetar dos rebanadas de papa que le oprimían las sienes con el propósito de paliar los devastadores dolores de cabeza que le acosaban de día y de noche. ¿Qué sentido tenía ya impedir o restar el malestar originado por una nueva jaqueca? ¿Qué más daba? Su cabellera estaba desordenada. Su piel naturalmente oscura, expuesta a los rigores del sol de la costa chica y del trópico explosivo, su color negroide que lo condenaría a vivir en los más bajos sustratos de la sociedad novohispana, dado el alarmante racismo prevaleciente, no reflejaban la menor emoción.

Se persignó. Se encomendó a Dios. Miró al techo de la habitación en busca de la comprensión y del perdón divinos. Pidió un crucifijo para llevarlo hasta el final entre sus manos encallecidas, calientes como la tierra, la mejor prueba de su origen arriero y de su dedicación a las más severas faenas del campo.

"Dios mío: si en algo me equivoqué o hice mal, apelo a tu infinita misericordia... perdóname..."

Acto seguido se colocó en el centro del pelotón dispuesto a ser escoltado sin ofrecer la menor resistencia. No moriré como cobarde si siempre me señalé como hombre íntegro ante los míos. Si Calleja desea detalles morbosos sobre mi ejecución es porque sabe que él, en mis circunstancias, se hubiera tirado llorando a los pies de sus verdugos invocando el indulto. ¡Pusilánime! No quiero nada de mis asesinos, ni siquiera su piedad.

De sobra sabía Morelos que hasta el último momento intentarían humillarlo. A saber la suerte que correría su cadáver despedazado por la iglesia y el gobierno virreinal. Exhibirían sus partes por las grandes ciudades de la colonia para hacer escarmentar a quienes tuvieran la tentación de la independencia o, lo que es lo mismo, a quienes hubieran sido tentados por el mismísimo diablo con las satánicas ideas de la libertad y de la democracia. La filosofía de la Revolución francesa y de la guerra de independencia de Estados Unidos estarían tal vez bien para dichos países, pero en ningún caso para la España imperial e inquisitorial, por más que hubiera estado invadida y dominada por las hordas napoleónicas. No a la Ilustración. No al Enciclopedismo. No a las ideas refrescantes. No a la modernidad. Sí a la regresión. Sí a la represión. Sí a la mutilación física, política e intelectual... Por eso y mucho más: ¡Viva la independencia! ¡Viva, viva mil veces!

Mientras Morelos era conducido al encuentro de su destino, recordaba sus últimos dos meses en prisión después de su captura en noviembre de 1815: ¿Humillarme más? Si en la cárcel infernal de la Santa Inquisición intentaron decapitar el movimiento arrancándome una a una las uñas de las manos y de los pies. ¿Acaso la iglesia requiere de cárceles y torturas para ayudar a convencer a los creyentes de las bondades del evangelio de Jesús...? Si en las noches, después de bajar por interminables escalerillas tortuosas, cuyas húmedas baldosas estaban cubiertas de moho y donde uno se resbalaba a cada paso sobre un fango viscoso, pude constatar para mi horror la existencia macabra de caballetes, borceguíes de hierro, clavos de una dimensión enorme, cuerdas y cinturones de todos tamaños y terroríficos braseros incandescentes que despedían amenazadoras llamas para calentar fierros hasta dejarlos de color rojo-blanco; si me hicieron beber agua a través de un embudo hasta hacerme reventar por dentro golpeándome luego la espalda para inundar igualmente mis pulmones y matarme lentamente con asfixia y derrames internos; si las ratas de los calabozos devoraron en mi inconciencia dos de mis dedos del pie derecho; si después día con día me azotaban con un látigo de acero y púas dándome 100 golpes diarios en la espalda sobre las heridas llagadas y sangrantes que jamás cicatrizarían; si me torturaron colgándome del techo con los brazos extendidos atados a la espalda y otras tantas noches diabólicas me ataron de los tobillos y me dejaron igualmente suspendido cabeza abajo hasta que sentí que mi frente reventaba en chorros de sangre y así pensaron que desbaratarían el movimiento insurgente; es conveniente que sepan que siempre alguien recogerá la antorcha: yo la recogí de Hidalgo. Alguien tomará la mía y otros más la recibirán sin duda de quienes sucedan a mis sucesores... Ni mi sacrificio ni mi desaparición física impedirán el final y feliz arribo de la libertad.

¿Por qué condenarme por hereje y rasparme la piel de las palmas de las manos, rociándomelas después con ácido por haber sido indigno receptor de los santos sacramentos y de la unción? Acusarme de "hereje materialista y deísta y traidor de lesa majestad divina y humana, confidente malicioso y diminuto y pertinaz..., perseguidor de la jerarquía eclesiástica, atentador y profanador de los santos sacramentos... enemigo del Santo Oficio",[3] son cargos imposibles de imaginar porque son falsos de toda falsedad. ¿Cuándo atenté en contra de la jerarquía eclesiástica? ¿Cómo que hereje materialista y deísta?, se preguntó cuando el reducido grupo de soldados había recibido la orden de marchar y ya se encaminaba flanqueado por una escolta muda e indiferente rumbo al paredón. ¿Por qué un Dios tan generoso y, en contraste, una iglesia tan cruel que tortura, mata, encarcela, juzga y sentencia en sus propios tribunales; espía, expropia, lucra, cobra impuestos, acumula bienes materiales y tiene poderes superiores al gobierno y a la corona, en el nombre sea del Señor? —no dejaba

[3] Parte de la sentencia dictada por la Santa Inquisición. Tomado de Genaro García, *Documentos inéditos o muy raros para la historia de México. Autógrafos inéditos de Morelos y causa que se le instruyó*, pp. 117-119.

de atormentarse el líder de la independencia mientras se desplazaba por pasillos siniestros iluminados con antorchas parpadeantes—. Nací creyente, soy creyente y moriré creyente: soy también siervo de Jesús, pero ni las confesiones arrancadas a través del suplicio más vejatorio e inhumano restarán ímpetu y vigor a la insurgencia. De nada les servirán las delaciones extraídas por medio de la fuerza ni el chantaje ni la amenaza. De nada. En los calabozos del Santo Oficio sólo se incubará más violencia, más rencor y más deseos de venganza —pensó para sí en sus últimas reflexiones—. Dios y mi pueblo saben que no les fallé —se dijo resignado viéndose las muñecas ampolladas y pudiendo caminar escasamente por los dolores de las torturas sufridas.

Alguien, yo no —continuó en sus razonamientos, mismos que nunca nadie podría arrabatarle—, romperá definitivamente las cadenas que nos unen con España. Alguien me vengará a mí y a nuestro padre Hidalgo y a Matamoros y a Galeana y a Allende y Aldama y a Jiménez... ¿Cómo nos vengarán? No con sangre, qué va, la sangre produce más derramamiento de sangre: nos vengarán con el alumbramiento de un México libre, nos vengarán con el México de la Constitución de Apatzingán o con el consagrado en los Sentimientos de la Nación; nos vengarán con un poder legislativo y otro judicial autónomos, haciendo que los frutos de nuestro esfuerzo ya no los goce España y sus nacionales, sino México y los mexicanos: nuestra nueva República sorprenderá al mundo entero —advirtió, recuperando un extraño optimismo—. Ni nuestra lucha —insistió con su mente incansable— ni nuestro martirio ni nuestra inmolación serán de ninguna manera estériles. Los gachupines son sanguijuelas que succionan nuestra savia y nos roban nuestra esperanza. Echémoslos al mar. Devolvámoslos por donde vinieron con sus pestes, sus fiebres por el oro, sus sífilis, sus devastadoras viruelas, su esclavitud, sus encomiendas, sus violaciones a nuestras mujeres y sus cientos de hijos desconocidos que desquiciaron a la gran familia precolombina; devolvámoslos con toda su intransigencia, su cerrazón, su venalidad, su autoritarismo y su corrupción en un país sano y puro, sin descomposición social ni otros contagios foráneos...

Al llegar al fondo del pasillo, el pelotón empezó a girar marcialmente a la derecha. Morelos permaneció inmóvil durante la breve maniobra. A la orden de ¡ya! el líder de la independencia continuó la marcha arrastrando grilletes y cadenas hundido en sus reflexiones como si se tratara de un fantasma. Solo llegas y solo te vas —se repetía en silencio—. Desnudo naces y desnudo mueres... Nada te llevas de esta tierra.

¡Cuántas veces él, como cura de Carácuaro había otorgado la extremaunción y bendecido a los desfallecientes, consolándolos, tranquilizándolos ante un final próximo e irremediable, diciéndoles que en la eternidad celestial, a donde seguramente los acogería el Señor, recibirían una justa recompensa por las calamidades y penurias padecidas aquí en la tierra...!

—Confía en la infinita misericordia de Dios todopoderoso, hijo mío: su sabiduría y generosidad harán que Él te obsequie una caricia en la frente al término del largo viaje que vas a emprender... ¡Bienaventurados los que aparecen sentados a un lado del Señor en el Reino de los cielos! ¡Bienaventurados los pobres de espíritu porque ellos serán colmados...!

Morelos había impartido consuelo en su parroquia en incontables ocasiones, sí, pero, ¿quién lo consolaría a él en esa dolorosa soledad en la que se encontraba aquel 22 de diciembre de 1815, momentos antes de ser fusilado? ¡Cuántas veces había acariciado la cabellera de un moribundo presa de un miedo cerval al que encontraba temblando de pies a cabeza y lo despedía con una sonrisa, y la vida y sus paradojas no le permitirían a él disfrutar de un momento similar de paz y reconciliación, antes de cerrar los ojos para siempre después de asestado el tiro de gracia disparado a quemarropa! ¿Paz y reconciliación? Yo las tengo —se contestó a sí mismo ocultando una sonrisa esquiva—. Morir sabiendo que hice una aportación importante a la independencia de mi país es igual que perecer reconfortado con todos los perdones y bendiciones que pueda concederme mi iglesia muy a pesar de que hayan tratado de excomulgarme...

Después de todo —y ello le reportaba mucha tranquilidad—, los edictos de excomunión sólo podían ser impuestos a una nación independiente por el Papa o por un concilio general.[4] No aceptaría ninguna otra resolución que no ostentara la firma del Santo Padre. De ahí que las lanzadas al aire en su contra por el obispo Abad y Queipo, y otros tantos prelados, le eran irrelevantes: todos carecían de facultades y de legitimidad... ¿Estaba claro? De sobra sabía él que quienes lo habían excomulgado para lucrar políticamente con su desgracia, mostrarse como fanáticos defensores de los intereses creados y escalar peldaños en la jabonosa jerarquía clerical, los mismos, hubieran venido a besar de rodillas su anillo pastoral o su cruz pectoral si él hubiera podido largar al mar a punta de bayonetazos a los callejas y a las autoridades virreinales. ¡Hipócritas! Así era la vida. La conveniencia y la oportunidad eran parte de la naturaleza humana. ¿O acaso nadie hacía leña del árbol caído? ¿O el hombre no era el lobo del hombre? Estaba en todo caso para perdonar las debilidades ajenas como parte fundamental de su carrera sacerdotal. ¿No había tenido Morelos suficientes elementos morales como para condenar a un antiguo insurgente como Matías Carrasco a podrirse una y mil veces en la galera más recalcitrante del infierno, cuando, después de haberle servido al movimiento de independencia en los años 1812 y 1813 en que el "Siervo" dominaba el sur de la Nueva España, se atrevió a detener a su ex jefe en Texmalaca, el 5 de noviembre de 1815? ¿No fue una traición sin nombre? Matías Carrasco, su captor, había sido un insurgente. Él lo recordaba con toda claridad... ¿Cuál fue la respuesta de Morelos?

—Señor Carrasco, creo que nos conocemos...[5]

El antiguo insurgente ordenó que se arrestara a Morelos sin lastimarlo: es un prisionero.

El cura de Carácuaro, a modo de premio y después de haber sido traicionado, todavía le regaló su reloj... ¿Esa conducta no

---

[4] Véase Fernando Benítez, *El peso de la noche. Nueva España de la Edad de plata a la Edad de fuego*, p. 187.

[5] Julio Zárate, *Morelos*, p. 119, y Lucas Alamán, *Historia de Méjico. Desde los primeros movimientos que prepararon su independencia en el año de 1808 hasta la época presente*, vol. IV, p. 206.

constituye una prueba de su benevolencia, más aún si sabía que el cautiverio desembocaría en su excomunión y en su ajusticiamiento? Cualquier otro hubiera sacudido al traidor por las solapas, lo hubiera pateado y hasta estrangulado con sus propias manos, ¿por qué no? ¿No estaba justificado al haber dado lugar a una infamia de esa naturaleza? Ése era Morelos: magnánimo hasta en la hora del cadalso. Generoso hasta con los traidores.

El pelotón detuvo la marcha al llegar al final del corredor. Golpeando los tacones de las botas contra el piso descendió la breve escalera, escalón por escalón, hasta llegar a un pequeño patio, en realidad una terracería, en cuyo centro ondeaba altiva la bandera española, la realista, la de la imposición, la representante de la tragedia y del autoritarismo, el brazo armado de la Santa Inquisición, en síntesis: el mejor símbolo del odioso enemigo a vencer. Morelos levantó lentamente la cabeza. Tenía los ojos crispados tratando de acostumbrarse a la luz del sol. Inmovilizado y encadenado permaneció mudo y anclado en el suelo. Exigía explicaciones al cielo. Como última gracia hubiera deseado quemar el maldito lábaro amarillo con barras rojas, hacer girones ese siniestro paño extranjero. ¿Cómo rendir honores a la opresión? Mejor, mucho mejor recordar el estandarte de la virgen de Guadalupe que el cura Hidalgo había agitado de un lado al otro con la mano derecha, mientras con la izquierda llamaba a misa haciendo repicar la campana de la humilde parroquia de Dolores aquel 15 de septiembre de 1810. Ésa era la imagen misma de la libertad. ¿Quién al cerrar los ojos no podía ver el lluvioso amanecer de ese día y al Padre de la Patria convocando al nacimiento del México nuevo?

¡Cuánta impotencia! ¡Cuánta! ¿Escupir? ¿Escupir aquel trapo mugroso saturado de recuerdos y de imágenes catastróficas? Morelos carecía de saliva, de fuerza y posibilidades para vengar a los millones de indios muertos por la peste europea que casi extingue a la civilización precolombina del altiplano mesoamericano, vengar a los caídos en las entrañas de la tierra al extraer oro o plata con destino a la metrópoli, vengar a los que sufrieron los horrores de la esclavitud o las persecuciones de la Santa Inquisición o a quienes fueron condenados a los trabajos forzados de la encomienda. ¿Quién no hubiera querido escupir en los símbolos del imperio español por haber prohibido y quemado durante 300 años los libros "peligrosos" en la Nueva España y en todas las colonias de ultramar o por haber asfixiado a la democracia, el vivero donde se reproduce lo mejor del género humano, o por haber corrompido la administración pública no sólo por subastar al mejor postor los poderes públicos, sino por haber impedido, entre otras razones, que naturales y criollos ingresaran al gobierno para ser oportunamente capacitados y evitar con ello daños posteriores en el México independiente? ¿Cómo no escupir y volver a escupir dicha tela siniestra si significa la mutilación de toda libertad de expresión y de todas las garantías inherentes al hombre, mismas que se incineraban en la sagrada hoguera operada por el Santo Oficio y sus secuaces...?

Morelos no se humillaría ante una bandera, para él extranjera, que representaba a la decadencia en todas sus manifestaciones. ¿Qué más daba que ahí mismo le dieran un tiro en la nuca por no arrodillarse? ¿No se habían violado todos sus derechos cuando fue juzgado primero por el tribunal especial de la Jurisdicción Unida,[6] que tenía por objeto legitimar las sentencias previamente dispuestas en lugar de investigar la culpabilidad o, en su caso, la inocencia del acusado? ¿No antes de iniciar el juicio ya había sido condenado como parte de una simulación para llegar a la degradación y a la pena capital en tan sólo 25 horas? Menuda escuela de jurisprudencia para la posteridad... Antes de iniciar el procedimiento ya estaba demostrado ante la opinión pública el delito de alta traición, de la misma manera que al comenzar el juicio ante el tribunal de la Santa Inquisición ya había sido sentenciado de antemano como hereje y por cometer delitos ideológicos... Así se sesionaba en los juzgados de la colonia.[7] De la misma manera en que se eje-

[6] Éste era un tribunal mixto formado por un juez de la iglesia y uno del Estado, que juzgaba a los clérigos sediciosos y traidores... Este tribunal ya se había encargado de los procesos de Hidalgo y Matamoros, entre otros insurgentes eclesiásticos.

[7] Los jueces de la Jurisdicción Unida comisionados al caso de Morelos fueron el provisor del arzobispado doctor Félix Flores Alatorre y el oidor decano y auditor de guerra Miguel de Bataller, representando las potestades eclesiástica y civil, respectivamente. Las

cutaba a las víctimas ante la bandera del imperio, los culpables de delitos heréticos eran quemados en la pira por decisión del Santo Oficio.

Al voltear instintivamente al fondo a la derecha vio Morelos un muro grueso improvisado, pintado en colores ocres, hacia donde se dirigía el piquete de soldados. Marchaban matemáticamente en dirección al paredón. Un repentino escalofrío le despertó hasta el último poro. Hasta ahí llegaría en su vida. Pensó entonces en el martirio de Hidalgo, en la traición de que había sido igualmente víctima en Chihuahua, en la Acatita del Baján. ¿Cómo olvidar cuando había tenido la oportunidad de reunirse con él en Charo para recibir personalmente instrucciones del máximo líder de la independencia? ¡Cuánta categoría había mostrado ese hombre a

---

facultades que éstos tenían se limitaban a realizar únicamente los interrogatorios, sentar en las actas las respuestas de Morelos y formularle los cargos. Concluidas estas diligencias, debían remitir los autos, primero al arzobispo de México para que dictara la sentencia de degradación y relajación, y luego al virrey para que decretara la pena capital. La sentencia, así, era emitida por las autoridades superiores: el arzobispo Fonte y el virrey Félix María Calleja del Rey. Todos, Flores Alatorre, Bataller, Fonte y Calleja, eran reconocidos por su desprecio a los insurgentes. El arzobispo Pedro José de Fonte y Hernández Miravete, español, llega a la Nueva España en 1802. En México era juez de testamentos, provisor, vicario general, cura del Sagrario, canónigo doctoral, inquisidor honorario y primer catedrático de disciplina eclesiástica en la Universidad. Siendo provisor del arzobispado, en 1808 actúa como juez comisionado en el proceso que se le instruye a Melchor de Talamantes. Es entonces cuando empieza a juzgar a los partidarios de la independencia. Es electo arzobispo en 1815, a los 38 años de edad. Félix María Calleja del Rey aunque no participa en el golpe de Estado que derrocó al virrey Iturrigaray, asiste a la jura del impuesto Pedro de Garibay. Cuando inicia la revolución, forma el poderoso Ejército del Centro, que derrota a los insurgentes en Aculco, Guanajuato y Puente de Calderón. En 1811 persigue a Ignacio López Rayón, presidente de la Suprema Junta Nacional Americana, y arrasa Zitácuaro, obligando a la junta a huir. En 1812 pone sitio a Morelos en Cuautla, acción de malos recuerdos para Calleja, pues Morelos no sólo sostiene el sitio por más de dos meses, sino que se burla de Calleja. Al año siguiente es nombrado virrey de la Nueva España, se fija como objetivo principal destruir a Morelos. El canónigo Flores Alatorre, criollo, era doctor en derecho, catedrático de la Universidad. Desde 1810 desempeña el cargo de provisor vicario general del arzobispado de México, fue siempre partidario de los realistas. Miguel de Bataller, oidor subdecano de la Real Audiencia de México, se opuso en 1808 a la realización del Congreso que propuso el Ayuntamiento de la ciudad de México y participó en el golpe de Estado de Gabriel de Yermo.

la hora de morir, como la habían exhibido Mariano e Ignacio Hidalgo, hermano y sobrino del cura de Dolores, y Matamoros y Galeana, sus respetados y amados lugartenientes, sus brazos, como él les decía, ejecutados también por los realistas! Recordó la muerte de Leonardo Bravo y de sus segundos, Piedras y Pérez, sacrificados a garrote vil; la de Valerio Trujano, asesinado; la de Ignacio y Juan Aldama, Ignacio Allende, Mariano Jiménez, fusilados al igual que Francisco Ayala, José María Chico, y la de Daniel Camarena. ¡Horror! ¡Cuánta sangre derramada...! ¿Por qué? ¿Qué hemos hecho? ¿En qué se ha convertido todo esto? En ese momento, contemplándose él mismo encadenado, incapaz de moverse por los grilletes, dolorido mortalmente por las torturas impuestas por los verdugos de la Inquisición, sin sentir los brazos ni las piernas y experimentar un ardor de fuego en todas las coyunturas desencajadas de su cuerpo magullado y ultrajado, ahí, precisamente ahí, al ver las palmas de sus manos sin piel y ya cubiertas con pus desde que le habían aplicado el ácido que sintió corroerle las entrañas y restándole escasos minutos de vida, sus reflexiones y su condición le hicieron titubear... ¿Por qué terminar así sus días? ¿Por qué no haberlos pasado acompañado por sus mujeres y sus hijos trabajando la tierra y comerciando con animales?

¿Por qué hombres como él renunciaban a la vida tradicional y empuñaban las armas abandonando la parroquia o el empleo o la cátedra o el negocio y en todos los casos la familia y hasta el bienestar para exponer lo más caro y preciado de un ser humano como era su existencia? ¿Por qué...? ¿Por qué?, se cuestionaba en tanto se acercaban al lugar exacto en el que sería pasado por las armas. ¿Por qué llegar a este lugar en esta triste condición? Mira mis manos despellejadas, mis muñecas y tobillos descarnados, mis coyunturas destrozadas, el insoportable dolor en las rodillas, en los codos, en los hombros, y esta vergonzosa indumentaria antes de que me acribillen a balazos. ¿Por qué sufrir todo este horror y tener que despedirme de este mundo con un castigo tan severo cuando no me movía otro interés que el bienestar de la comunidad? ¿Es el premio a mis buenas intenciones que, como siempre comenté en el confesionario, sólo conducen al infierno? Pagar con mi muerte la independencia de mi país, ¿no es un precio muy elevado, lo más caro que alguien puede pagar?

Morelos caminaba con la mirada perdida en el suelo, sin manifestar dolor ni angustia ni miedo. Sólo deseaba en apariencia justificar su papel político, su desempeño como líder, la validez final de tanto esfuerzo, es decir, intentaba confirmar una vez más su decisión de haber abandonado todo a cambio de lograr la libertad de su país, o, en caso contrario, recriminarse, en el último momento, el hecho de no haber continuado con sus actividades parroquiales y agrícolas dedicándose a su mujer, a sus hijos y a la feligresía, habiendo podido morir reconfortado en la cama como un viejo patriarca con toda la asistencia espiritual que él, desde luego se merecía por su innegable amor al prójimo ampliamente demostrado en todos los actos de su vida. No, no, en su lugar él entregaría su alma al Señor con 20 balazos en el vientre y rematado con dos tiros en la cabeza. ¿Cuál cama, cuál patriarca, cuál bendición, si lo fusilarían contra un muro, como a un bandido, y, además, supuestamente excomulgado, como si buscar la justicia y el bienestar de la nación fuera un pecado mortal? Morelos tenía que darse prisa y arribar lo más pronto posible a una conclusión para poder morir en paz.

Los soldados se detuvieron en un lugar marcado con una cruz de cal trazada en el piso. Al frente sólo quedaba el paredón. Sus verdugos continuaban rodeándolo en tensa espera para retirarse a ocupar sus posiciones de tiro. De sus hombros izquierdos colgaban los mosquetes. Su sobria mirada apuntaba al infinito. Ningu no de ellos ignoraba que fusilaría a un sacerdote, por más que hubiera sido degradado. Un sacerdote, además, amado y respetado por el pueblo, y ellos eran, desde luego, parte innegable del pueblo... ¿Estarían cometiendo un pecado mortal y se condenarían hasta la eternidad por haber sido cómplices de semejante infamia? ¿Dios podría castigarlos?

¿Qué me movió? ¿Todo esto fue un mero complejo de megalomanía? —se cuestionó frunciendo el entrecejo—. ¿Soy un vanidoso en busca de fama y de un lugar en la historia? Pamplinas —repuso—, prefiero un día en la vida que cien años en la gloria.

Su mente alucinaba. La espera parecía ser infinita. ¿Adquiere el papel de héroe sólo quien ya no tiene nada que perder porque nació, vive y morirá en un petate y con el estómago vacío y sólo pretende encontrar algún sentido a sus días, o los héroes son simples amantes del riesgo y lo buscan a cada paso, como lo hiciera el Pípila cuando incendió la puerta de la Alhóndiga de Granaditas? Los héroes, ¿sólo son cazadores de peligros? ¿Exponer la vida es gratificante y estimulante? Falso —se contestó antes de haber concluido la pregunta—: yo soy un convencido de mi causa, un fanático de la libertad que cumple con una misión encomendada por Dios, y Él y sólo Él sabrá por qué razón me hace fusilar... No soy ningún iluminado, no, no, ¡qué va!, ni soy mejor o peor que los demás, si acaso gozo de una mayor sensibilidad social, una sensibilidad que Él me concedió para poder impulsar el movimiento. Cada quien tiene una misión en la vida. Tenemos metas diferentes igualmente importantes que nadie debe calificar. Yo sólo soy un instrumento para ejecutar la suprema e irrefutable voluntad de Dios. ¿Quién si no Él me dio el coraje, la fuerza y el temperamento de líder? Cualquier hereje podría decir que las circunstancias me orillaron a encabezar esta fase de la independencia de México y que la casualidad hizo que Hidalgo me entregara la estafeta después de haber sido traicionado y fusilado en Chihuahua, sí, cualquiera podría alegar que las cosas son porque sí, sólo que Dios me asignó este papel, me dio la personalidad y los conocimientos para ser lo que soy y me encargó que administrara la herencia del cura de Dolores, que en paz descanse —dijo persignándose y santiguándose, movimientos que la tropa entendió como si el sacerdote ya se estuviera preparando para la ejecución.

—Peeeeeelooootóóóónnnn, meeeeedia vuelta a la izquierdaaaaa, ¡ya!

Los soldados giraron mecánicamente y avanzaron, dejando solo al Siervo de la Nación parado sobre la cruz de cal. Se veía ridículo descalzo y con la sotana recortada hasta la rodilla. Parecía una persona insignificante. Un miserable indio de la sierra resignado a su suerte. ¡Cuán equivocados podían estar sus verdugos de haber sabido que precisamente ese hombre había estado a punto de derrotar a los realistas para siempre de haberse decidido a tomar una Puebla casi rendida a sus pies, siendo aquella ciudad la antesala de la capital de la colonia de la que igualmente podría haberse hecho en aquel entonces sin mayores dificultades. Su formación, como la de Hidalgo, no le permitió administrar un éxito tan repentino. Era mucho más fácil recordarlo montando un caballo blanco reparando vigorosamente con ambas patas delanteras en el aire, las bridas sujetas con la mano izquierda, mientras con la derecha aparecería blandiendo una espada de acero refulgente. El resto lo harían las puntas del paliacate rojo cubriéndole la cabeza y flotando en lo alto, sin olvidar el uniforme de generalísimo insurgente ni el azul intenso impoluto del cielo de la costa chica al fondo, enmarcando la colosal obra, mientras sus tropas, en la base del cuadro, estarían escapando una vez roto el terrible sitio de Cuautla que humillara hasta el último de sus días a Calleja, el asesino, y que despertara para siempre la admiración de la mujer de aquél por Morelos. ¿Por qué fusilarlo y recordarlo como un aborigen analfabeto en lugar de retratarlo en traje de gala el día de la rendición de la colonia recibiendo las llaves de la Nueva España de manos del virrey? No, no: al enemigo mortal había que humillarlo hasta en el último momento.

El cura de Carácuaro recordó el día que se ordenó como presbítero e ingresó en San Nicolás, donde, en 1799, había conocido por primera vez a don Miguel Hidalgo y Costilla en su carácter de rector del establecimiento. ¡Qué años aquéllos...! A su mente fluyeron de la misma manera las imágenes del mes anterior, cuando en la capital de la Nueva España lo degradaron en una sesión plenaria del Tribunal de la Santa Inquisición: su iglesia lo arrojaba de su seno. Dos caras de la misma moneda. Graduación y expulsión. Los tres funcionarios del tribunal eclesiástico lo recibieron de espaldas, como a los traidores, sólo dejando ver sus negras capas pluviales. La sala estaba adornada con retratos de los inquisidores. Las columnas y ornatos arquitectónicos estaban cubiertos de damasco encarnado. En el extremo que daba al sur había un sobrio altar espléndidamente decorado. En su centro estaba colocada una imagen de San Ildefonso. En el lado opuesto, y después de una gradería de una vara de altura, estaba el escritorio de los inquisidores, con tres sillas cubiertas de terciopelo carmesí, con franjas y recamos de oro. Sobre la mesa había un crucifijo orlado de franjas y borlas del mismo metal precioso, las armas reales y una inscripción sobre el globo de la corona que decía: *Exurge, Domine, judica causam tuam*.

Unos sacerdotes, a los que era imposible verles la cara escondida tras una caperuza gris oscura de corte funerario, lo vistieron con el alzacuello, la sotana, la estola y la casulla. Parecía que lo ungían nuevamente como clérigo. Según le ordenaron, tenía que colocar en la patena una hostia sin consagrar, verter un poco de vino en el cáliz, beberlo y arrodillarse ante los jueces. En esa posición y como respuesta a una instrucción dada por otro canónigo, tuvo que extender y exhibir las palmas de las manos para que se le raspara la piel con un cuchillo. El dolor era intolerable, más aún cuando después se le arrojó ácido de una pequeña botella, mientras el fraile pronunciaba las siguientes palabras: "Te arrancamos la potestad de sacrificar, consagrar y bendecir que recibiste con la unción de las manos y los dedos."

Morelos se sentía desfallecer. Las fuerzas lo abandonaban. Sin hacer caso de su aflicción, y en tanto el ácido espumeaba todavía en el piso de laja queretana, el mismo canónigo esta vez le quitó el alzacuello, la casulla, la estola y la sotana privándolo de todo derecho clerical a la voz estentórea de: "Por la autoridad de Dios Omnipotente, Padre, Hijo y Espíritu Santo y la nuestra, te quitamos el hábito clerical y te desnudamos del adorno de la religión y te despojamos de todo orden, beneficio y privilegio clerical; y por ser indigno de la profesión eclesiástica, te devolvemos con ignominia al estado y hábito seglar." Para concluir la ceremonia de la degradación le fue cortado un mechón de pelo con la siguiente letanía: "Te arrojamos de la suerte del Señor como hijo ingrato y borramos de tu cabeza la corona, signo real del sacerdote, a causa de la maldad de tu conducta."

Si cuando fue aprehendido en Texmalaca ya los insurgentes lo habían retirado del mando y del ilustre "generalísimo" sólo quedaba el recuerdo muy a pesar de su portentoso talento militar natural; si además el gobierno y su iglesia lo habían hecho confesar datos falsos e inexistentes a través de la tortura; si lo habían degradado como sacerdote reduciéndolo a la posición de seglar y lo habían expulsado de la iglesia y ahora lo iban a fusilar excomulgado y reducido a la nada, ¿qué más le podía quedar en la vida que saberse seguidor de un movimiento que liberaría a millones de mexicanos de cargas y lastres centenarios? ¿Quién le podía arrebatar ese privilegio? Podían quitarle la piel de las manos, rasurarle la cabeza, desaparecer la tonsura, enloquecerlo con suplicios inimaginables sólo producto de mentes enfermas, podían matarlo, sí, privarlo de la vida, descuartizarlo a continuación y exhibir su cabeza y sus manos en mil alhóndigas, sí, sí, sí, pero la satisfacción de haber hecho tanto por los demás y haber heredado un ejemplo y sembrado millones de semillas, eso se lo llevaría a la tumba y al más allá. Ese solo hecho justificaría su existencia. No había espacio para titubeos. A ese patrimonio sentimental no tendría acceso ningún mortal. Él, en todo caso le entregaría cuentas al Señor, Él sabía de su buena voluntad.

—Señor Morelos —tronó De la Concha, el jefe del pelotón, con el sable amenazador sujeto con la mano derecha y la hoja ligeramente hundida en el suelo arcilloso—, ¿desea usted que le sea concedida una última gracia?

—Sí —repuso levantando la cabeza—: que no se me venden los ojos y se me permita dirigir mi propia ejecución...

Se produjo un espeso silencio. Estaban frente a un indomable. ¿Por qué no acceder...?

—Concedido, señor Morelos —acotó el uniformado lacónicamente—, sólo que tengo instrucciones precisas de proceder a fusilarlo de rodillas y de espaldas: usted, como militar, entenderá las razones...

En San Cristóbal Ecatepec, el lugar que escogían los virreyes para prepararse antes de llegar a la ciudad de México, el sol no atacaba la piel del portentoso sacerdote. Acostumbrado al explosivo clima tropical no resentía en su rostro el menor malestar. Ni siquiera fruncía los párpados para ver mejor sin sentirse agredido por la luz.

—¿Aquí es donde tengo que arrodillarme? —preguntó candorosamente.

—Sí —agregó la voz del verdugo: tiene usted que ver al paredón.

El Siervo de la Nación acató las instrucciones sin chistar...

—Preparen...

El pelotón levantó sus rifles apoyados en el suelo sujetándolos con ambas manos a la altura del pecho.

—Apunten —ordenó Morelos sin que le temblara la voz. Sólo se encomendaba a Dios. En el último momento y levantando la cabeza para contemplar por última vez la inmensidad del firmamento, apretó entre sus manos el crucifijo y la descarga a la voz de ¡fuego! cambió para siempre la historia de México.[8]

---

[8] El virrey Calleja dispuso que el cuerpo de Morelos no fuera mutilado ni decapitado como el de Hidalgo y otros insurgentes. Fue inhumado después de recibir dos descargas de cuatro tiros cada una. Es discutible que le hayan permitido a él mismo dirigir su propia ejecución.

—¿Aquí es donde tenían que fusilarme? —preguntó candorosamente.

—Sí —agregó la voz del verdugo—, tiene usted que ver al paredón.

El Siervo de la Nación acató las instrucciones sin chistar.

—Preparen...

El pelotón levantó sus rifles apoyados en el suelo sujetándolos con ambas manos a la altura del pecho.

—Apunten... —ordenó Morelos, aunque le temblaba la voz. Sólo se encomendaba a Dios. En el último momento y levantando la cabeza para contemplar por última vez la inmensidad del firmamento, apretó entre sus manos el crucifijo y la descarga a la voz del ¡fuego! cambió para siempre la historia de México.[9]

[9] [illegible]

ÁLVARO OBREGÓN Y LA TRAICIÓN MASIVA

—Mi general, ¿no está usted muy lejos de la política aquí en La Quinta Chilla, su hacienda de Sonora? —le preguntaron a Álvaro Obregón cuando el gobierno de Calles tocaba a su fin.

—No, mire usted —repuso invariablemente cáustico el caudillo revolucionario—, si me paro de puntitas desde aquí mismo alcanzo a ver perfectamente bien la Presidencia de la República...

"¡Extra, Extra!, el presidente electo de México, el general Álvaro Obregón, fue muerto a tiros por un caricaturista... ¡Extra, Extra... la Extraaaaa...! Mataron a Obregón, lo mataron en la Bombilla a la hora de la comidaaaa, ¡Extra, Extra...!", anunciaron incansables por toda la ciudad de México los tradicionales voceadores al publicarse los detalles del magnicidio el 17 de julio de 1928. La voluminosa edición vespertina se agotó de inmediato...

¿La historia de México sufrió un giro de 180 grados al caer fulminado a balazos disparados, a quemarropa, sobre la cabeza del último de los caudillos revolucionarios? Por supuesto que no, los quebrantos políticos fueron ciertamente insignificantes: Calles controlaba los hilos visibles y también invisibles del poder, concentrándolo en un solo hombre, dominando él mismo todos los escenarios, tal y como había acontecido con sus predecesores desde los años remotos en que Agustín de Iturbide se ciñera la corona del primer Imperio mexicano, y de la misma manera en que los virreyes de la Nueva España habían ejercido centralizadamente la autoridad a lo largo de los 300 años de administración colonial, para ya ni hablar de cómo los tlatoanis, los emperadores aztecas, habían hecho lo propio en el México precolombino al ser gobernado por unos monarcas infalibles, prácticamente de origen divino.

México fue invariablemente dirigido por un solo hombre. Las instituciones, léase el Congreso, la Corte de Justicia y la prensa libre, estuvieron casi siempre supeditadas a los caprichos y a los estados de ánimo del presidente en turno. ¿Cuál debe ser la suerte de un país que se maneja de acuerdo con los estados de ánimo del líder del momento? La avidez por el poder, el deseo atávico de los políticos mexicanos de eternizarse en el cargo, de permanecer contra viento y marea en el interior de la oficina más importante de México, su incapacidad para aceptar refutaciones o admitir la presencia de opositores fue una constante temeraria de un elevadísimo costo económico y social para la nación.

A partir del asesinato de Álvaro Obregón la tentación totalitaria fue extinguida por la bala. Sí, por la bala: quien, después de los trágicos acontecimientos de La Bombilla, se negara con cualquier argumento o pretexto a entregar, pacífica y civilizadamente, la banda tricolor a su sucesor, tendría que enfrentarse, tarde o temprano, al poder indiscutible e inapelable de la bala, sí, señor, de la bala...

El mexicano criollo, tanto o más que el mestizo, lleva el autoritarismo remachado en el cogote como un clavo de fuego ardiendo al rojo vivo. Así se explica la tentación totalitaria antidemocrática que han tenido y tienen —con sus escasas excepciones— los líderes políticos mexicanos de todos los tiempos, tentación aún más desastrosa cuando quedan al descubierto —maléfica combinación— las escasas necesidades democráticas del mexicano. Quien sostenga lo contrario debe contestar las siguientes preguntas: ¿Dónde está la tradición liberal, la tradición democrática del pueblo de México? ¿Dónde arranca esta tradición en caso de que siquiera exista? ¿Cuántos mexicanos han disfrutado las mieles de la libertad en la historia patria con sus debidas garantías individuales de extracción constitucional?

Los ingredientes fundamentales de la involución política se dan en su máxima expresión en México. Por un lado se da la existencia de una comunidad anestesiada, indolente, resignada e ignorante, apartada de todo concepto de solidaridad social que opera a la voz de ¡sálvese el que pueda!, y, por el otro, el autoritarismo, la intransigencia tiránica y la negativa cerril en contra de cualquier manifestación de apertura o de oxigenación democrática que ha acompañado secularmente como una sombra siniestra a los gobernantes mexicanos. Las dualidades políticas y sociales prevalecientes en México, mismas que permitieron la eternización de los políticos y más tarde de los sistemas en el poder, fueron siempre pintorescas: el "aquí sólo mando yo" tenía como contrapartida un "tú por tu lado haz lo que quieras, siempre y cuando no te metas con el sistema ni conmigo..." ¿A quién le importa que sea una clara invitación a la anarquía, a la regresión y al atraso? ¿A quién? Respetemos nuestros espacios. Las combinaciones de permisos recíprocos continuaron siendo funestas: yo me robo lo que quiero y defraudo el tesoro público, y tú, a cambio, practica la evasión fiscal, desde luego con la garantía de que ninguno de los dos irá a la cárcel... ¿Y el país? ¿Y el presupuesto...? ¡Ay!, el país y el presupuesto: pamplinas de país y pamplinas de presupuesto... Yo hago como que gobierno y tú como que te dejas gobernar... Los acuerdos implícitos llegaron a extremos temerarios: tú promulga leyes que puedan controlarme y perjudicarme con la condición de que no me obligues a cumplirlas ni me persigas... Tú tienes las facultades efectivas de gobierno pero yo te las compro con cochupos y sobornos. Yo te impongo al "Tapado" sacándolo de la chistera y tú votas por él y hasta organizas quinielas... Uno vota por la oposición, pero al mismo tiempo financia con sus impuestos el éxito del partido en el poder conectado ilegalmente con las arcas de la Tesorería de la Federación. Valores entendidos: gobierno y gobernados son igualmente corruptos y corresponsables de la condición desastrosa de la nación.

Las luchas aisladas para hacerse de libertades políticas van de la mano con la intensa sed autoritaria de poder de los gobernantes. La imposibilidad emocional de separarse del cargo público, la incapacidad sanguínea de respetar los espacios políticos de los demás, apartándose en tiempo y forma de un sistema de adulación en el que hasta los propios dioses flaquearían, son pinceladas de la personalidad de los líderes mexicanos que quedan evidenciadas en el caso de Porfirio Díaz, quien hubiera querido morir con el poder firmemente asido entre sus manos después de más de treinta años de usurparlo a través de fraudes electorales. El viejo tirano, quien cumpliera 80 años de edad cuando México celebraba el primer siglo de vida independiente, decidió abordar el *Ypiranga* como un héroe incomprendido antes que como un prófugo odiado. En Veracruz, los reaccionarios de siempre, todavía lo despidieron con porras estridentes, lágrimas en los ojos y pañuelos blancos agitados melacólicamente a modo de un postrer y emocionado adiós, a quien había sujetado férreamente al país por la tráquea hasta casi asfixiarlo durante más de la tercera parte de un siglo. El corolario de su gestión, su mejor legado a la posteridad, fue, sin duda, el hecho de haber conducido al país a una devastadora revolución que atrasó a México cuando menos medio siglo. El 90% de analfabetos heredados de la dictadura hizo las veces de un poderoso detonador que, al estallar en el entorno social, convirtió al país en astillas.

No sólo Díaz, el dictador, quiso eternizarse y se eternizó en el poder. Existen muchas imágenes anteriores y posteriores adicionales para demostrar la tendencia nacional al autoritarismo, además de la inagotable paciencia del mexicano para soportar todo tipo de ultrajes de sus gobernantes. Bien decía el propio Obregón con su cáustica flema norteña: "Donde hay un cabrón hay un pendejo, y yo prefiero ser de los primeros, ¿y usted, compadrito de mi vida...?"

Hablemos de la resistencia de los líderes mexicanos a abandonar el poder: Agustín de Iturbide hubiera querido morir envuelto en sus delirios imperiales y con la cabeza coronada con ramas de laurel de oro. Su carrera política afortunadamente terminó cuando lo fusilaron en Padilla, Tamaulipas, impidiendo con ello la reposición del imperio y su consecuente eternización como emperador. Antonio López de Santa Anna volvió nada más once veces al poder... ¿Está siendo cada vez más claro? A Juárez, después de 14 años como presidente, años por cierto muy accidentados, uno de los más difíciles momentos, internos y externos, del siglo XIX mexicano, lo salvó una angina de pecho antes de que quedara en evidencia su proclividad a eternizarse como titular del Ejecutivo. Maximiliano de Habsburgo, un invitado de honor de la poderosa y no menos vergonzosa reacción mexicana, también venía dispuesto a morir de viejo sentado en el trono del Castillo de Chapultepec. Todos, todos querían ser enterrados con el bastón de mando entre sus manos, cubierto el ataúd con la bandera tricolor, mientras se entonaban en lontananza las notas motivantes del himno nacional y se disparaban salvas en honor del notable difunto.

Gustavo Madero soñaba con ser el heredero de su hermano Francisco para eternizarse él, ahora sí, en la presidencia. Victoriano Huerta, el asesino de nuestras mejores esperanzas, hubiera muerto, rodeado de su vergonzoso gabinete integrado por auténticas personalidades de la época, hecho un anciano sentado en la silla presidencial recordando, a través de la ventana de Palacio Nacional, su siniestra cadena de crímenes que lo condujeron y lo afirmaron en el poder. A Carranza lo detiene la bala en Tlaxcalantongo, ya como un presidente prófugo de sus poderes. Ignacio Bonillas había sido una maniobra más para disfrazar su deseo de eternizarse también en el ejercicio del cargo. Y, finalmente, ahí están los bravos hombres del norte: Obregón y Calles, el primero violando uno de los más caros postulados y supuestas conquistas del movimiento armado —Sufragio efectivo. No reelección— y, sin embargo, se reeligió, y el segundo, el jefe máximo de la Revolución, imponiendo un maximato, parapetándose tras el partido que él había creado ingeniosamente para seguir mandando hasta la eternidad. ¡Ay!, la eternidad... Las intenciones de ambos, era evidente, consistían en eternizarse en el poder, eternizarse como todos sus antecesores y la mayoría de sus sucesores. ¿No dijo acaso Miguel Alemán, años después, que el pueblo de México tenía derecho a "reelegir" la felicidad...?

De todos los orificios de bala encontrados en el cuerpo de Obregón, todos, salvo uno, eran mortales. El crimen, que finalmente se ejecutó con notable éxito, no fue de ninguna manera el primer intento por asesinarlo. El terror y la sombra de la muerte acompañaron a Obregón en su cínica campaña reeleccionista durante la cual sufrió tres atentados.

En noviembre del '27 el ex presidente fue víctima de un ataque dinamitero cuando se dirigía a una corrida de toros. Los responsables del plan —Obregón todavía se burló de su novatez por no haber podido consumar el asesinato— fueron el ingeniero Luis Segura Vilchis, Juan Tirado y los hermanos Pro. Al más decantado estilo obregonista, los presuntos criminales fueron pasados por las armas... Bien sabía el ingenioso caudillo norteño que quien hace la revolución a medias cava su propia tumba. ¡No se me atraviesen...!

En Orizaba, bastión cromista, ocurrió un nuevo atentado en su contra. Una noche, en la casa de su antiguo secretario Fernando Torreblanca, Obregón escuchó unos disparos. Acto seguido, le comentó a su hijo Humberto con su conocido humor cáustico: "No eran para mí..."

El último de los atentados concluyó, esta vez sí, con la vida del líder político sonorense. El asesinato se consumó en el restaurante La Bombilla, en San Ángel, al sur de la ciudad de México, en momentos en que concluía el banquete servido en honor del recién nombrado presidente electo por la presunta diputación del estado de Guanajuato en el Congreso de la Unión. La mesa para el banquete fue colocada en el interior de un amplio cenador ubicado en el jardin en forma de cuadrilátero. A la entrada existía un arco decorado con flores de Xochimilco con la siguiente leyenda: "Homenaje de honor de los guanajuatenses al G. Álvaro Obregón." Cada uno de los personajes invitados tenía su lugar asignado en la mesa. A la una de la tarde se presentó el general Obregón, a quien se le hizo saber que sólo faltaban los músicos para comenzar el banquete. Obregón —retorciéndose el bigote— contestó con una sonrisa sardónica: "Creo que los que estamos aquí sabemos comer sin música, ¿o no...?"

La comida transcurrió en un cordial ambiente de apoyo al presidente electo. La orquesta de Esparza Oteo ejecutaba típicas canciones mexicanas de la época, como "Las bicicletas", "Mi querido capitán", "La Adelita", "El Rancho Grande" y otras tantas más del gusto de los comensales. Servían consomé ranchero, preparado con arroz, aguacate, pollo deshebrado, limón, perejil, chile y cebolla picada, además de enchiladas potosinas, cecina de Yecapixtla, flan y café. Obregón se aprestaba a disfrutar las mieles del poder reconquistado. Sin embargo, un dibujante que había pasado inadvertido, realizaba indistintamente ingeniosas caricaturas a los asistentes. En la euforia del banquete pocos percibieron que pedía permiso para hacerle un breve retrato al carbón al futuro jefe de la nación. La autorización le fue concedida. Después de avanzar algunos pasos, se colocó al lado derecho del ex primer mandatario para copiar sus rasgos fisonómicos, lo cual hizo con sorprendente destreza. Al concluir el dibujo se acercó por la espalda al general Obregón con el supuesto ánimo de conocer sus comentarios. Una vez colocada ante los ojos del caudillo la cartulina para atraer la atención de los comensales más cercanos, el criminal aprovechó que la orquesta comenzaba a tocar a todo volumen, para sacar de sus ropas una pequeña pistola escuadra, automática, marca Star, de 32 milímetros, para vaciar impertérrito y con sorprendente sangre fría, toda la cartuchera en la cabeza y tórax de Obregón.

Mientras la banda interpretaba "El Limón" a su máxima sonoridad, muy pocos se percataban de que el presidente electo de México inclinaba la cabeza hacia adelante y a la izquierda para rodar a continuación bajo la mesa. Nadie pudo contener su inevitable caída al suelo. Nadie podría rescatarlo del ocaso de su carrera política. Su final, esta vez, sería irreversible, y desde ningún otro lugar podría contemplar ya la Presidencia de la República...

Mientras era detenido el joven caricaturista, de tan sólo 23 años de edad, éste se limitaba a repetir mecánicamente una y otra vez: "Yo soy el único responsable. Yo maté al general Obregón porque quiero que reine Cristo Rey, pero no a medias, sino por completo... Yo soy el único responsable..."

Por su parte, el señor presidente de la República, don Plutarco Elías Calles, declararía con el rostro más severo y más adusto que nunca, la mirada acerada, inexpresiva y glacial, controlando todos los músculos de su cara y utilizando un tono de voz apenas audible y perfectamente estudiado: "He sufrido una impresión tan fuerte que materialmente me tiene destruido. La muerte del general Obregón es de enorme trascendencia para el país, puesto que representaba todas las esperanzas del pueblo mexicano. En mi concepto nuestro país pierde su más alto representativo."

¿Cómo se tejió esta telaraña política? ¿Cuáles fueron sus actores principales y qué papeles jugaban? Los magnicidios, por lo general, nunca se aclaran, menos aún en el seno de una sociedad cerrada como la mexicana, en donde los poderes políticos y las instituciones subsisten en estrecho contubernio entre sí. ¿Cómo se van a conocer los móviles de un asesinato de esta naturaleza, la identidad de los autores intelectuales, cuando la misma autoridad hará lo posible y recurrirá a cuantas herramientas tenga a su alcance para impedir, a como dé lugar, la revelación de la verdad? Si en una sociedad abierta, liberal y democrática es difícil identificar y encarcelar a los responsables de un magnicidio, contando con fuerzas policiacas medianamente honestas y con jueces respetables y fiscales especiales nombrados por el pueblo, cuanto más lo será en una sociedad hermética donde sus integrantes son cómplices de una u otra forma. Existen, sin embargo, muchos interrogantes en torno al asesinato de Obregón. Uno de ellos consiste en saber, ¿quién traicionó a quién...?

¿Quién fue Álvaro Obregón?

Álvaro Obregón fue un militar lúcido, un estratega brillante, buen conocedor de sus semejantes, de quienes era capaz de practicar radiografías morales instantáneas. Jugó un papel definitivo en el derrocamiento de Victoriano Huerta, "el chacal", y en el sometimiento y desintegración de la famosa División del Norte, capitaneada por Pancho Villa. Fue el general carrancista más destacado y eficiente de cara a la consolidación y conclusión del brutal proceso revolucionario de destrucción. La pacificación final del país se empezó a dar con el reconocimiento diplomático del gobierno de Carranza por parte de Estados Unidos, lo cual suponía el abastecimiento oportuno de parque y de armas. Dentro del mismo proceso de paz debe considerarse la promulgación de la Constitución de 1917, hecho significativo al que también debe sumarse la derrota de los beligerantes en los campos de batalla y, desde luego, al alevoso asesinato de Zapata a manos del traidor de Guajardo. La palabra traición salpica una y otra vez las páginas de nuestra historia patria. El general Obregón sentía contar, como sin duda contaba, con los suficientes méritos de campaña y con la popularidad necesaria como para suceder al propio Carranza en la Presidencia de la República.

En el diseño de sus planes, Álvaro Obregón tal vez no tomó en cuenta las intenciones de su superior, fundadas en el deseo de eternizarse también en el poder o de constituirse como su titular permanente, sólo que escondido tras el trono presidido por Ignacio Bonillas, el embajador mexicano ante Washington, un hombre opaco y gris, sin personalidad alguna, que todos suponían, con justificada razón, que el propio Carranza manejaría a su antojo como una marioneta. Nada nuevo: Porfirio Díaz había hecho exitosamente lo mismo con su compadre, el "Manco" González, para disimular todo aquello de la no reelección, una de las banderas del Plan de Tuxtepec. ¿Por qué no intentarlo? ¿Y si llegara a tener éxito?

Error de cálculo: Obregón no lo consentiría de ninguna manera y en ninguna circunstancia. ¿Cederle el cargo a otro? ¿Yo, que me cansé de tragar humo y polvo en los combates, que invariablemente me jugué la vida estando cerca de la metralla, cerca de mis soldados, tan cerca que perdí un brazo y quedé mutilado de por vida? ¿Yo, que me amanecí durante años trazando con mis lugartenientes planes y estrategias para salir airosos de todas las batallas y pasé sed, sufrí insomnios y miedos, padecí todo género de calamidades e incomodidades, carecí de armas en ocasiones para enfrentar al enemigo y fui siempre leal a Carranza durante el embargo de pertrechos de guerra por parte de Estados Unidos? ¿Yo, que fui incondicional, servicial, eficaz, un feroz luchador de la causa de la libertad y de la democracia, a quien se le debe la feliz pacificación de México, voy a rendirme ante Carranza o ante Bonillas? ¡Antes muerto...! Su momento político había llegado. Él se merecía más que ningún otro la distinción de ser el jefe de la nación. Para lograrlo, estaba dispuesto absolutamente a todo. Las dimensiones de su ambición eran incontenibles.

Cuando Carranza, acosado y percatándose de que la imposición de Bonillas no prosperaría, decide huir a Veracruz para hacerse de la aduana y de dólares con el objetivo preciso de contar con divisas para importar equipo y municiones y empezar de nuevo otro movimiento armado, es bien posible que Obregón, a su vez, también hubiera decidido que a ese insaciable "Barbas de chivo"... no lo quiero ver encabezando un gobierno en el exilio ni encerrado en la cárcel tramando planes para desestabilizarme ni me lo imagino parapetado en ninguna parte de México a modo de un gusano voraz que, de abandonarlo y descuidarlo, bien puede devorar y podrir toda la manzana. No, no lo quiero preso ni fugado ni exiliado ni sitiado, sólo lo quiero ver de una sola y única manera: muerto y bien muerto. Don Venustiano Carranza fue mortalmente acribillado a tiros en Tlaxcalantongo, el 21 de mayo de 1920. ¡Me enferma que se me atraviesen...! Fue la primera vez en que Álvaro Obregón se manchara las manos de sangre para llegar al poder y afianzarse en él. ¿Y qué hacer con los asesinos? ¡Ah!, los invitaría discretamente a trabajar en su gobierno, cobrando un buen sueldo y teniendo derecho a un buen plan de jubilaciones y pensiones... Los mexicanos no tienen memoria... O, ¿sí...?

Este hombre de facciones duras, surgido de la presidencia municipal de Huatabampo, Sonora, fue el último caudillo de una historia en la cual no se comprendía el desempeño del cargo de presidente si no se accedía a él mediante una legitimación que incluyera el haber sido victorioso conductor de masas, además de ser una notoria figura pública poseedora de un auténtico carisma de impacto popular. Obregón contaba con todo lo anterior, de ahí que, dueño de una notable imaginación política y contando en su gabinete con algunas personalidades de la época, México viviera, durante su gestión presidencial iniciada el año 1921, un renacimiento político, cultural y económico.

Como político sagaz y capaz de trabar alianzas frente a la cerrazón de Carranza, fue un presidente hábil en la manipulación de las fuerzas que garantizaban el equilibrio político. Desaparecido el "Barbas de chivo", su gobierno se desarrollaría sin mayores contingencias ni amenazas. Hombre ocurrente, era igualmente cruel con sus enemigos de cierta envergadura, a quienes hacía fusilar con aquello aprendido de que "de la cárcel salen pero del agujero ya no..." Talentoso negociador diplomático, tal y como quedó demostrado con los acuerdos de Bucareli, que le permitieron ser reconocido finalmente por Washington como presidente de México, no tuvo que enfrentar ninguna respuesta social violenta, muy a pesar de haber pasado las veces que quiso por encima de la Constitución recién promulgada.

¿Cuál fue la estrategia de Obregón para lograr la conformidad del Senado de la República en el caso de los citados tratados de Bucareli? Muy sencillo: el senador por Campeche, don Francisco Field Jurado, se opuso a la ratificación de los tratados por ser contrarios a la Constitución y porque su contenido derogaba varias de las conquistas económicas logradas a sangre y fuego durante la Revolución. ¿Qué hizo Field Jurado? Oponerse a Obregón, enfrentársele a través de un órgano de representación nacional esgrimiendo argumentos ciertamente válidos. ¿Qué le pasa a la gente que se le atraviesa al caudillo? El señor senador, el valiente legislador, fue acribillado a tiros hasta perder la vida en las calles de la ciudad de México. Sangre, más sangre en las manos del jefe de la nación. El voto del miedo y el secuestro de senadores provocó la aprobación y ratificación de los tratados. El presidente de la República sonreía complacido...

Obregón cometió muchas traiciones y varios errores, entre estos últimos destacan los siguientes: uno, tratar de eternizarse en el poder; dos, subestimar a Calles, y tres, traicionar el postulado más caro de la Revolución mexicana: "Sufragio efectivo. No reelección." Las violaciones recurrentes a la Carta Magna, así como el desconocimiento de algunas de las conquistas revolucionarias, nunca constituyeron motivos de preocupación para él.

El urgente reconocimiento diplomático de Obregón por parte de Estados Unidos tenía, entre sus propósitos, el de tener acceso tanto a créditos de aquel país, como a armas de manufactura igualmente norteamericana, todo ello de cara a la sucesión presidencial, que ya se avecinaba y se presentaba conflictiva, puesto que, al igual que Díaz y Carranza, el propio Obregón no podía apartarse de la tentación de imponer su títere en Chapultepec para gobernar tras bambalinas. Para tal efecto se propuso nombrar a Calles, su coetáneo y coterráneo, leal amigo de la juventud. Calles sería su sucesor para bien o para mal, con el beneplácito de la sociedad o sin él, reconociendo o ignorando la voluntad popular, recibiendo o no la bendición de la Casa Blanca respecto de su decisión. Será Calles. Punto. A callar. Todos a callar... ¿Alguna duda...?

Los candidatos empiezan a manifestarse. Adolfo de la Huerta, bien estructurado éticamente, un hombre bien intencionado y confiable, el ex presidente sustituto que concluyera el mandato de Carranza, amigo íntimo de campaña incondicional de la diarquía Obregón-Calles, deseaba volver a ser el presidente de la República, electo esta vez democráticamente. Si Obregón llegara a oponerse por la vía de los hechos, De la Huerta estaba dispuesto a recurrir a las armas con tal de imponer la ley y que le fueran reconocidas sus justificadas pretensiones políticas. ¿Armas? ¿Quién dijo armas? Por esa precisa razón Obregón había negociado a todo vapor su reconocimiento como presidente ante Estados Unidos. El que se me atraviese se muere... Y Villa, mi general Villa, el Centauro del Norte, un hombre controvertido, pero querido y respetado por los suyos, también se atravesó en los planes de Obregón...

A Villa le habían aconsejado que abandonara su hacienda El Canutillo y se expatriara en Estados Unidos o en Centroamérica, en su patria tenía poderosos enemigos y su vida peligraba. Villa se negó invariablemente a abandonar el país, alegando que él tenía que estar en México, entre su pueblo y con los de su raza. Hizo caso omiso de las recomendaciones. Una paz precaria y tensa le permitió disfrutar su anonimato rural con la debida cautela. La imprudencia de externar su apoyo a Adolfo de la Huerta le habría de costar la vida. Obregón enfureció ante semejante atrevimiento. Villa era un enemigo de consideración por su capacidad de convocatoria. ¿Cómo olvidar a sus famosos "dorados"? Había que acabar con él ¡ya! Imposible aceptarlo como aliado de los delahuertistas ni como el brazo fuerte del nuevo movimiento armado. Había que suprimirlo, extinguirlo, aplastarlo irreversiblemente, desaparecerlo de una buena vez por todas y para siempre del horizonte político mexicano. ¿Otra traición de Obregón por negarse a aceptar un relevo democrático? ¿Traidor a la Revolución? ¿Traidor a la Constitución? ¿Traidor a la causa y a los suyos? ¿Por qué, a ver, por qué el uso de epítetos tan agresivos...?

Al igual que Carranza había sido asesinado en Tlaxcalantongo por oponerse a los planes de Obregón, Villa correría la misma suerte al ser materialmente acribillado una mañana, y también a tiros, a bordo de su automóvil Dodge con todo y su pequeña escolta, en la ciudad de Parral, Chihuahua.

¿Qué le sucedió a don Salvador Alvarado, un hombre íntegro que fuera secretario de Hacienda con Adolfo de la Huerta y que lo apoyara incondicionalmente en su campaña a la Presidencia de la República, después de desconocer al gobierno de Obregón? ¿Qué suerte corrió Felipe Carrillo Puerto, don Felipe, el famoso gobernador de Yucatán, el defensor de los indios, el llamado Apóstol de la raza, el fundador de escuelas y universidades y promotor de leyes de franco impacto social? ¿Se le atravesó a Obregón? ¡Sí!, se le atravesó al apoyar igualmente a De la Huerta y luchar por la democracia... ¿Qué más dan las razones? El hecho real es que el jefe de Estado mexicano, electo por la inmensa mayoría de la nación, simplemente los hizo perseguir, los acosó, los acorraló y los mandó asesinar o fusilar a su ya muy conocido estilo. Nadie se le atraviesa a Álvaro Obregón. Nadie. La sangre volvió a aparecer copiosamente en las manos del caudillo del norte. Era ya imposible lavarla.

De la Huerta, después de un conato de revolución y conocedor de los alcances de su amigo y jefe, prefirió huir y exiliarse en Estados Unidos, según Obregón, para tomar clases de canto. Eso es lo mejor que haces, Fito, cantar... Canta, canta, canta, pero fuera de México... Obregón sonrió y descansó: Villa, su enemigo estaba finalmente en el hoyo. Imposible salir de ahí... Las cosas se harían a su manera. ¡Que nadie se oponga! ¡Que nadie se me atraviese, verda' de Dios...!

Al término de su mandato se retiró a su hacienda en Sonora no sin antes entregar pacífica y civilizadamente el poder a Plutarco Elías Calles, ante la inaudita sorpresa de la sociedad mexicana y extranjera. Obregón había cautivado a propios y extraños. Pocos imaginaban que tan sólo dos años después intentaría la reelección, misma que habría de costarle la vida, y no porque el pueblo hubiera deseado colgarlo del astabandera de Palacio Nacional por traicionar la Constitución de 1917, ¡no, qué va! —¿qué importaba la pérdida de más de un millón de vidas y la devastación del país...?—, sino porque la naciente familia revolucionaria encabezada por Calles, un estrecho grupo de privilegiados, no permitiría por ningún concepto otorgarle semejante concesión política. De ninguna manera: sus intereses personales estaban primero. ¿La nación? La nación permanecería invariablemente anestesiada e indolente: hoy tú reformas los artículos 82 y 83 de la Constitución, "no podrá ser electo (el presidente) para el periodo inmediato. Pasado éste podrá desempeñar nuevamente el cargo de presidente sólo por un periodo más", y todos te dejan hacer y deshacer, y si al año siguiente vuelves a modificar la misma disposición dejándola con su redacción original, igualmente nadie reclama y todos permanecen en silencio e instalados en la apatía: mientras haya toros, box, viejas y suficiente pulque...

Obregón arribó a la capital el 1 de marzo de 1926 proveniente de su rancho la Quinta Chilla con el preciso objetivo de mover el ajedrez político de cara a la sucesión presidencial. Imaginaba sí, que algunos se opondrían a su nueva candidatura. Le urgía conocer de inmediato su identidad, cualquiera que ésta fuera, para hacerle frente a su conocido estilo. ¿Quién ignoraba sus alcances a estas alturas de su carrera política?

Su estancia en la ciudad de México se traduciría en un intenso y constante dolor de cabeza para Calles. Sus ambiciones políticas lo condujeron a alargar dos años más el mandato presidencial, convirtiendo un cuatrienio en sexenio, que terminaría en 1934 en lugar de 1932. Obregón sentía embriagarse de poder. Calles, por su parte, igualmente intoxicado, compañero de mil batallas, hijo putativo de aquél, aferrado a la silla presidencial y a sus privilegios, lo dejaba modificar la Constitución y permitía que los obregonistas se filtraran en su gobierno como una peligrosa humedad, eso sí: no dejaba de pensar de día y de noche en la fórmula idónea para expulsar al otrora caudillo del organismo político que él controlaba. Bien sabía Calles que después de seis años de gestión obregonista, o tal vez 12 —siempre se podría volver a cambiar la Constitución tantas veces fuera necesario—, sus posibilidades de volver al Castillo de Chapultepec serían insignificantes. Su poder se habría extinguido para siempre. ¿Qué hacer con Obregón? ¿Qué hacer con su inmensa popularidad? ¿Qué hacer con los obregonistas leales, entre los que debería encontrarse él mismo?

La historia se repitió una vez más: Arnulfo R. Gómez y Francisco Serrano, amigos estrechos de Obregón, compañeros en el campo del honor, amigos de parranda, cómplices en aventuras inconfesables, este último hasta pariente político por quien experimentaba una auténtica debilidad, su íntimo amigo de todas sus simpatías, habían tomado el mismo camino equivocado de Carranza, de Field Jurado, de Villa, de Carrillo Puerto, de Salvador Alvarado y de Adolfo de la Huerta: se habían atravesado, oponiéndose a los planes de Obregón. ¡Menudo destino les esperaba! ¿No lo conocían? ¿No había dado sobradas, sobradísimas pruebas de ser lo que era?

Ante la fortaleza del movimiento antirreeleccionista, supuestamente planearon sublevarse en la ciudad de México e intentar una emboscada golpista contra el presidente Calles y el caudillo en 1927. ¿Resultado? ¿Quién quiere saber el resultado de este nuevo intento fundado en la evolución democrática y en el progreso, esas esperanzas supuestamente heredadas de la Revolución? Todos los implicados, además de Serrano, Carlos A. Vidal, Miguel y Daniel L. Peralta, Rafael Martínez de Escobar, Alonso Capetillo, Augusto Peña, Antonio Jáuregui —sobrino de Serrano—, Ernesto Noriega Méndez, Octavio Almada, José Villa Arce, Otilio González, Enrique Monteverde y Carlos V. Ariza fueron asesinados con arreglo a diferentes pretextos en la carretera a Cuernavaca. Arnulfo R. Gómez fue fusilado sin más. Fin. A otra cosa. ¿Traición? Ni hablemos de traiciones. Apartémonos de las etiquetas, ¿sí? Traidor o no traidor: el que se me atraviese me lo chingo...

Nuevamente las manos de Obregón se llenaron de sangre, de sangre esta vez de amigos ciertamente queridos. Sangre, más sangre, traiciones, más traiciones, balas, más balas, paredones, más paredones. Democracia, menos democracia; evolución, menos evolución...

En el fondo del problema estaba la formación caudillista de Obregón, quien nunca estuvo dispuesto a reconocer ningún poder que se le opusiera. Por su parte, agazapado como buen zorro, sin dejar ver sus intenciones, Calles tramaba una solución definitiva antes de enfrentar su propia muerte política. Antes, los dos podían compartir el poder. Ahora sólo uno podía contar con los espacios políticos vitales para subsistir. No cabemos los dos. Obregón había hecho un gran trabajo ejecutando los crímenes y ordenando eficazmente los fusilamientos hasta descremar a la clase política opositora, de modo que a él, al propio Calles, como presidente de la República, le quedaba el camino despejado de enemigos. ¿No era una maravilla? Nadie sabe para quién trabaja...

El primero de julio 1928 se efectuaron las elecciones presidenciales para el periodo 1928-1934. Álvaro Obregón resultó el triunfador absoluto. Sin embargo, el mismo Obregón no llegaría a verse en la silla presidencial por segunda vez, debido a que una mano católica, ciertamente camuflada, haría justicia supuestamente en nombre de Dios, del pueblo y de la Constitución ultrajada en uno de sus principios fundamentales.

¿Quién era el autor intelectual de ese crimen político, otro de los tantos cometidos en el siglo XX en México? Si la traición es el rompimiento de la lealtad, en ese caso sólo un individuo, su amigo, Calles, podía quebrantar el pacto de confianza suscrito silenciosamente entre ambos. La traición se dio: Calles y Obregón deseaban, para mal de México, todo el poder para ellos mismos. Después del asesinato de Obregón se dio otro crimen, el político: nació el "maximato" y con ello se precipitó la descomposición y la corrupción política de nuestro país, la cual, lamentablemente, se extiende hasta nuestros días.

Calles trató de rescatar su imagen histórica después del magnicidio. Puso en manos de los obregonistas el esclarecimiento del asesinato. Proclamó su oposición a la reelección para dar comienzo, con un cinismo indigerible, al juego del maximato y sus peleles, disfrazando la nueva tiranía del jefe máximo con los ropajes de una democracia progresista que daría al traste con la evolución de México casi en todos los órdenes de su existencia.

Calles descartó al clero católico de la responsabilidad del crimen cometido por un católico: no deseaba oponerse en semejantes circunstancias a los católicos del país ni volver a oír hablar de los cristeros... Absolvió a Morones y su CROM de toda conexión con el crimen. Al defender a los sospechosos, Calles defendía su propia persona concentrando los cargos en el asesino único: León Toral, quien no tardaría en visitar el paredón para guardar, ahora sí, un silencio eterno...

La teoría del asesino único subsiste igualmente hasta nuestros días. Sin embargo, al preguntársele al populacho quién había asesinado a Obregón, éste contestaba: Cállessssé, por favor...

Al caer las primeras paletadas de tierra sobre el ataúd de Obregón empezó una nueva era en la historia de México. ¿La dictadura perfecta o la democracia imperfecta? El modelo político autoritario, intransigente, hermético y venal, de corte callista, hizo retroceder cuando menos un siglo el reloj de nuestra historia. Los autores intelectuales del magnicidio gozaron, como siempre, de su libertad y su riqueza mal habida...

El que a hierro mata a hierro muere. Obregón mató con balas y murió víctima de las balas. Quien viviera violentamente tendría que terminar sus días violentamente.

A MODO DE EPÍLOGO

La novela debe llenar los espacios vacíos dejados por la investigación histórica, aportando tesis o planteando opciones a falta de pruebas concretas que impiden la continuación de los trabajos, el establecimiento de cargas y responsabilidades, así como la promulgación de condenas aplicables a uno de los forjadores del México moderno. Obregón aplastó cualquier simiente de desarrollo político y democrático en México con todas sus muy funestas consecuencias. El ejemplo de Obregón de ninguna manera debe emularse. Ya se sabe a dónde conduce... A la construcción de un enorme monumento para honrar su memoria.

Donde no hay desarrollo político, donde se impide la divulgación de las ideas y se suprime la crítica y se persigue o se encarcela a la oposición, por lo general no hay prosperidad económica ni bienestar social. Bien hubiera hecho Obregón en entender que la democracia es el invernadero en donde florece lo mejor del género humano. Sólo que antes estaba su avidez por el poder, sus satisfacciones personales, su imposibilidad emocional de caer en el anonimato y su incapacidad sanguínea de apartarse de la política. Él asesinó y cayó asesinado.

Calles se llenó las manos con la sangre de su paisano, jefe, amigo, protector, colega, compañero y casi hermano con quien tenía contraídas deudas morales imposibles de amortizar en una sola existencia. Optó por crear un sistema político que le permitiría perpetuarse en el poder hasta que Cárdenas afortunadamente hizo que se largara de México sin recurrir a la bala. Sólo que la herencia siniestra, las perversas secuelas heredadas de la diarquía Obregón-Calles, no se la pudo sacudir el país en el siglo XX con todas sus catastróficas consecuencias que se desprenden fundamentalmente del hecho de haber revivido el autoritarismo supuestamente enterrado por la Revolución, materializándolo de nueva cuenta a través de un partido oficial regresivo, retardatario, que igual dispuso de la vida y del patrimonio de sus opositores y que, como legado fundamental de cara a la historia, sólo dejó encendidas 50 millones de mechas, las que representan los mismos 50 millones de mexicanos que subsisten temerariamente en la miseria con todos los resentimientos, los mismos resentimientos que se dieron en 1910...

En lo que hace a Obregón y a Calles, ¿será cierto aquello de que traidor que mata a traidor tiene 100 años de perdón...? ¿Y el país...?

LA CARAMBADA, O EL PLACER DE LA VENGANZA ORIGINADA POR UNA TRAICIÓN...

*A don Joel Verdeja Souza,**
por la fuerza de su personaje

Oliveria del Pozo, la Carambada, una mujer guerrillera del siglo XIX, despierta hasta el último poro de nuestra piel cuando, herida fatalmente por múltiples disparos de arma de fuego, confiesa en voz apenas audible en los últimos instantes de su existencia, haber asesinado personalmente a don Benito Juárez, el mismísimo Benemérito de las Américas, entre otras personalidades más de la época.

Ella, la Carambada, agonizante, relata a un señor arzobispo de Querétaro ciertamente atónito, cómo después de haberse hecho invitar a un brindis nada menos que por don Guillermo Prieto, un anciano eternamente seductor, envenenó al presidente de la República haciéndole beber un concentrado de "veintiunilla", un veneno poderoso que mata, como su nombre lo indica, 21 días después de su ingestión. Los síntomas anteriores al desenlace irremediable son los mismos que se manifiestan con una angina de pecho, la supuesta causa de muerte del ínclito jefe de la nación, sin duda, el líder más destacado de todos los tiempos en la historia política de México.

Imaginemos el escenario. Castillo de Chapultepec en los últimos días de la intervención francesa, las planicies queretanas y el Palacio Nacional. Los protagonistas más destacados (en orden de aparición) no podían ser sino el propio emperador Maximiliano de Habsburgo, Oliveria del Pozo, más tarde "la Carambada", la hermosa dama de compañía de la emperatriz Carlota; José Joaquín, el novio de Oliveria, su amor, su única razón de vivir, quien en los días anteriores al Cerro de las Campanas fuera herido, aprehendido y más tarde acribillado, sin mediar juicio previo, aplicán-

* Autor de *La Carambada, realidad mexicana*.

dosele la ley fuga por tratarse de uno de los militares mexicanos de más alto rango al servicio del archiduque; Escobedo, el gobernador de Querétaro; Zenea, el jefe de la policía local; Sebastián Lerdo de Tejada, presidente de la Suprema Corte de Justicia de la Nación y el licenciado Benito Juárez, presidente de la República y Benemérito de las Américas. Con semejante elenco la obra no podría resultar sino en un éxito estruendoso.

La Carambada, una mujer mexicana particularmente hermosa y no menos talentosa, alta, de porte distinguido, educada en Europa, conocedora de varios idiomas, graciosa y sencilla, delicada y de finos modales, pero al mismo tiempo poseída de un feroz rencor originado en el asesinato de su futuro marido, planea entonces una despiadada venganza prácticamente desconocida en la historia de México, historia que se funde y confunde con una leyenda. Aquí viene el desarrollo de la trama que habrá de dejar tan atónito al lector como quedara igualmente el propio arzobispo de Querétaro al escuchar la narración de aquella mujer profundamente enamorada que no recuperaría la paz perdida hasta no terminar con quienes consideraba causantes de la pérdida de la más cara de sus ilusiones…

Oliveria del Pozo, dama de compañía de la emperatriz Carlota, era destinataria de diarias y crecientes insinuaciones amorosas de parte del emperador. Éste no perdía oportunidad de contemplarla durante los largos paseos ecuestres en las llanuras de Tlalpan ni podía abstenerse de verla, al menos de reojo, cuando pasaba el tiempo bordando sentada al lado de la emperatriz, junto a la fuente esculpida en cantera ubicada en el centro del Patio de Honor del castillo. Su mirada ávida tampoco dejaba de buscarla en los bailes particularmente importantes cuando se celebraba la Toma de la Bastilla o en los de máscaras, en donde destacaban los enormes candiles dorados repletos de brillantes, las crinolinas, los vestidos cubiertos por encajes y olanes belgas, los escotes pronunciados, los sables plateados con empuñadura de oro, las botas altas de charol, los uniformes de gala, los meseros y sus elegantes libreas, el ir y venir de charolas saturadas de copas de champán y la música de cámara, los valses de los Strauss interpretados por artistas virtuosos de piel oscura. El emperador, desesperado, nunca recibía respuesta a sus discretas insinuaciones ni a sus crecientes galanteos, en los que cada vez con mayor insistencia requería de amores a Oliveria... Limitado por la imposibilidad de enviarle una carta y comunicarle sus arrebatados deseos, jamás obtuvo de ella siquiera un mero cruce de miradas, un breve acuse de recibo visual, una señal, una esperanza, una consolación: nada, absolutamente nada. El segundo emperador de los mexicanos no existía para aquella mujer enamorada profundamente de su José Joaquín.

Maximiliano de Habsburgo era un hombre de elevada estatura, rubio, barbado y de mirada a veces tierna, otras veces insinuante y en la mayoría de la ocasiones penetrante; de voz baja y pausada, aristócrata de trato exquisito, receptivo, sereno y conciliador, y particularmente frágil, débil, absolutamente débil ante el portentoso atractivo de las mujeres mexicanas, frente a las cuales prefería abstenerse de oponer la menor resistencia. Era, en todo caso, un reiterado esfuerzo inútil. Imposible luchar contra ellas. Pues bien, una noche, cuando era nuevamente incapaz de conciliar el sueño y sintiendo asfixiarse bajo el peso de las sábanas reales, decidió ingresar sin más, enfundado en su bata de seda roja, en la habitación anexa, donde descansaba, totalmente ajena a las intenciones del monarca, la única responsable de toda su ansiedad. Previamente había prendido y apagado una y otra vez su pipa obsequiada por Napoleón III, aquella color café, la tallada en preciosas maderas tropicales; no había dejado de caminar en pantuflas con las manos sudadas entrelazadas tras la espalda a lo largo de la espaciosa recámara imperial, desde la cual tenía a sus pies a la ciudad de México: en ningún momento pudo disfrutar ni una mínima tregua en la que no aparecieran las imágenes de Oliveria lanzadas una tras otra al centro de su frente, como si se tratara de ráfagas interminables disparadas por una pistola.

El archiduque parecía vivir uno de esos momentos en que un hombre está dispuesto a jugarse su pasado, su presente y su futuro a cambio de los favores de la mujer amada. La apuesta es extremista: todo por una carta... ¿Él, el emperador, el titular del segundo imperio mexicano, sometido a una pasión propia de un humilde mortal o de cualquiera de sus súbditos? ¿Él, un heredero de la famosa e imponente dinastía de los Habsburgo, persiguiendo nada menos que a una plebeya por los pasillos de palacio? ¿Él, un monarca casado con una gran mujer como Carlota, su primera y devota admiradora, con quien había contraído nupcias ante Dios y ante toda la realeza europea? ¿Él, víctima de una pasión carnal, presa de un arrebato compulsivo, no se detendría ante semejante desliz —¿desliz...?, ¡qué barbaridad es ésa...!— ni pasaría en algún momento por su imaginación que su conducta bien podría llegar a oídos de su mujer, del propio Napoleón III y de toda la corte europea, en particular la de Miramar y sus aduladores? ¿No le importaba su prestigio? El único propósito consistía en tocar aquella piel nacarada y tersa, aquel cuerpo juvenil y turgente de musa que le había arrebatado la paz, en inhalar sus esencias de mujer y en murmurarle recostado al oído, una y otra vez agónico de agradecimiento, los alcances de su gratitud por haberle permitido reconciliarse con sus sentidos y su existencia. Nada, nada valía, ni la historia ni la gloria ni la imagen ni la confesión y exhibición pública de debilidades y flaquezas: todo con tal de contemplar a plenitud al ser amado, de disfrutar su piel, la materia más noble de la Creación, y de engolosinarse con aquella saliva, un elíxir mágico que podría extraviarlo irremediablemente.

Aquella noche, después de pensar y volver a pensar —¿pensar?, en todo caso de sentir y volver a sentir—, el emperador se dirigió sigilosamente a la recámara donde Oliveria dormía. No podía más. Imposible ya contenerse. Esperó. Sopesó. Midió y empezó a violentar lentamente la cerradura. La manos heladas le temblaron al empujar la puerta. Petrificado, esperaba que no se produjera algún rechinido. Escuchaba con alarma cualquier ruido repentino, en especial alguna pisada sobre el piso de duela del castillo. Respiraba agitadamente. ¿Cómo ignorar que la emperatriz descansaba en la habitación contigua...? El peligro era mayúsculo. Bastaba un grito, un susto de Oliveria para que todo se derrumbara. Cualquier explicación sería inútil. Carlota no entendería nunca nada. El daño y la sospecha a la luz de los antecedentes hubieran sido incalculables. Permaneció inmóvil unos instantes en el pasillo. A pesar de todo, Maximiliano penetró en la habitación, cerró tras de sí la puerta, y sacando fuerzas de su miedo, se acercó muy despacio a la cama levantando cuidadosamente los pies. La luz de la luna le permitía distinguir medianamente los objetos. Advertía en las sienes los latidos de su corazón. Eran verdaderos bombazos de sangre. La ventana estaba abierta. El suave y perfumado viento del Valle de México mecía las cortinas como si un gigante goloso aspirara y suspirara con avidez. Un silencio así jamás se había escuchado. Corrió lentamente los delicados velos que rodeaban el lecho. Ahí estaba ella, boca abajo, reposando con la pierna derecha descubierta y el breve camisón levantado, mientras la izquierda se perdía entre las sábanas ingrávidas. El emperador la contempló de pie sin soltar los mosquiteros, transparentes y vaporosos. Decidió sentarse en una esquina de la cama, a un lado de aquella diosa de ébano que yacía semicubierta por una tenue gasa. Oliveria, presa del miedo y con los ojos desorbitados ocultos en la oscuridad de la noche, de pronto se percató de la presencia de Su Majestad. Su lavanda era inconfundible. Se quedó petrificada. El pulso se le aceleraba igualmente. Los ojos se le escapaban de sus órbitas como aves asustadas. Percibía cada uno de los movimientos del archiduque. Adivinaba sus miradas. Escuchaba su respiración. Ya sentía la tibieza de sus manos recorrer sus muslos de arriba a abajo. El desacompasado vaho imperial, el contacto con la barba ya pronto le estremecería las pantorillas. ¡Dios mío…! ¿Qué hacer…? ¡Apiádate de mí por lo que más quieras…!

Oliveria escogió como estrategia defensiva parecer dormida a los ojos del emperador, tratando de aprovechar esos instantes —¿quién sabe la duración de un instante?— para buscar explicaciones y abrirse posibilidades de fuga o al menos de solución. A cualquier precio tendría que impedir un escándalo inexplicable ante Carlota, del cual ella resultaría la primera afectada y perdedora. Permaneció inmóvil pensando cómo salir airosa de semejante situación sin molestar al emperador ni perder la virginidad reservada al joven oficial del ejército imperial, a José Joaquín, nada menos que el lugarteniente del propio emperador, ni, por supuesto, perder su empleo ni la confianza de la emperatriz. No cabía duda de que la vida era una encrucijada. ¿Cómo resolverla? ¿Cómo razonarle a su novio lo acontecido? Su reacción era imprevisible, inimaginable: él también era víctima de arrebatos. Desde luego que podría desafiar a duelo al propio emperador con padrinos en el bosque de Chapultepec y al mismísimo amanecer. No sería la primera vez que José Joaquín lo hiciera. Tampoco la última... Temperamento le sobraba. No en balde gozaba de tan elevada jerarquía militar a tan temprana edad. Su orgullo herido, su amor propio lastimado y vejado, igualmente podría propiciar una venganza sin precedentes. Maximiliano levantó delicadamente la suave sábana blanca de satín para contemplar en silencio la intimidad de aquella mujer con la que fantaseaba despierto y dormido. Se maravilló. Su expresión lúbrica avasallaba su rostro. Nada bueno podría resultar de la presencia de Maximiliano en el amanecer, en su habitación, en su cama, y ella medio desnuda.

Cuando al archiduque le fue insuficiente la sola contemplación y se dispuso a acercar su rostro barbado hasta extraviarse en aquellas recias y bien torneadas extremidades, sucedió lo imprevisible, lo inesperado. La casualidad y la buena fortuna vinieron por esta vez al rescate de Oliveria: un gato, su gato, con el que siempre dormía, acurrucado en una de las esquinas de la cama, repentinamente se despertó aterrorizado y erizado hasta el último pelo, la emprendió a maullidos sonoros, arteros y feroces, como si fuera un diabólico felino enjaulado al que desollaran vivo. Ella, volviendo inteligentemente la cabeza hacia el ventanal abierto donde ya se encontraba el animal en su precipitada huida, le concedió a Su Majestad la dorada oportunidad de escapar sin cargos ni daños ni culpas ni explicaciones ni recriminaciones. A enemigo que huye, puente de plata... Cuando el emperador cerró tras de sí la puerta de su recámara y se recargó contra ella con los ojos crispados y la frente empapada, se sintió finalmente a salvo. ¿Se habría despertado Carlota? Maldito animal. Se ocuparía de él cuando estuviera limpiando su escopeta favorita y se le escapara un tiro... A pesar de lo sucedido, el monarca, conocido por sus empeños amorosos, no se daría por vencido... Que quedara bien claro...

Por otro lado, las tropas francesas empezaban a evacuar México. Bien pronto se requerirían en el frente prusiano. Los tambores de otra guerra europea ya se escuchaban en lontananza. El segundo imperio mexicano se tambaleaba. Su derrumbre era inminente. Se trataba ya, de hecho, de un mero cadáver insepulto. La vida del emperador y la de sus más íntimos colaboradores, quienes habían hecho efectiva su presencia en México, corrían serios peligros. Benito Juárez estaba decidido a hacer escarmentar a los extranjeros invasores y a los mexicanos traidores ultraconservadores de las consecuencias fatales que enfrentarían quienes volvieran a intentar importar príncipes rubios y barbados de otros países. Que lo sepa el mundo entero, que lo entiendan los vendepatrias de una buena vez y para siempre: quien vuelva a intentar apoderarse con cualquier pretexto de este país, lo colocaremos tantas veces sea necesario frente a paredones improvisados: lo fusilaremos sin más...

Carlota viaja a Francia y al Vaticano para pedir ayuda. Su desesperación se desborda. Salven a mi marido, esos salvajes lo van a colgar de un sabino, lo van a matar, rescátenlo, hay tiempo todavía. Ustedes pueden... Hagan algo... Con cien millones de esos apestosos huarachudos, sombrerudos de mierda, no se hace ni medio Maximiliano... Carlota, presa de angustia después de apelar a la comprensión de Napoleón III, frustrada e impotente, abofetea al emperador de los franceses en el Palacio de Versalles. En Roma, se tira al piso besando las zapatillas de terciopelo blanco de Su Santidad el Papa Pío IX, rogándole en todos los términos y en todas las formas su intervención para que el emperador galo no retirara definitivamente las tropas francesas de México.

Mientras todo ello acontecía del otro lado del Atlántico, Maximiliano, el emperador mexicano, Maximiliano, ¡ay, Maximiliano!, sin haber podido olvidar ni un instante aquellas piernas recias, aquellos formidables pilares que lo habían dejado noche tras noche contemplando la luna inmóvil, entraba sigilosamente en plena luz del día al cuarto de baño de Oliveria del Pozo, la dama de compañía de su mujer, sorprendiéndola, esta vez totalmente desnuda, en tanto se desenjabonaba vaciando lentamente agua con una jícara de barro poblano sobre aquella humanidad que trastornaba los sentidos.

¿Dónde estaba ese hombre que había sorprendido y se había enemistado con los propios conservadores gracias a sus tesis liberales y progresistas? ¿No había estado a favor de la separación Iglesia-Estado que, entre otras razones, había provocado el estallido de la guerra de Reforma? ¿No había legislado en materia de libertad de trabajo y limitado el horario de la jornada laboral? ¿No reglamentó los horarios y condiciones de los niños empleados y anuló las deudas mayores a un peso, así como los castigos corporales? ¿No trató de romper los monopolios de las tiendas de raya y restituyó tierras a los pueblos indígenas y otorgó ejidos a comunidades que carecían de ellos? ¿No era todo un visionario y un auténtico estadista? ¿Dónde estaba entonces esa figura de la política, ese pensador, ese defensor de los más elementales derechos humanos, víctima de los encantos de aquella mujer endiosada?

Al verlo Oliveria de pie, ahí, de cuerpo entero, en la mitad de su sala de baño, vestido con toda su elegante majestad, serio, devoto, controlado, con la mirada penetrante como si la contemplaran mil ojos lúbricos, los brazos abandonados, caídos en actitud suplicante y al mismo tiempo autoritaria, quiso gritar como un primer impulso, mas instintivamente se abstuvo: a nadie convendría el escándalo, no quería ser cómplice del servicio del emperador ni tenerle que dar explicaciones de lo ocurrido a nadie. Trató de cubrirse con las manos ayudándose con la cabellera negra o con la primera toalla que tuviera cerca. Era inútil: ¿cómo cubrir sólo con sus manos semejante generosidad de la madre naturaleza? Además, sí, además, ¿por qué cubrirlo si su cuerpo era tan singularmente hermoso? Cualquier objeto con el que hubiera podido protegerse estaba fuera de su alcance. Pensó en echarse a correr; era imposible en dichas circunstancias. Se hubiera patinado o caído o lastimado severamente. No hubiera llegado ni a la puerta. En esa posición tímida, púdica y reservada, a contraluz, con un delicado ventanal al fondo, salpicado de geranios propios de las primeras lluvias, en los altos mismos del Castillo de Chapultepec, podría haber sido inmortalizada, precisamente a la hora del baño, por uno de los pintores impresionistas que ya proliferaban en París.

No hubo intercambio de palabras, sí, en cambio, de miradas. En el más críptico silencio se negociaban concesiones, se extendían autorizaciones, se descifraban alcances y se establecían las reglas, los límites y la tolerancia. El emperador cerró pausadamente la puerta sin asegurarla con el pasador, pero sin dejar de verla ni un solo instante. Permanecía inmóvil. Así, salivando, observaría un tigre hambriento a su presa codiciada. Ella, sin esconder su estupor ni gritar ni tratar de defenderse, prefirió continuar enjuagándose para ganar algo de tiempo y decidir la mejor estrategia con tal de salir airosa del trance y sin entregarse, no faltaba más, a Maximiliano de Habsburgo. En lo que a ella hacía, ya podían alinearse todas las dinastías Habsburgo nacidas y por nacer, que a ninguno de los varones le entregaría por nada en el mundo su sagrada virginidad. José Joaquín, ven a mí... No, mejor no vengas: éste es un asunto de mujeres... Muerta o inconsciente que dispusieran de ella; pero viva, viva como se encontraba, defendería el máximo tesoro reservado sólo a su amado de la misma forma como una feroz leona protegería a sus cachorros.

Tomó entonces una decisión: al jefe del Estado mexicano lo dejaría hacer hasta un cierto punto... Le permitiría verla, verla hasta cansarse si es que esta última posibilidad existiera; podría contemplarla y besarla con los labios húmedos al contacto del agua. Podría acariciarla también, palparla, embriagarse con su piel, enloquecerse con el solo tacto, enervarse con sus aromas, recorrerla una y otra vez de arriba a abajo con los labios ávidos y trémulos. El emperador finalmente se acercó trastabillando hasta dejarse caer de rodillas ante aquella maravilla de la naturaleza con la que Dios demuestra fehacientemente la magnitud de sus poderes. Sí, sí, pero ella sólo lo dejó adorarla como se adora a la Divinidad frente a un altar... Ella estaba reservada para José Joaquín, sólo para José Joaquín... Oliveria del Pozo estaba firmemente decidida a ello y Maximiliano era un caballero. No entendió la postura de ella, pero se sometió a sus condiciones. Hasta ahí llegaría... ¿En esa ocasión...?

Al retirar totalmente Napoleón III sus tropas de México, Maximiliano se negó a huir cuando todavía hubiera podido embarcarse en Veracruz con cualquier contingente de soldados franceses. El archiduque fue finalmente aprehendido junto con Miramón, el ex presidente de la República, y Mejía. Pese a la intervención y a las súplicas de personalidades mundiales, como la del Papa Pío IX o de Victor Hugo, Juárez se negó a conceder el indulto. El invasor, el titular del segundo imperio mexicano, Maximiliano de Habsburgo, quien había llegado al poder apoyado en la razón de las armas, fue fusilado sin más en una histórica mañana del 19 de junio de 1867 en el Cerro de las Campanas. Promesa cumplida: el respeto al derecho ajeno era y es la paz...

La represalia se extendería también a los colaboradores mexicanos del Habsburgo. ¿Prestaste tus servicios a un invasor? ¿Estuviste de su lado? ¿Lo ayudaste, cooperaste a la consolidación de su causa y por lo mismo traicionaste a tu patria? ¡No se puede servir ni apoyar a los invasores! Los juicios sumarios se sucedían los unos a los otros. La persecución de traidores era intensa y fanática, más bien se trataba de una franca cacería. Oliveria del Pozo fue exonerada de todos los cargos tal vez por su calidad de mujer, no así José Joaquín, su novio, su única razón de vivir, el único motivo de su existencia. El lugarteniente de Maximiliano fue hecho preso en Querétaro. No era difícil imaginar su suerte ni ignorar la actitud inflexible que el gobierno de la República restaurada continuaría asumiendo en relación con los traidores. Oliveria asiste compungida a pedir el indulto para José Joaquín. Hace acto de presencia con el gobernador. Éste la recibe conjuntamente con Zenea, su jefe de policía en Querétaro, y se niega a perdonarlo. En todo caso reniega de sus facultades y le indica a la angustiada mujer que sólo el mismo presidente de la República podría acceder a sus pretensiones.

—No sabe usted cuánto lamento no poder intervenir y no poder ayudarla por estar fuera de mi competencia —le expresa el gobernador Escobedo a Oliveria, exponiendo una sonrisa saturada de complicidades—. No puedo soltarlo, aun cuando mucho me gustaría discutir con usted en privado su liberación... —concluye mostrando una dentadura amarillenta y deforme, mientras le guiñaba un ojo a su jefe de policía.

—Concédame al menos algo... —pidió ella a punto de estallar en lágrimas...

—Usted dirá —repuso, ávido de provocar un generoso intercambio de favores a pesar de sus limitaciones legales.

—Espere usted al menos a que yo intente el indulto con Juárez. Si fracaso, proceda usted en los términos de la ley, esa que usted dice...

—La esperaré...

—¿Lo jura...?

—Lo juro... Lo juramos, ¿verdad Zenea? Confíe en nosotros, vaya con Dios...

Oliveria viaja desesperada a la ciudad de México. Para ella no había en ese momento obstáculos insalvables. Tocaría todas las puertas, derribaría todos los muros, saltaría por encima de todas las barreras, echaría mano de todos los recursos con tal de plantarse enfrente del jefe del Estado mexicano y obtener el anhelado indulto. Convencería al presidente, ¡ah que si lo convencería...! Sólo déjenme un momento delante de él... Mientras ella se desplazaba a la capital de la República y se dirigía al Palacio Nacional en busca de una audiencia y pensaba en todos los accesos posibles para lograr la entrevista; en Querétaro, Zenea, abrigando todo género de dudas respecto a la posibilidad de que aquella mujer, dispuesta a todo, pudiera regresar con el perdón en la mano —¿cómo correr ese riesgo?— dispuso entonces, tal vez junto con el gobernador, que a José Joaquín le fuera aplicada la ley fuga. Le dejarían abierta la puerta de su celda como si se tratara de un descuido. Él intentaría huir tan pronto se percatara de la dorada oportunidad de recuperar su libertad. Ignoraba que en el patio de la prisión por el que irremediablemente tendría que salir lo estaría esperando un nutrido pelotón apuntando al pasillo, de tal suerte que, tan pronto apareciera en el claro, al menos 50 bocas de fusil abrirían fuego, haciendo 50 blancos certeros en él. José Joaquín murió instantáneamente.

La frustada mujer regresó mucho tiempo después resignada y con las manos vacías, puesto que Juárez se había negado terminantemente a otorgar el perdón. Al llegar de la ciudad de México, subiendo desconsolada por las escaleras del Palacio del Ejecutivo de Querétaro con toda la negativa a cuestas, ansiosa de hacer un último intento para salvar la vida de José Joaquín, se enteró de que Escobedo había fallecido tiempo atrás de un síncope cardiaco y que Zenea había sido elevado al cargo de gobernador. Y tarde o temprano tenía que saber lo peor: el ahora gobernador no la había esperado a que llegara con una respuesta de parte del presidente de la República. Habían ejecutado a José Joaquín sin consideraciones ni sentido del honor y sin detenerse a cumplir con la palabra empeñada: una alevosa traición se había cometido en su contra. ¿Cuál palabra? ¿Cuál honor? ¿Cuál respeto? Oliveria sintió perder la conciencia. Caía en una dramática agonía. La fuerza la abandonaba. Las piernas no la soportaban. A partir de entonces empezó a experimentar los sentimientos más extremosos y opuestos. Unos días le era materialmente imposible levantarse siquiera de la cama porque la tristeza la abatía. Sus fuerzas la habían abandonado por completo. En otros, la furia se apoderaba de ella y juraba cobrar venganza presa de un llanto compulsivo, mientras mordía el polvo que cubría la lápida de su amado. De la rabia y de las maldiciones pasaba a un sueño pesado para caer posteriormente en un insoportable insomnio. El tiempo pasaba sin que las heridas pudieran cicatrizar. Ella misma se encargaba de arrancarse las costras. De la indiferencia caía en la obsesión.

—Juro, lo juro que te vengaré: que me oigan todas y cada una de las estrellas. Lo juro por ellas. Zenea y Juárez bien pronto arderán en el infierno...

De la misma manera que cuando amanece la luz de la alborada va diluyendo la neblina permitiendo que los objetos aparezcan con más claridad ante nuestros ojos, así, semana tras semana, fue haciéndose cada vez más perceptible el camino que Oliveria tendría que seguir. Ahora todo le parecía evidente. No había otra alternativa posible para resolver su vida. Si José Joaquín ya no existía, entonces todo estaba permitido. Ya no sería Oliveria del Pozo: se llamaría la Carambada. Ya no pasaría sus días con un tejido en el regazo ni bordaría en una esquina ni estaría más tiempo tras las cacerolas por más ilustres que fueran ni alaciaría el cabello de princesa alguna ni de cualquier otra primera dama a la que estaría obligada a hacer aburrida compañía. Cambiaría el tocado por un sombrero de tres pedradas, los estambres y las agujas por pistolas, balas y rifles; las zapatillas de salón por botas recias para montar. En lugar de escotes pronunciados y collares de piedras semipreciosas se colgaría cananas del cuello, y en vez de dormir en el Castillo de Chapultepec, sobre una cama cubierta de sábanas de gasa o de satín, rodeada de mosquiteros importados y acosada por personajes y lujos excéntricos, dormiría en la sierra, a la intemperie, si acaso sobre un petate, sufriendo inclemencias e incomodidades a un lado de los caballos y junto a la imprescindible fogata. En lugar de perfumes sofisticados olería a estiércol. Prescindiría de la cuchillería, vajillas y cristalería europea: ahora comería con las manos. Cucharearía los frijoles con tortillas y bebería atole en jarros de barro despostillados. No se secaría la boca con delicadas servilletas importadas, sino que se limpiaría las comisuras de los labios con la manga del antebrazo. Ya no se transportaría en carruajes sofisticados sino a caballo montada a pelo o tal vez sobre silla charra cuando las circunstancias lo permitieran. Cambiaría de vida. Sus motivos eran muy distintos. Sus planes y su destino se habían transformado radicalmente...

¿Cómo que ser madre de familia y tener hijos y dedicarse a educarlos? ¿Cómo? El apetito de venganza de la Carambada creció por instantes hasta desbordarse en su interior. Se hizo guerrillera. Creó una banda de rateros, la banda de la Carambada. Asaltó diligencias, oficinas del gobierno, receptorías de rentas, bancos, hoteles y residencias de gente rica. Robó a hacendados, a municipios, incendió, persiguió, fusiló y mató a ricos y a vendepatrias acompañada de un grupo cada vez más amplio de seguidores decididos a atacar frontal e implacablemente la figura de Juárez y de los liberales con el pretexto de que aquél entregaba cada día más el país a los norteamericanos, principalmente a través del Tratado McLane-Ocampo. Cuestionó la legitimidad de Juárez para ocupar la jefatura del Poder Ejecutivo de la Unión. Distribuyó invariablemente su botín entre los pobres. El presidente, además de haberse negado a salvar la vida de José Joaquín, estaba en contra del clero, se trataba de un enemigo de Dios y de sus hijos, los hombres; era satanás personificado por haberle expropiado sus bienes divinos a la santa madre iglesia católica. A Juárez había que matarlo también por haber atentado en contra de José Joaquín y del Señor: en ese orden. ¡Que no hubiera duda! Del gobernador Zenea ella se ocuparía...

Después de cortarse el pelo, la Carambada aprendió a lazar potrillos, se volvió experta en el manejo de la reata; montaba a caballo dirigiendo al animal apretando o aflojando las piernas, renunciando a las bridas para contar con las manos libres a la hora de disparar la carabina. Afinó la puntería haciéndose de buen parque robado en los cuarteles republicanos. La gente humilde bien pronto empezó a saber de ella, principalmente en los mercados, donde podían adquirir a título gratuito todos los comestibles cuando tocaba en suerte que ella anduviera por ese pueblo. Ayudaba a los peones de las haciendas a salir de sus deudas generacionales o simplemente les entregaba sin más cantidades de dinero caídas del cielo... ¿La Carambada? ¿Quién era la Carambada? Su nombre cada vez se hacía igual de famoso o más que los bandidos de Río Frío. Sólo que ella no perdía de vista sus propósitos finales, y Zenea, el ahora gobernador del estado de Querétaro, el mismísimo criminal que había dado la orden de fuego en contra de José Joaquín, estaba en la mira de la hoy guerrillera. Hacia él apuntarían los rifles de sus bandas. De golpe se convertía en el único objetivo de sus planes. Zenea, Zenea, Zenea...

Toda la atención de Oliveria se destinó a tramar tanto el asesinato del gobernador Zenea como el del Benemérito de las Américas. Al primero vería la manera de romperle el cráneo —y lo logró— azotándole un jarrón de cobre mientras la esperaba ávido en la cama, hasta donde él la había conducido imaginándose un premio que le duraría mucho más allá de la eternidad. Ella había accedido al palacio de gobierno habiéndose despojado del traje de guerrillera y apareciendo vestida ante Zenea como difícilmente lo haría una princesa europea. Había logrado la cita a base de ardides, embustes y mentiras. El gobernador no podía salir de su asombro. En su vida volvería a ver, ni siquiera en sueños ni en un retrato al óleo, a una mujer con semejante porte y categoría y, además, una belleza singular, de alguna manera salvaje y delicada, según lo delataba su rostro bronceado por el sol. ¡Cuánta elegancia! ¡Qué talle, qué piel, qué sonrisa...! En la oficina pública se resistió a hablar con ella. ¿José Joaquín...? ¿Quién es José Joaquín? ¿Quién es Oliveria del Pozo...? Había pasado ya tanto tiempo. Imposible recordarla cuando se había presentado ante él y Escobedo vestida de negro, ojerosa, pálida, angustiada y descompuesta. Es mejor, mucho mejor que estemos un rato juntos en mi casa, sin interrupciones ni presiones, advirtió el gobernador convencido de sus cualidades seductoras. Mi familia no está: despediré al servicio. Estaremos solos para charlar serenamente de lo que tú desees... Amor de mis amores... En la casa, ella se dejó abordar y tocar por el gobernador hasta que las caricias y los besos fueron subiendo de tono y se afianzó la confianza entre ambos. Ella le pidió entonces subir a las habitaciones para estar más cómodos, cielito...

—Mientras yo voy al baño tú te pones de espaldas a la puerta porque no quiero que veas cómo voy a salir... Cierra tus ojos, rey...

Cuando regresó y encontró al gobernador en la posición ordenada tomó precisamente el mentado jarrón y, elevándolo hasta el infinito, lo dejó caer hasta estrellárselo en la cabeza a la autoridad estatal con toda la fuerza de que era capaz. Nunca supo ni cómo perdió, diría ella más tarde... Ahí lo castró a continuación para coser después sus testículos en una de las cortinas de la residencia de gobierno escribiendo con la sangre de su víctima en las ventanas: "Eso les pasa a los traidores que lastimaron a la Carambada... Hijos de la Chingada..." Toda traición origina una venganza, ¿o no? Si a ella la habían privado de la vida en vida, ¿por qué no sancionar con sus propias manos a los culpables? ¿Cuántos traidores morían pacíficamente en la cama rodeados de sus seres queridos con una sonrisa beatífica y no a puñaladas o colgados de la rama de algún sabino y escapaban al otro mundo sin recibir escarmiento alguno, porque las víctimas eran finalmente unos cobardes que no ejercían represalia alguna? ¿Cómo perder una de las oportunidades y momentos más gratificantes de la existencia, como sin duda era el incomparable placer de la venganza? ¿Cómo dejar pasar una oportunidad así que la vida le brindaba gratuitamente?

¿Me traicionaste...? Yo te daré tu merecido...

A Juárez lo envenenaría haciéndole beber un extracto de "veintiunilla", una hierba propia de las zonas áridas que produce efectos mortales casi a los veintiún días de haberla ingerido. ¡Cuántas reses había visto ella morir en el campo exactamente después de haber tragado, por un error, la hierba mortal! Era la hora de probar sus efectos con los hombres... ¿Quién mejor que el propio presidente de la República?

Con ese propósito, la Carambada llegó a la ciudad de México. Se las arregló para conocer a Guillermo Prieto, el mismo que le salvara la vida a Juárez en Guadalajara con aquello de "los valientes no asesinan". Este hombre ilustre, un devoto de la belleza femenina, un eterno coqueto, un viejo rabo verde, como diría Oliveria, debería ser la persona que habría de conducirla hasta la presencia misma de Juárez haciendo valer sus, por demás, notabilísimos encantos...

Oliveria logró su cometido al ser invitada por don Guillermo a una recepción en casa de Lerdo de Tejada, por aquel entonces presidente de la Suprema Corte de Justicia y, por ende, heredero del poder presidencial a falta del titular, según dejaba perfectamente establecido la Constitución de 1857. Benito Juárez, por supuesto y desde luego, era el invitado de honor. Se trataba exactamente del día 27 de junio de 1872... La tensión crecía en el interior de Oliveria. Empezaba a vivir permanentemente con la respiración entrecortada. Unas manos heladas le apretaban el cuello hasta sentir la inminente asfixia. Recordaba en ocasiones todas aquellas resistencias que Maximiliano habría tenido que vencer para decidirse a abrir a media noche la cerradura de la puerta de su habitación cuando sabía que Carlota, su mujer, descansaba en la recámara anexa. ¡Cuánto riesgo! ¡Cuánta exposición! ¡Cuánto esfuerzo para poder vencerse a sí mismo! Si ella no lograba imponerse para envenenar con una sonrisa en el rostro al propio presidente de la

República, si ella no se atrevía a alcanzar sus propósitos ni a ejecutar sus planes personales, ¿cómo iba a controlar a los demás? Cuando se presentó la dorada oportunidad de un brindis después de una breve conversación, Oliveria sintió llegar el momento de cumplir la palabra empeñada ante la lápida empapada en lágrimas bajo la cual descansaría para siempre su enamorado. Durante mucho tiempo había preparado este feliz momento. Ella, personalmente, había cortado la veintiunilla en la sierra de Querétaro. Ella misma había hecho las pruebas con un par de perros callejeros para medir su efectividad. Habían muerto exactamente en el tiempo previsto. Ella misma había aplastado en un metate las hierbas hasta extraer un breve líquido parecido al extracto de menta o de yerbabuena. Para acabar con la vida de un hombre bastaba con que ingiriera un par de gotas y, acto seguido, esperar 21 días: del resto se ocuparía la propia sangre intoxicada de la víctima.

Oliveria, llena de gracia y consciente de sus atractivos, dueña de sí misma, saltando por encima de todos los obstáculos, sin retirar entre risas y bromas la mirada de su presa, se fue acercando amañadamente al jefe de la nación. Si todos los asistentes se acercaban a él y lo saludaban, estrechaban su mano, hasta lo abrazaban, lo felicitaban, ella, la Carambada camuflada —¡cuántos de los ahí presentes no la hubieran aprehendido ahí mismo de conocer su identidad!—, ¿por qué razón no iba a poder brindar con él y hacer votos por su prosperidad y por la de la nación? ¡He de brindar con él aunque sea lo último que haga! ¿Verdad José Joaquín? ¿Verdad que donde quiera que estés no dejas de comprobar cómo estoy vengando tu muerte? ¿Verdad amor de mi vida? ¿Verdad que estás muy orgulloso de mí? ¿Verdad que tú hubieras hecho lo mismo? El maquillaje, ciertamente exagerado para aquella ocasión, ocultaba, desde luego, la palidez mortal de su rostro.

—Señor presidente —adujo Guillermo Prieto—, permítame presentarle a la señorita Del Pozo, una fanática de la causa liberal que usted ha defendido empeñando su propia vida.

Juárez miró a aquella mujer ante la cual todos los hombres habían sucumbido. El jefe de la nación la observó con el rostro impertérrito como siempre. Él dominaba hasta el último movimiento de los músculos de su rostro oscuro, cenizo, que delataba su origen zapoteca. No manifestó la menor emoción, si bien se puso respetuosa y educamente a sus pies sin que sus ojos negros, como la obsidiana de la sierra de Oaxaca, expresaran ningún brillo en particular.

Sólo pudieron intercambiar un par de comentarios, porque de todos los rincones del salón se acercaban insistentemente personas deseosas de saludar al presidente, un hombre joven, de estatura media baja, rebozante de salud, duro y necio como los aborígenes, de sonrisas esquivas y cabellera intensamente negra en la que destacaba la ausencia de canas. En su tez no se percibían arrugas. Su rostro forjado para resistir las más severas inclemencias del tiempo no acusaba señal de cansancio ni revelaba su verdadera edad. Imposible adivinarla. Su ánimo no delataba fatiga ni amargura después de tantas penurias. Sus manos carnosas y generosas, contrastaban con su mirada acerada, obstinada y obsesiva. Juárez era el restaurador de la República, el autor de la verdadera independencia de México desde que nacionalizó los bienes de la iglesia y los puso a trabajar en beneficio de la sociedad y ya no en provecho de un número insignificante de clericales agiotistas. Un demócrata convencido de las ventajas innegables de la libertad. Un coetáneo de Abraham Lincoln. Un personaje empecinado que, a pesar de la guerra de Reforma, de la intervención francesa y del segundo imperio y de la crónica y no menos aguda insolvencia del gobierno, había logrado cuadruplicar en 14 años el número de escuelas primarias,[1] una de sus más grandes aportaciones al México moderno. Su popularidad y magnetismo eran indiscutibles. Menudo privilegio poder estar frente a uno de esos mexicanos que nacen cada 100 años... La vida le presentaba servida en charola de plata una oportunidad histórica...

Entre brindis y brindis y abrazo y abrazo y saludo y saludo y entre me permite usted un momento mientras dejaba su copa en una repisa para estrechar tantas manos y cumplir rigurosamente

[1] Juárez recibió 2,000 escuelas primarias en 1858 y heredó 8,000 al día su muerte. Jan Bazant, *Breve historia de México: de Hidalgo a Cárdenas (1805-1940)*.

con el protocolo, Oliveria del Pozo, la Carambada, sacó de un dedal la mortífera ponzoña y, en un descuido, la vació en la copa del primer mandatario de la nación mientras éste, totalmente distraído, departía cordialmente con un diplomático extranjero. Lerdo de Tejada la descubrió en el mismo momento en que ella ejecutaba sus históricos planes. Sin alterarse ni pretender impedir el movimiento, le clavó a Oliveria la mirada en el rostro hasta que ambos sonrieron en complicidad silenciosa. El primer beneficiario de la muerte de Juárez sería el propio Lerdo de Tejada, el sucesor legítimo a falta del presidente de la República... Éste traicionaba al jefe de la nación permitiendo semejante atentado en contra de su vida sin exhibir la menor oposición o resistencia. No era difícil descifrar las intenciones ocultas de Oliveria y ya ni tan ocultas... Los intereses y las ambiciones políticas volvían a estar por encima de toda lealtad. Al beber el champán convertido en pócima, Juárez tosió, sintió atragantarse. Tosió y volvió a toser. Ella le golpeó delicadamente la espalda recomendándole, con sangre fría digna de subrayarse, apurar el último trago de champán para aclarar la garganta... El presidente consintió inocentemente. Bebió ajeno a su destino y a su suerte fatal.

Veintiún días después, el 18 de julio de 1872, Juárez empezó a manifestar los dolores propios de una angina de pecho. La veintiunilla reproducía exactamente los mismos síntomas de dicha enfermedad cardiaca. El médico más ilustre hubiera caído irremediablemente en el engaño. La asfixia hizo acto de presencia. La sensación de agonía era atroz. De nada servirían —como desde luego no sirvieron— los chorros de agua ardiendo que los doctores dejaron caer sobre su pecho oscuro y lampiño hasta llenárselo de ampollas gigantescas con tal de sacudirlo y echar a andar de nueva cuenta su corazón. Todo esfuerzo fue inútil. El señor presidente de la República, don Benito Juárez García, murió envenenado, sin que nadie lo imaginara ni mucho menos pudiera evitarlo, en Palacio Nacional, en una habitación que daba a la calle de Moneda. La ceremonia luctuosa fue imponente. Las banderas tricolores se bajaron a media asta en todo el territorio nacional. El duelo popular era contagioso. La procesión luctuosa era interminable. Un alazán arrastraba pesadamente la carroza fúnebre que transportaba el féretro del querido jefe de la nación envuelto en la bandera tricolor. En muchos hogares mexicanos, en jacales y bohíos, había un moño negro en la entrada. Las bandas negras aparecían igualmente en los brazos o en las solapas de los dolientes. Había muerto el restaurador de la República. La tristeza se veía reflejada en la inmensa mayoría de los rostros. Sólo el clero y la Carambada festejarían su muerte "repentina"... Ella lo haría sentada sobre la lápida de José Joaquín en un panteón queretano, bebiendo entre risotadas una botella de tequila: "Has sido vengado, amor de mis amores..."

Un año más tarde, Oliveria, la Carambada, caería herida en una emboscada cuando ya pensaba entregarse a la autoridad federal después de haber cumplido su misión. El obispo de Querétaro habría de revelar más tarde los detalles de semejante confesión cuando en pleno centro de la catedral, tocada de muerte, reveló a cuantos pudieron escucharla los detalles de su existencia y de su verdadera identidad... Lerdo no cumplió su palabra de recompensarla por haberlo ayudado a llegar al poder. No sólo traicionaría a Juárez, sino también a la propia Carambada.

¿Novela, leyenda o historia viva? Qué más da. Estamos frente a un pasaje de amor digno de un historiador... El camino lo marcó el propio autor de la novela que lleva precisamente ese nombre: *La Carambada*. Menuda mujer. Menuda venganza. Menudas traiciones como las ejecutadas por Escobedo, Zenea y Lerdo de Tejada... Otras tantas más que deben registrarse para siempre en los anales de la historia de México. ¿Es condenable la venganza cuando se trama y se ejecuta por amor y en el nombre del amor?

Maximiliano, ¡ay! ¿Maximiliano, también debe ser condenado por traidor con todas las agravantes, por haber engañado a Carlota por amor, víctima de un embrujo y de un hechizo provocado por una mujer ante la cual el más férreo de los hombres se hubiera derrumbado...? Piedad, piedad para el archiduque... ¿Quién puede tirar la primera piedra? Exonerémoslo al menos en lo que hace a dicha debilidad... ¿No...?

DEL CLERO MALDITO Y OTRAS TRAICIONES

A Marcos Aguinis, el maestro.
Nadie como él captó los horrores
del Santo Oficio de la Inquisición.

Dios os ha dado una cara
y vosotros os hacéis otra.
WILLIAM SHAKESPEARE

¿Qué fin puede aguardar a un reino que premia malsines, alimenta cuadrillas de ladrones, destierra vasallos, deshonra linajes, ensalza libelos, multiplica ministros, destruye comercios, ataja la población, ama arbitrios, roba los pueblos, confisca bienes, hace juicios secretos, no oye a las partes, calla a los testigos, vende noblezas, condena nobles, alienta gabelas y arruina el derecho de gentes?

ANTONIO ENRÍQUEZ GÓMEZ, siglo XVII

¿Qué debe esperarse de un país en el que los libros estuvieron prohibidos durante 300 años y se perseguía a quien pensara "peligroso"? ¿Qué futuro le espera a un país en el que la Ilustración y el Enciclopedismo pasaron de noche?

MARTINILLO, *Apuntes inconfesables*

"La fe es vuestro negocio" —fue la última respuesta esgrimida por Salvador Díaz, Martinillo, en su defensa, al tiempo que sus cancerberos lo ayudaban a ponerse de pie entre crujidos de huesos y el arrastre de los pesados eslabones de las cadenas rematadas por grilletes que lo inmovilizaban de pies y manos con la carne expuesta y agusanada por las torturas ejecutadas por el Santo Oficio con el fin de apartarlo de cualquier forma de herejía. Su actitud mostraba una clara resignación ante su suerte mientras contemplaba con una sonrisa sardónica a los siniestros jerarcas integrantes del tribunal de la Santa Inquisición. Con la piel transparente y extenuado después de tantos años de encarcelamiento sin derecho a ver el sol, todavía alcanzó a decirles con un timbre de voz sorprendentemente altivo, el mismo de quien sabe que sólo pueden arrancarle la vida pero no sus convicciones ni sus principios:

> Podréis quemarme mañana mismo en la hoguera, podréis, pero nadie olvidará que utilizásteis el símbolo sagrado de la cruz para torturar y matar a Jesús y que después aprovechásteis la causa de la fe para volver a matar y torturar durante las cruzadas, tal y como lo hacéis ahora mismo como inquisidores, título con el que os disfrazáis para enriqueceros, como verdaderos ladrones, en el nombre sea de Dios... Habéis hecho de la religión un gran negocio, si no, ¿por qué vendéis las indulgencias plenarias, sois poderosos banqueros, ricos latifundistas, expropiáis para vuestros propios fines el patrimonio ajeno y habéis sido siempre aliados del poderoso y no de los desheredados? ¡Sois unos embusteros! ¿No es claro que financiáis revoluciones para preservar una riqueza de la que renegó Jesús? ¿Qué habéis hecho del Evangelio, no vinisteis a América a leerlo y a enseñarlo? Prended la pira, yo mismo la encenderé, yo mismo, yo, yo: no por ello os apoderaréis de mí...

En los archivos secretos del Supremo Tribunal de la Santa Inquisición se encontró incluido el texto anterior como parte del expediente abierto a Martinillo, un judío converso, un cristiano nuevo, quien muy a pesar de haberse llamado devoto de Dios, de la Santísima Trinidad y de todos los santos, fue quemado en la hoguera, en el centro mismo de la Plaza Mayor, sin manifestar el menor dolor ni expresar lamento ni queja alguna ni sollozar ni blasfemar ni maldecir ni condenar a sus verdugos ni a sus jueces y sin renegar de sus creencias. En todo momento exhibió una estulticia tan ejemplar como suicida al rechazar férreamente el cargo de herejía, acusación ciertamente ingrávida que le costó la desintegración de su familia y la privación de todos sus bienes heredados y de los que él adquirió a lo largo de su vida como consecuencia de su trabajo, de su constancia y de su talento.

El juicio inquisitorial incoado en contra de Martinillo fue famoso en la Nueva España, más aún, cuando en su carácter de judío converso, se negó públicamente a arrodillarse ante la cruz y a besarla por haber sido un instrumento de tortura utilizado en su tiempo para asesinar a un sinnúmero de judíos y a otras tantísimas personas inocentes. ¿Verdad que nunca crucificasteis a ningún cardenal ni arzobispo ni obispo ni siquiera al más humilde de los párrocos, a ninguno de vosotros, sino siempre a judíos y a paganos? ¿Verdad que sí? ¿Por qué queréis entonces que yo bese vuestra cruz cuando para nosotros representa el odio, la persecusión y el castigo? Perforar a martillazos las manos y los pies de una persona para colgarla de los brazos de una cruz y esperar a que perezca por asfixia e inanición, ¿no es una tortura impía y salvaje, más aún cuando después el cuerpo desgarrado se convierte en un festín de las aves de rapiña? ¿Eso es lo que hacéis con el cuerpo hecho a imagen y semejanza del de Jesús? ¿Os parece un castigo piadoso y cristiano? ¡Sois unos salvajes y Dios habrá de castigaros por haber matado y derramado tanta sangre inocente en su nombre...! Habéis asesinado y hecho asesinar en el nombre de la cruz, incendiado pueblos y templos, violado mujeres, destruido civilizaciones, perseguido cruelmente a seres humanos olvidándoos de la misericordia y del amor al prójimo y ¿todavía queréis que yo me prosterne ante vuestra cruz sin percataros que para mí es como hacerlo ante una lanza, un sable o una horca? ¡Jamás, jamás lo obtendréis de mí...!

Su calvario comenzó cuando su abuelo, también judío converso, tuvo que abandonar Sevilla y cruzar precipitadamente el Atlántico huyendo de los horrores de la Santa Inquisición, institución para él satánica, que había hecho todos los esfuerzos imaginables, intentado todas las trampas e interpuesto todas las zancadillas para justificar su aprehensión y posterior juicio, del que sin duda hubiera salido sólo para ser quemado vivo y en público en una hoguera española, junto con un número indeterminado de brujas y otros herejes. ¿Por qué la imposición de una sanción tan macabra? Porque el Santo Oficio era una organización que, con el pretexto de purificar a la sociedad erradicando todo tipo de herejías, dedicaba lo mejor de su tiempo a la detección de "enemigos de Dios". En una buena parte de los casos, las acusaciones recaían en personas de notable posición económica, a quienes, antes de encontrarlos culpables de sus cargos heréticos o de concederles la menor oportunidad de defensa ante una autoridad civil, se les privaba de la libertad encerrándolos en asfixiantes tabucos, torturándolos salvajemente de tiempo en tiempo para doblegar su voluntad, arrancándoles confesiones falaces con el objeto de conocer la identidad de otros "herejes" ricos, quienes igualmente judaizaran en privado. El trágico final se presentaba cuando eran quemados vivos sin rendir a nadie cuenta y razón del juicio secreto al que habían sido sometidos y sin tener que explicar el destino de tan cuantiosos bienes confiscados que iban a dar al financiamiento de la causa de la fe...

Don Rodrigo Díaz, Martinchu, el abuelo, había así llegado a salvo en 1750 a las costas de Veracruz después de haber tenido que gastar una parte importante de su patrimonio en jugosas limosnas, abultadas donaciones secretas, mejor dicho, cuantiosos sobornos, extorsiones, verdaderos cochupos a altos representantes de las autoridades eclesiásticas, sus menesterosos amigos, con tal de que le ayudaran a salir vivo de España junto con los suyos, en medio de agradecidas bendiciones, plegarias y rezos por su buena fortuna...

Gracias por cooperar tan desinteresada y generosamente con nuestra iglesia, nuestra Santa Madre Iglesia...

La corrupción, un cáncer ignorado en América, era claro, había llegado junto con los españoles —no sólo con los conquistadores o con los posteriores administradores de la colonia— a infectar a las sociedades novohispanas vírgenes de ese mal. La rigidez del código de ética azteca era ciertamente ejemplar. Si la sífilis, la peste y la viruela y otras enfermedades y males importados de España habían diezmado físicamente a la población, la corrupción, por su parte, la había contaminado y diezmado irreversiblemente en el orden político y social.

Una vez en América, en la Nueva España, el abuelo Martinchu y sus hijos exportaron a la Madre Patria oro y plata de las minas del Bajío, más concretamente de Guanajuato, en donde se asentaron discretamente para no exhibir sus crecientes riquezas ni mucho menos sus antecedentes como judíos conversos. Nadie sabría nada de ellos. Nada. Para dichos efectos habían obtenido papeles apócrifos con nombres, identidades, actividades y orígenes falsos. Habían salido de Galicia, no de Sevilla, con tal de evitar cualquier suspicacia o relación con los moros o los judíos ricos del sur. Él no era ya Salomón Haséfer, sino don Rodrigo Díaz. Ya no era un industrial dedicado a la manufactura de telas como en Andalucía, sino un acaudalado hombre de negocios orientado a la extracción y fundición de metales preciosos, al igual que todas las generaciones de Díaz. No podía darse error alguno ni filtrarse información de su pasado judío. ¡Imposible otra persecusión! Se apartarían de cualquier rito, conversación, recuerdo o actividad secreta judaizante. Por supuesto, quemaron los libros, sobre todo la Torá, la historia del pueblo judío, los solideos, los kipás, el suyo, el de su padre y el de su abuelo. Obsequiaron el mezuzá, el talit, el shofar, una réplica de un arca sagrada que estaba siempre orientada a Jerusalén, y, desde luego, las estrellas de David, las grandes, las pequeñas pectorales, así como cualquier otra pertenencia que delatara la realidad de sus convicciones religiosas. La intolerancia del Santo Oficio podía costarles la vida. De modo que llegaron a América con la seguridad de haber enterrado un pasado, deseosos de abrir una nueva página en sus vidas, de escapar a todo peligro, de construir un futuro certero, aun cuando para ello tuvieran que renunciar a su Dios, a Su verdadero objeto de adoración, el mismo que deberían llevar guardado herméticamente en su pecho como el secreto más preciado. Lo mismo acontecería con los ídolos, la idolatría en el mundo indígena...

Desde que se asentaron en Guanajuato fueron reconocidos como los mejores católicos del pueblo. El pánico a la pira era suficiente motivo: cumplían puntualmente con los servicios religiosos; comulgaban todos los días en público sin dejar de rezar en el lujoso interior de la capilla decorada al estilo churrigueresco que tenían en la hacienda La Resurrección. Cansados, hartos, malhumorados o enfermos, no perdían la misa dominical ni la diaria a las siete de la mañana ni dejaban de atender las de difuntos, cuando fuera el caso, ni las de gracias ni las de gallo los fines de año. Los parroquianos los veían una vez a la semana arrodillados devotamente en los confesionarios. Se cuidaban de circuncidar a los varones bautizando a todos sus hijos con nombres cristianos, educándolos en el catolicismo apostólico y romano, obligándolos a hacer la primera comunión, pidiendo permiso respetuosamente cuando fueran a contraer nupcias sin dejar de participar del ágape a Su Señoría, el prelado más destacado en turno, el invitado de honor. Guardaban escrupulosamente la vigilia sometiéndose sin pestañear a la cuarentena, siendo los primeros a los que se les veía la señal de la cruz marcada en la frente los miércoles de ceniza. Trabajaban más que nunca los sábados, los días de descanso para los judíos, absteniéndose de usar ropa limpia y blanca en esas fechas y comiendo carne de cerdo en público tantas veces les fuera posible, para no despertar sospechas ante los *familiares* del Santo Oficio.[1] Invariablemente solicitaban la bendición de sus instalaciones mineras, ranchos, animales, mascotas y otros bienes, pagando en cada ocasión cantidades generosas a su iglesia a modo de contribución y ayuda a los pobres, cuando de sobra sabían que el obispo se embolsaba dichos dineros persignándose con las monedas de oro y absteniéndose de comunicárselo a nadie: sólo el Señor y yo lo sabemos...

Don Rodrigo había llegado casado de España con Nuria, su única mujer, con la que había procreado tres hijos: Rodrigo Luis de Jesús, bautizado con su mismo nombre para apartarse de la costumbre judía de llamar al primogénito de manera distinta a la del padre, además de Justino del Sagrado Corazón y María del Socorro.

Rodrigo Luis, el mayor, casado con Estela, había concebido tres hijos varones, siendo el menor Salvador, un niño callado, in-

---

[1] Funcionarios de la Inquisición que debían denunciar a las personas que atentaban en contra de la fe y aprehender a los reos con orden del Tribunal (por sí mismos o ayudados por los alguaciles). Para el cumplimiento de su misión estaban autorizados a portar armas, pública o secretamente, en todo el distrito inquisitorial.

trovertido, pensativo, apartado de los negocios de la familia, dedicado a leer tratados de teología o lo que cayera en sus manos: está llamado a ser cura, tarde o temprano irá a dar a un seminario y terminará sus días en una basílica o en un monasterio perdido a los pies del Iztaccíhuatl...

Salvador, más tarde conocido como Martinillo en honor de su abuelo, recién fallecido, bien pronto empezó a sorprender a propios y a extraños no sólo por su notable habilidad comercial —a él se le ocurrió la idea de montar un taller de auténticos orfebres mexicanos para mandar a Europa la plata labrada en forma de candelabros, platos, marcos y charolas, entre otros artículos más, en lugar de enviarla como siempre en lingotes o en monedas conmemorativas—, sino por su interés por el arte y la cultura y su notable don de gentes, el mismo que le hizo cobrar un enorme agradecimiento, sobre todo de sus empleados, por la enorme atención, comprensión y afecto con que los distinguía.

Martinillo era el primero en estar al lado de las mujeres de sus subordinados cuando daban a luz; él se hacía cargo de los gastos y velaba por la criatura y más tarde hasta por su educación. Él y sólo él había fundado la primera escuela primaria gratuita financiada con recursos privados. Su batalla era a muerte en contra de la ignorancia y de la resignación. Escuchaba los problemas de todos como un buen padre de familia, premiando el esfuerzo, el talento y la creatividad dentro del taller con estímulos económicos desconocidos en la región. Pagaba los gastos de las procesiones, apartaba a los viciosos del alcohol, impedía que dilapidaran sus ahorros en las cantinas del pueblo, luchaba para sacar a los lenocinios, lupanares y prostíbulos disfrazados de los linderos de Guanajuato y trataba de despertar el interés por la lectura impartiendo clases al concluir la jornada de trabajo. Era rico, poderoso, reconocido, un incansable lector, buen amigo, buen hijo, buen padre, además de un auténtico filántropo. Sin embargo, en lo más profundo de su ser no podía sustraerse al inmenso atractivo sanguíneo de su religión: judaizaba, sí, judaizaba en uno de los sótanos de la hacienda cuando todos dormían y nadie podía escuchar su voz ni presenciar ni espiar siquiera su rito que se remontaba a lo largo de la noche de los tiempos, porque guardaba la más estricta precaución de cerrar a piedra y lodo la puerta del pequeño recinto donde se escondía para encontrarse a solas con su Dios y reconciliarse con toda su mortal existencia.

Su calvario comenzó, casi de la misma manera que el de su abuelo, al irse haciendo cada día de más propiedades, bienes y recursos económicos derivados de su capacidad empresarial y de la aceptación que se tenía en Europa de las obras de arte manufacturadas en su taller. Los pedidos se repetían unos a otros, ya fueran provenientes de España o de Francia o de Brujas o de Amberes o de Rotterdam o Rusia. Su éxito comercial llamó poderosamente la atención de la Santa Inquisición, que ávida de bienes ajenos y, por lo mismo, fanáticamente interesada de encontrar causales de herejía, hurgó en la vida y en el pasado de los Díaz, con el propósito de hacerse de los méritos, pruebas y cargos necesarios para expropiar semejante fortuna —¿qué tal que fueran judíos conversos o judaizaran...?—, todo sea en nombre de la fe, en defensa de nuestra religión y por el bien de estos pecadores a los que debemos cuidar para que no vayan a ser sentenciados el día del Juicio Final a pasar la eternidad sentados en la galera más recalcitrante de todos los infiernos.

En una ocasión, Salvador Díaz, Martinillo, entrado ya a los 45 años de edad, un hombre ya maduro, padre de ocho hijos que había procreado con Beatriz, acatando la suprema voluntad del Señor, decidió invitar a cenar al nuevo representante en Guanajuato del Gran Inquisidor del virreinato, con el objeto de conversar y estar siempre lo más cerca posible del poder eclesiástico, para ver cómo respiraban, a dónde se dirigían, qué tramaban, en qué consistían sus nuevas políticas y quiénes habían sido recientemente aprehendidos y se encontraban sometidos a juicio. Siempre era conveniente escuchar de viva voz de los más influyentes prelados alguna revelación importante, leer las entrelíneas de la política y conocer las intenciones del Santo Oficio. En dichas reuniones siempre se conocía algún hecho interesante respecto de los asuntos de la Nueva España en torno a las complejas relaciones del clero con la administración colonial, siendo que aquél, invariablemente insaciable, exigía cada vez mayores cuotas de autoridad al poder público.

En el comedor de "los venados", llamado así por haber sido decorado con las cabezas de seis de estos animales ancladas en la pared, don Salvador sirvió una cena opípara para impresionar al ilustre prelado. Vistieron la mesa con manteles y servilletas bordadas a mano por monjas de la ciudad de Brujas. La cuchillería, los candelabros y las bases de plata labrada perfectamente pulida habían sido desde luego manufacturadas en su propio taller: "Los Díaz, orfebres". Los vasos y copas eran de cristal de Bohemia, el candil de porcelana de Wiesen, la mesa y las sillas talladas en Valencia, España, los cuadros, firmados por autores holandeses, reflejaban naturalezas muertas, entre las que destacaba una, colocada encima del trinchador central. Aquel recinto en sí mismo era una pieza de museo destinada a impresionar a los comensales con su notable poder económico. Los vinos, el champán, el coñac francés acompañaron permanentemente al entremés, al gazpacho, al estofado de cerdo a la salsa de jitomate con especias y la tarta de manzana servida con crema catalana.

El convivio se desarrollaba muy bien, todo marchaba de acuerdo con lo planeado. La conversación, a lo largo de la noche, había pasado varias veces de lo banal a lo profundo. Todo parecía indicar que Salvador se anotaba otro éxito al conquistar al nuevo jerarca eclesiástico. Les interesaba estar siempre al lado de los poderosos, ¿no...? Recordemos entonces que somos valores entendidos...

El alto representante de la Inquisición no podía desperdiciar el momento para dejar constancia de sus convicciones eclesiásticas y políticas ni de explicar a qué respondía su presencia en Guanajuato: manifestó, sin que Salvador pudiera esconder su sorpresa, que él pretendía encarnar el poder terrenal y el celestial; que ningún poder estaba ni podía estar por encima de Dios y que él, como inquisidor, era el representante del Todopoderoso aquí en la Tierra; que su estancia en Guanajuato respondía a la detección de herejías que se pudieran filtrar insidiosamente tanto en la vida pública como en la privada; que invertían enormes cantidades de tiempo y dinero para recuperar el alma de los herejes, evitar desviaciones y contagios, preservando la pureza de la fe; que las herejías eran ataques a Dios y alianzas con el demonio y que nada mejor que el látigo, la cámara de torturas y la pira para erradicar los pensamientos, las impurezas y las tentaciones diabólicas: la flagelación es especialmente útil para hacer auyentar las pestilencias del alma...

El inquisidor parecía estar advirtiendo o amenazando o recitando un papel que tal vez tendría aprendido de memoria. Siguió mencionando que él velaría por la pureza de la sangre de los guanajuatenses apartándolos de contaminaciones heréticas que los alejarían de Dios con todas sus consecuencias eternas; que el Santo Oficio era una cofradía donde bastaba ser miembro de ella para coronarse ángel, ustedes me perdonarán la falsa modestia... Estoy, sentenció ufano, para combatir las idolatrías en el alma de los indios y las herejías en el de los blancos. Ahí está el gran Papa Inocencio III, Su Santidad Inocencio III, quien después de interpretar las Divinas Palabras de Jesucristo, creó el Tribunal de la Inquisición, dándonos un arma prodigiosa para atrapar en lugares inverosímiles a esos excrementos del demonio como son los herejes. Insisto, se detenía por instantes, el Santo Oficio no se ocupa de evangelizar, sino de inocular los venenos de la fe. ¿Recuerdan ustedes cuando otro Papa maravilloso, Gregorio IX, en el siglo XIII, admitió el principio de la represión violenta para enfrentar las herejías? La iglesia católica jamás podrá agradecerle lo suficiente su sabia decisión a este santo, como tampoco lo podrá hacer con Inocencio IV al haber promulgado la bula *Ad Extirpanda* en 1252, mediante la cual establece la legalidad de la tortura, bula que aceptaron por su parte sucesivos pontífices...

Beatriz se movía nerviosa e incómoda en la silla: ¿a dónde iba el cura éste con semejante parrafada? Sólo que el inquisidor no había concluido, por lo visto, su homilía: "No me importa que se diga que la Inquisición es la organización más temida del virreinato, del imperio y de toda la cristiandad, no me importa en la medida en que extirpemos la insubordinación y atrapemos herejes. ¿Está claro...?" Para concluir dejó caer un último argumento que dejó inmóviles a los presentes: quien enfrenta al Santo Oficio enfrenta al Todopoderoso y por lo mismo quien me combate a mí, combate a Dios... El espíritu de Dios gobierna el Santo Oficio...

Salvador hizo enormes esfuerzos por contenerse. Le iba a responder a bocajarro que Jesús jamás hizo quemar a nadie vivo ni mandó torturar ni golpear ni matar ni perseguir ni contó con soldados armados para imponer sus principios ni recurrió a la fuerza ni utilizó hogueras ni aparatos inhumanos para arrancar confesiones de ningún tipo, ni gozó de fortuna alguna ni la pretendió, antes sacó a los mercaderes del templo y pidió que quien creyera en Él abandonara sus pertenencias y lo siguiera. Todo lo que tuvo para convencer fue una túnica, sus sandalias y sus convicciones personales. Salvador prefirió, sin embargo, callar y someterse: cualquier malentendido podía costarle la vida... ¿Cómo iba a dispararle a media cara que el Santo Oficio usurpaba a Dios y cometía atrocidades en su nombre? ¿No decía el evangelio "amarás a tu enemigo"? ¿Es buen cristiano el que desgarra familias, humilla al prójimo, delata parientes y amigos y le confisca todos sus bienes sin causa justificada? No era ningún suicida: callaría, y calló...

Salvador hizo lo posible por que siguiera reinando la jovialidad. Deseaba evitar el menor conato de tensión. Éste no llegó a darse ni siquiera cuando Martinillo tuvo que narrar la historia de su familia y las razones por las cuales había venido a América. La sospecha no hizo nunca acto de presencia sobre la mesa. El número estaba ya demasiado ensayado. Era francamente imposible advertir las intenciones ocultas del fraile, por lo visto, todo un actor.

El invitado de honor había disfrutado la comida habiendo repetido varias veces el guisado y tronado otras tantas los dedos para que los meseros, elegantemente vestidos con libreas inglesas y manos enguantadas de blanco, escanciaran el vino en su copa. Menudas atribuciones se tomaba el ensotanado, de cuya nuca colgaba una pesada cruz de oro decorada con esmeraldas y rubíes engarzados. Ante la disimulada sorpresa de los comensales se le vio tirar pedazos de pan sobre el plato para untarlos con la salsa y comerlos en un principio con el tenedor. Las formas se perdieron definitivamente cuando, después de limpiar con la mano el recipiente y de hacer repetidos círculos concéntricos para recoger con el migajón cualquier resto de carne y jitomate, metió, ya sin el menor pudor, la cuchara del postre en el platón que contenía el suculento estofado. Ya no esperó a nadie. La etiqueta me enferma. El gran final se dio cuando se arrancó materialmente la servilleta sujeta del cuello de la sotana, la arrojó completamente sucia a un lado del plato y aquella masa informe de grasa se escurrió sobre el asiento recargando la cabeza sobre el alto respaldo del sillón tallado en Valencia. Sus párpados violáceos revelaban la congestión. Sudaba copiosamente. Las gotas resbalaban sobre su pronunciada papada completamente lampiña. Respiraba con dificultad.

Acto seguido, se golpeó el abdomen para demostrar, al estilo más decantado de los primates, la enorme satisfacción que le invadía. Resoplaba emitiendo espasmos y ronquidos de placer. Para rematar el evento gastronómico y dejar clara constancia de su plenitud y del agradecimiento ante tantas atenciones recibidas, Su Excelencia produjo un sonoro eructo, una expulsión estentórea de gas estomacal que paralizó por un instante el convivio como si hubiera entrado repentinamente una fiera salvaje en el comedor. Los asistentes palidecieron al igual que todo el cuerpo del servicio doméstico. La cena concluyó entre silencios esquivos y risas artificiales de los asistentes, cuando fueron invitados a tomar el café en la biblioteca, precisamente el lugar donde Salvador Díaz, Martinillo, firmaría su sentencia irrevocable de muerte.

Los anaqueles cubiertos por libros incunables llamaron la atención del prelado. La colección de textos antiguos decorados con lomos amarillentos, apergaminados, hablaban de un tesoro cultural. Los libros contaminan, pensó el prelado mientras bebía pequeños sorbos de café y trataba de adivinar los títulos de la mayoría de ellos escritos en latín, en francés, inglés y castellano. La razón invariablemente va dirigida a demostrar la inexistencia de Dios. Pensar es un atentado en contra de la fe. Es una profanación del dogma, mismo que es por definición indiscutible, inexplicable e inabordable. Así es: ¡Punto! Lo dijo Dios. Nos lo ordenó de esa manera. Se acabó. No caben argumentos en contra ni refutaciones ni posiciones filosóficas ni puntos de vista encontrados. Quien lee y piensa, blasfema, y quien blasfema insulta a Dios y a los santos, y quien insulta a Dios y a los santos debe ser conducido a la hoguera. Todos los herejes que he conocido se distinguen porque piensan, elucubran y analizan. Los pensadores son herejes en potencia. Los libros contienen ideas perversas para el espíritu, constituyen auténticas trampas del demonio. ¡Horror...! En cada libro hay un cargo probado en contra del tal Díaz y de su familia. ¿Cómo es posible que nadie haya visto en cada libro una monstruosa herejía y en cada herejía una causal de excomunión y el fundamento para entablar uno y mil juicios en contra de él?

El señor inquisidor abría otro tipo de apetito. Empezó a repasar entonces con la mirada los lujos contenidos en la biblioteca. Los libros en sí mismos, ni hablar, los quemaría uno por uno en una enorme pira. Sólo alguno que otro que resultara de gran valor podría ser vendido de trasmano. Con un criterio diferente contempló los cuadros firmados por autores europeos y otros tantos pintados por artistas de la Colonia. El enorme candelabro de plata que iluminaba la estancia valdría un verdadero potosí, al igual que las enormes esculturas de mármol blanco que decoraban los pasillos y habitaciones de la parte baja de la hacienda. Se trataba de auténticas obras de arte del Renacimiento. La cantidad de tapetes y arcones de cuero o de madera con piedras preciosas repujadas en las tapas, las figuras de porcelana, los cubiertos con los que había cenado al igual que las jarras, los platos y las vasijas todo ello de plata, las imágenes religiosas sin duda se las arrabatarían los chamarileros de la ciudad de México. ¿Cuánto valdría la hacienda y el taller y las minas? Menudo negocio para el Santo Oficio si alguien llegara a demostrar la tendencia judaizante o el comportamiento herético de Salvador Díaz. El patrimonio era enorme. Su ascenso en la escala de la jerarquía clerical sería inmediato, al igual que el incremento de su patrimonio personal. ¿Cómo es posible que ningún funcionario de la Santa Inquisición hubiera podido meterle el diente a esta fortuna...? ¿Cómo era eso de que don Rodrigo Díaz había llegado de España hace 50 años a probar suerte en América? ¿Quién se lo iba a creer? ¿Qué tal que en realidad se trataba de judíos conversos que habían huido del viejo continente para refugiarse en Guanajuato, fuera del alcance del Santo Oficio peninsular? ¿Los habían investigado a fondo?

Mientras el cura se hacía esas preguntas en hermético silencio, don Salvador lo invitó a recorrer su librero favorito para mostrarle unos auténticos tesoros de la literatura clásica de todos los tiempos. Libros hechos a mano y decorados con viñetas a colores que se remontaban a los años anteriores a Guttenberg y, por ende, al invento de la imprenta. Martinillo presumía, con fundado orgullo, sus textos, sin imaginar los pensamientos y las intenciones del inquisidor, quien ya no escuchaba ni ponía atención a las palabras de su anfitrión. Aquí la *Ilíada*, allá la *Odisea*, *Los pájaros*, *Medea*, *Edipo Rey*, *El Quijote*, *Macbeth*, *La Divina Comedia*, ¿qué tal Aristófanes, Eurípides, santo Tomás, san Agustín, Shakespeare, Dante y Maquiavelo? El alto jerarca de la iglesia católica ya no escuchaba ni ponía atención a su anfitrión: sólo buscaba más motivos para excomulgar y acusar de blasfemia y de la comisión de herejías a su anfitrión. ¿No había visto un libro de Voltaire y otro de Montesquieu?¿No había tenido discretamente en su mano el libro *Scrutinio Scriturarum* (Examen de las Escrituras) una inconcebible herejía?[2] Lo sé, lo sé, me lo dice el Señor, lo sé: Díaz judaíza, Díaz es un judío converso, Díaz es un hereje enemigo de la fe.

De pronto, como acontece en una aparición, se iluminó la frente del alto prelado: tenía frente a sí mismo la prueba definitiva que habría de conducir fatalmente a la pira al tal Díaz y, sin embargo, no se había percatado de su existencia ni del generoso milagro que Dios le estaba obsequiando al ser un genuino defensor de la Santa Causa. El inquisidor se quedó de pronto inmóvil, paralizado, atónito, perplejo. Hubiera querido arrodillarse, besar su cruz pectoral, besar el piso, su sotana, pero tenía que guardar

---

[2] Texto escrito en latín en el que polemizan dos personajes: Saulo y Pablo. Uno, judío, representaba la sinagoga, el otro, cristiano, a la iglesia. Uno defendía la ley de Moisés, el otro la de Jesucristo. Saulo se resistía a ver la luz del Evangelio y Pablo la contemplaba a chorros.

compostura: gracias, Dios mío, gracias por permitirme hacerte justicia... Nosotros, tus hijos ciegos y obnubilados, invariablemente culpables, no nos percatamos de las revelaciones que nos enrostras para poder seguir tu Santísimo camino...

Cuando el inquisidor tuvo frente a sí a la figura de un Cristo de cuerpo completo, esculpido en mármol negro, que se encontraba solo en un nicho adosado a una pared al fondo de la biblioteca, entendió que tenía finalmente a Salvador Díaz en sus manos: Jesús, el hijo de Dios, quien había dado todo a cambio de nuestra salvación, su vida cuando fue preciso, el mismo que había sido azotado, flagelado y colgado de una cruz después de colocarle una corona de espinas sobre su cabeza, tenía polvo sobre sus hombros. ¡Polvo! Sí, señor, ¿desde cuándo no limpiaban Su santísima figura? ¿Desde cuándo? De ninguna manera podría ser considerado como un descuido, sino que, en todo caso, se trataba de una agresión inobjetable en contra de Dios y de Su iglesia desde el momento en que se le atacaba ignorándolo, colocándolo al fondo de la estancia sólo para cubrir y guardar las formas y, además, sepultado en polvo, desdeñado, arrinconado como una mera figura decorativa para engañar y engatusar a los representantes de Dios aquí en la Tierra. ¿Dónde está tu verdadero Dios, maldito judío desvergonzado que has venido a perdernos y a confundirnos para que el día del Juicio Final nos vayamos todos contigo al infierno...? —pensó el alto jerarca de la iglesia católica. Si nada menos que a Jesús lo tienes arrumbado y empolvado, ¿a quién tienes limpio y en el lugar de honor de tu casa y de tu alma?[3] ¡Herejía, herejía, herejía...!

Después de tomar unos últimos tragos de café, el ensotanado pidió su capa y su sombrero y sin expresar la menor emoción se retiró de la casa de Martinillo agradeciendo apenas todas las atenciones recibidas. Una prisa extraña se había apoderado repentinamente de él. Salvador y Beatriz lo miraban sorprendidos. Quería

[3] En los archivos secretos de la Santa Inquisición existe un expediente abierto a nombre de don Juan de Calatraba, acusado de herejía por tener un Cristo cubierto de polvo en uno de los descansos de la escalera que conducía a las habitaciones superiores de su casa.

salir rápidamente de esa casa como si hubiera estado habitada por el propio Lucifer. Ya tenía lo que buscaba: el resto se lo dejaría a los torturadores del Santo Oficio, los verdugos que permanecían con el rostro oculto en los sótanos macabros del Palacio de la Santa Inquisición. ¿Conque no judaízas, verdad? Lo veremos. Lo veremos cuando te metamos los pies en brasas al rojo blanco... o te arranquemos las uñas.

Quince días después, cuando la familia Díaz ya se había olvidado hasta de la cena y del inquisidor y de sus temerarios discursos, de pronto el viejo portón de la hacienda se sacudió al recibir severos golpes que no se asestaban con la aldaba. Se trataba de impactos sonoros dados con el puño o con la mano abierta entre voces que reclamaban la inmediata presencia de Salvador Díaz. ¡Abran la puerta en el nombre de la Santa Inquisición!, retumbaban en la noche los gritos enardecidos de 15 o 20 *familiares* vestidos con enormes sotanas negras decoradas con largas cruces rojas cosidas a lo largo de la prenda, la cual era rematada con caperuzas del mismo color para ocultar el rostro de los divinos cancerberos. Un pequeño contingente de soldados del virrey armado con lanzas, ballestas, arcabuces, adargas y espadas escoltaba a los sacerdotes. El poder civil hacía el trabajo sucio...

El terror, la mejor herramienta para controlar a personas y sociedades, se imponía en el seno de la familia Díaz. No existen mejores católicos que nosotros en toda la Colonia, ¿qué pasa, papá? ¿Qué sucede, Salvador? Éste alegó error, confusión, malos entendidos, exigió disculpas por los modos, solicitó un aplazamiento de la orden nocturna para ir a aclarar al día siguiente las razones de su detención. ¿Cuáles son los cargos? ¿De qué se me acusa? ¿Por qué razón me arrestan? ¿Qué he hecho?

—¡Acompáñenos! —Tronaron los emisarios del cielo a modo de un coro infernal—. Nosotros no tenemos por qué explicarle los cargos, mismos que desconocemos. Nos ordenaron venir por usted hoy mismo en la noche sin excusa ni pretexto y si usted opone resistencia, tendremos que recurrir a la fuerza para someterlo. De modo que ¡acompáñenos...!

Beatriz y sus hijos sujetaban a Salvador, unos de los brazos y otros de las piernas. La categoría de Martinillo no podía permitirlo. Los tranquilizó. Les pidió entrar de regreso a la casa, ya mañana volvería... Todo sería igual que siempre. Todo se aclararía. Todo tendría una explicación satisfactoria...

—Estoy a sus órdenes, señores —fueron las últimas palabras que escucharía la familia Díaz en voz de su padre y de su marido. No volverían a verlo jamás.

Después de tres días de viaje en diligencia desde Guanajuato, Salvador Díaz, Martinillo, llegó de noche, finalmente, al edificio que albergaba a la Santa Inquisición en la ciudad de México. Nadie podía conocer la identidad del detenido. Todos los movimientos se ejecutaban con la máxima discreción y en la más absoluta oscuridad. Fue encarcelado por unos guardias armados vestidos igualmente de negro en una mazmorra ubicada en el piso más bajo de aquella siniestra construcción, tan temida y odiada por todos los habitantes de la Colonia. Al azotar tras de sí la puerta del calabozo y percibir cómo cerraban uno a uno los diversos candados y pasadores, se percató de que no podía ver siquiera la palma de su mano. Ruidos extraños llamaban poderosamente su atención. Un estremecimiento le hizo gritar con locura cuando una rata inmensa trató de subir por su capa y más tarde por sus pantalones. No tardaría en descubrir con horror que no era una ni dos, sino que la celda estaba invadida por estos roedores que él jamás había podido resistir desde pequeño. Golpeó la puerta, las paredes, gritó y llamó hasta quedarse afónico, sin que nadie acudiera en su auxilio. Ni una vela. Nada. Pateaba a las ratas con ambas piernas en movimientos compulsivos y erráticos en tanto se tiraba de los cabellos y suplicaba ayuda en el nombre sea de Dios... ¡Piedad! ¡Piedad! Repetía en tanto la noche se tragaba sus súplicas junto con la indiferencia de los otros presos: ya se le pasará. Así somos todos cuando llegamos la primera vez... El Santo Oficio empezaba así su proceso de convencimiento para precipitar después, en los cuartos de tortura, la confesión final de la que saldrían nuevas listas de otros judaizantes. La purga era total, indiscriminada, a fondo. Imposible descubrir siquiera dónde se encontraba un camastro, una silla de palo, un bacín o un agujero en el piso para hacer sus necesidades.

Su juicio comenzó un mes después de estar aislado y de ser alimentado por debajo de la puerta con alimentos pestilentes imposibles de identificar. Entre sus heces, sus orines y los vómitos de él y de todos los detenidos que habían vivido en esa celda, sumados a la imposibilidad de saber si era de día o de noche, sus fuerzas lo fueron abandonando, su resistencia física y emocional cedió gradualmente, la resignación lo invadía por todos los poros, más aún cuando no sabía nada de los suyos, la mejor prueba para demostrar que no habían sido oídos por nadie y si lo habían sido de la misma manera los habrían ignorado.

Un día o una noche, a saber, fue sacado a empujones y jalones de su calabozo. Sus pantalones, su capa y sus zapatos aparecían ya devorados por las ratas, mismas que ya pasaban indistintamente por encima de su cuerpo. De hecho había deseado que una de ellas le comiera el dedo de un pie para que atrapara una infección que le costara la vida. Mejor morir así, envenenado, y cancelar esta tortura diaria que lo estaba matando. Sólo que Martinillo no sabía lo que le esperaba. Lo hicieron entrar a un cuarto donde lo acostaron encima de un timón conocido como el potro del descoyuntamiento. De inmediato le ataron los tobillos y las muñecas sobre la superficie de aquel aparato desconocido. Un notario estaba al lado para guardar toda la legalidad y dejar constancia de las confesiones. Frente a él estaba el representante del Santo Oficio y el verdugo con la cara cubierta por una caperuza de cuero negro.

El inquisidor le exigió que aclarara el origen religioso de su familia, si eran judíos, si eran conversos y desde cuándo, por qué lo había negado, si judaizaba tal y como lo había acusado igualmente un primo de él venido de España y que, a través de la garrucha, había confesado toda la historia de todas las vertientes de la familia Díaz.

Con un tronido de dedos empezó a girar lentamente aquel timón y, por lo mismo, a estirarle las extremidades. Sólo vino a su mente el recuerdo de un indio miserable al que un día, en la Plaza Mayor de la ciudad de México, se le ataron cada una de las cuatro extremidades a cuatro diferentes caballos, a los que simultáneamente les asestaron golpes de fuete para que salieran a pleno galope descuartizando al infeliz a un lado de la catedral metropolitana. ¿Era mejor ese castigo o el de recostarse encima de la piedra de los sacrificios para que le extrajeran el corazón con un afilado cuchillo de obsidiana? Pobre país, se dijo en aquella ocasión, que ha sufrido tantas penalidades, no las recuerda y, sin embargo, reacciona visceralmente y las vive y las reproduce en su conducta diaria, por ser parte de un pasado que ignora, pero que está ahí presente, determinando su conducta. Con el primer tirón entendió que le arrancaban las manos y los pies. Todo él sentía estallar. ¡Habla!, tronó el oficial, ¡habla...!

—¿Has judaizado? ¿Eres judío?

Su cuerpo reventaba. Sus tendones se soltaban uno a uno como las cuerdas de una barca atada al muelle y azotada por la furia de un huracán. Martinillo gritó, suplicó hasta perder la conciencia. Sus coyunturas eran brasas. Todo él ardía. Ya volverá en sí: pueda o no volver a caminar ni a mover sus brazos, tarde o temprano lo haremos hablar. Dios nos perdonará. Él sabe por qué lo hacemos, es por su bien... Salvador no podría volver a caminar y difícilmente podría valerse para comer o para asir cualquier objeto.

Pasado otro mes y medio, los mismos individuos volvieron por él. ¡Imposible saber si era de día o de noche, martes, jueves o domingo a las tres o las cinco de la madrugada o de la tarde! Lo cargaban entre cuatro cancerberos que lo volvieron a acostar, esta vez sobre una tabla, encima de la cual lo inmovilizaron, sobre todo del pecho y de la cabeza, con el objeto de introducirle un embudo por la boca para inyectarle litros de agua.

Todos cantan a la cuarta jarra, veremos si a éste le metemos las doce...

Se asfixiaba, pataleaba, emitía sonidos inentendibles. Dos verdugos le detenían la cara, otro sujetaba firmemente el embudo, mientras los demás introducían el agua extraída de garrafones. Al bajarlo después de sufrir una angustia mortal, sin poder respirar, lo golpearon en la espalda para producirle una congestión pulmonar de la que tardaría meses en salir, si es que alguna vez se recuperaba. Las torturas donde apareciera la sangre estaban prohibidas por la santa madre iglesia. De ahí la existencia de la pira, de la inyección de agua, del potro de descoyuntamiento, entre otros tantos suplicios más. Había que inventar martirios en los que por ningún concepto apareciera la sangre. Era un exceso, un pecado: *Ecclesia abhorret a sanguine*.

Martinillo ignoraba que su casa, la hacienda, sus cuadros, esculturas, libros incunables, vajillas, cristalería y objetos de plata y tapetes importados, el taller "Los Díaz, orfebres", habían sido subastados al mejor postor, al igual que la mina junto con todas sus instalaciones, de tal modo que la iglesia estuviera en condición de hacer frente a los gastos tan onerosos del juicio de don Salvador, usted sabe... "El proceso es caro, carísimo: tenemos que encontrar la manera de financiar el juicio para rescatar a Salvador del infierno... ¿De dónde salen los recursos para construir las cárceles, la fabricación y mantenimiento de los aparatos de tortura, el sueldo de los verdugos, de los cancerberos, de los oficiales y el nuestro propio? El Santo Oficio de la Inquisición no se estableció, hijos míos, para acumular riquezas, sino para preservar la pureza de la fe."

La familia Díaz, por otro lado, se había desintegrado. Su mujer vivía con las niñas en Oaxaca, trabajando como fámula; algunos de los hijos vivían en Mérida, otros en Veracruz y uno más extraviado había partido al departamento de Tejas. La biblioteca fue quemada en una hornaza pública para espantar a los demonios que estaban encerrados en cada página de los incunables...

La tercera tortura fue definitiva. En la cámara de los suplicios se le amarraron ambas manos y brazos a la espalda. De los grilletes le hicieron colgar pesas de 15 o 20 kilos de cada pie. Fue enganchado y elevado a un altura de tres metros, sujetándolo, desde luego, de las ataduras colocadas en las muñecas. Salvador se desgarraba. De golpe se le dejó caer, sólo que antes de hacer contacto con el piso fue repentinamente detenido en el vacío de modo que los brazos casi se le desprenden brutalmente del tórax. Así, suspendido en el aire, fue cuestionado, cuando estaba consciente, respecto de su pasado y de sus convicciones religiosas y de la identidad de otros herejes que él conociera. Ahí, colgado y descoyuntado, Salvador confesó que su padre efectivamente había sido judío converso, que habían obtenido papeles apócrifos con nombres, identidades, actividades y orígenes falsos a cambio de cuantiosos sobornos entregados a las autoridades eclesiásticas españolas. Habían salido de Sevilla y no de Galicia; su abuelo era Salomón Haséfer y no don Rodrigo Díaz y que siempre se había dedicado a la manufactura de telas en Andalucía y nunca a la extracción y fundición de metales preciosos. Sí, sí, habían sido judíos, pero ahora ya eran católicos y de los mejores y más cumplidos. ¿Quién podía reclamarles algo en ese sentido?

Cinco años después y sin haber vuelto jamás a ver la luz del sol y sin saber si sus confesiones habían perjudicado a sus propios hijos y a ciertos amigos, fue quemado vivo sin renegar de su religión ni de sus creencias ni de sus convicciones y sentimientos espirituales. Nunca aceptó besar la cruz ni abdicó de sus principios por medio de la tortura ni se arrodilló ante nada ni ante nadie por su propia voluntad ni reconoció la existencia de los santos ni de vírgenes inventadas por el hombre ni se arrepintió de creer únicamente en su Dios ni claudicó de su propio código de ética, y murió quemado en la pira, de acuerdo con un auto de fe, alegando que siempre había sido bueno y honesto. Lo sabía Dios, su Dios, el único Dios para él. Él, Martinillo, lo sabía también...

Prended la pira, yo mismo la encenderé, yo mismo, yo, yo: no por ello os apoderaréis de mí...

¿Y el evangelio? La iglesia traicionaba el mandato de Jesús...

UN POCO MÁS DE LA IGLESIA Y SUS RELACIONES CON EL PODER VIRREINAL

La ferocidad de la Inquisición alcanzó en España niveles de devastación nacional. El Santo Oficio se apoderó precisamente de la tráquea del fabuloso imperio que había conquistado México, una enorme extensión de América Latina y parte de Asia, obligándolo a tomar decisiones suicidas, que junto con otros agravantes, a la larga comprometerían el destino del reino. La expulsión de los árabes laboriosos y la quema y persecución de los judíos deprimió severamente la economía española, saturada además de parásitos que despilfarraron el dinero proveniente de las colonias en la compra de artículos suntuarios importados, en lugar de fundar una industria creadora de empleos, divisas y prosperidad... ¿Qué suerte corrieron los países colonizados por Inglaterra y cuál fue la de los países conquistados por España y su muy Santa Inquisición? Ahí están Canadá, Estados Unidos y Australia y también, por el otro lado, como un contraste brutal, ahí están los que hoy son Perú, Venezuela, Colombia, Guatemala, Bolivia, Filipinas, Cuba y, por supuesto, México... Está claro: donde los españoles posaron sus plantas y sus espadas y los inquisidores sus cruces y sus macabras hogueras, no volvió a crecer el pasto, al igual que se dice acontecía con el caballo de Atila y sus hordas de bárbaros.

El daño no se redujo, por supuesto, a la confiscación de bienes, encarcelamientos impunes, injustificados y arbitrarios, procesos "judiciales" ilegales y salvajes ejecuciones de miles y miles de Martinillos en piras improvisadas, todo ello apoyado y rubricado por la autoridad civil de los respectivos virreinatos, qué va, los perjuicios se extendieron a la mutilación espiritual de un pueblo, a su funesta resignación apoyada en la esperanza de un juicio final, cuya sentencia habría de ser la estancia eterna en el paraíso como premio a una vida apática e improductiva aquí en la Tierra y sus mortales. El daño también se originó en la incapacidad de pensar, de debatir ideas, de publicarlas y difundirlas en libros, en privado, en público y, sobre todo, en el interior de congresos y parlamentos, donde se incuba toda democracia. ¿Quién deliberaba en el México antiguo?

Además de las políticas dictadas por la corona y las dificultades para tener acceso a la educación, el atraso de las colonias españolas se debe en buena parte a la prohibición de leer libros —los libros estuvieron prohibidos durante 300 años, salvo los autorizados específicamente por la Inquisición— y también a la inaudita decisión regresiva y de insospechables consecuencias en todos los órdenes de la vida nacional, de permitir únicamente a los españoles el ingreso a la administración pública, siendo que, cuando aquéllos fueron afortunada y finalmente echados de las antiguas colonias, éstas se quedaron como un barco sin rumbo, al garete, ya que sólo ellos, los expulsados, conocían el *modus operandi* del aparato de gobierno. Las claves y llaves de acceso y control se las llevaron para siempre los españoles al otro lado del Atlántico... Los norteamericanos, por contra, habían compartido de tiempo atrás el manejo de los puestos de mando con quienes más tarde habrían de hacerse cargos de ellos. La transición fue indeleble y sin mayores traumatismos como los que padeció el México independiente.

De la misma manera que el ejercicio de la política era una canonjía reservada a los españoles, la educación, cerrada, retardataria, parcial, subjetiva e inútil, también estaba igualmente reservada a sus hijos y a otros escasos privilegiados. Por ningún concepto se debe olvidar que cuando Iturbide se ciñó la corona como Primer Emperador del Imperio Mexicano, existía 90% de mexicanos que no sabían ni leer ni escribir. ¿Acaso la revolución industrial inglesa podría haberse llevado a cabo sin el apoyo de las universidades y academias tecnológicas inglesas? ¿Es válido aceptar la existencia de un país desarrollado, libre y próspero sin el respaldo de una universidad abierta, de una cátedra libre, competitiva, oxigenada, vanguardista, democrática y, desde luego, racional?

El gobierno y la academia coloniales estaban igualmente encerrados dentro de los siniestros muros de la Santa Inquisición. La prosperidad escasamente podía darse en semejante entorno político y religioso. Martinillo es un ejemplo de la imposibilidad de poner una piedra sobre la otra, de confiar en el gobierno o en la iglesia. Él constituye la mejor prueba para demostrar la inexistencia del Estado de Derecho, el desconocimiento del orden jurídico con todas sus consecuencias, entre las que se encuentran el atraso en todas sus formas, el declive de las inversiones, la dificultad de crear ahorro público, el escepticismo, la ausencia de respeto a toda forma de convivencia, la falta de confianza entre los propios ciudadanos incapaces de trabajar como un gran equipo nacional.

En un país donde se ignora la aplicación de la ley, y las disposiciones jurídicas son letra muerta; en un país sin libertades políticas ni instituciones libres y soberanas, donde el secuestro de personas y la confiscación de sus bienes por parte de la iglesia son hechos diarios que no revisten la menor consecuencia ni para sus autores materiales ni para los intelectuales; en un país donde pensar es peligroso para ya ni hablar de la posibilidad de publicar, defender y divulgar las ideas que renuevan a una sociedad; en un país donde no se da la libertad de conciencia ni de expresión ni garantías individuales; en un país amurallado al comercio internacional y devorado por el contrabando organizado por gobiernos extranjeros y ejecutado por piratas con la misma bandera; en un país en el que se subastan cargos públicos al mejor postor sin considerar el talento ni la honestidad para operar el cargo; en un país que exporta las riquezas de su subsuelo y utiliza sus recursos en la compra de brocados, sedas, vinos y coñacs; en un país en el que el clero oscurantista, agiotista, acaparador de bienes materiales, dueño de vidas, mente y conciencia de la feligresía chantajea y controla a los gobernantes y a los gobernados con la amenaza de la excomunión, la cárcel o la pira; en un país en donde los poderes públicos se rigen por los estados de ánimo de una persona o por la avaricia política de la iglesia dentro del indigerible contexto del "Obedézcase pero no se cumpla"; en un país inserto en un esquema involucionista como el antes descrito, el desarrollo económico no puede darse, como tampoco puede florecer la sociedad ni la universidad ni el conocimiento ni es posible el renacimiento de las artes ni el de la cultura ni constituye el entorno ideal para generar riqueza con todo y su enorme estela de beneficios sociales.

La iglesia en los primeros años del México independiente

¿Cómo evolucionar en un país autoritario en el que no tiene cabida el derecho? ¿Cómo prosperar cuando están prohibidos los libros y cancelado el intelecto? ¿Cómo progresar con una universidad eclesiástica reservada, por si fuera poco, a privilegiados, en donde la instrucción era un pasatiempo? ¿Cómo salir airosamente

adelante en un país en donde la masa de analfabetos supera el 90%
de la población, una población, además, apática, ignorante
anestesiada, resignada e inmensamente torpe? Vicente Guerrero
¿no llegó a encumbrarse hasta la mismísima Presidencia de la República sin saber leer ni escribir, teniendo que revocar los decretos del día anterior cuando sus asesores le explicaban la trascendencia de lo firmado? ¿Cómo crecer en el seno de una socieda
en donde los gobernados son "Martinillos" en potencia, ya sea po
supuestos blasfemos o herejes o apóstatas por su adicción a la ido
latría, o por ser judíos o judíos conversos o nuevos cristianos
negros o indios inútiles, de los que todavía se dudaba si podía
tener alma o no, en el fondo concebidos únicamente, estos últi
mos, como bestias de carga? ¿Cómo prosperar sin la luz de la aca
demia, sin derechos, sin instituciones oficiales, en un mundo d
corrupción y amenazas políticas y religiosas, en el que prevalece
los sobornos y los cochupos como sistema de vida, con miedo a l
hoguera o a la tortura o a la confiscación de bienes o a la persecu
ción de personas inocentes o a la simple desaparición física, vícti
ma de patrañas eclesiásticas inconfesables?

El clero maldito traicionó a su grey, traicionó al Evangelio
traicionó las palabras de Jesús, traicionó su misión aquí en la tie
rra, traicionó sus principios, traicionó sus propósitos desde que s
enriqueció ilegítimamente con arreglo al chantaje, traicionó a l
sociedad al confiscarle ilegalmente sus bienes en provecho d
la alta jerarquía eclesiástica. El clero católico traicionó sus fine
aquí en la tierra al asesinar en la pira, traicionó al torturar, trai
cionó al secuestrar, traicionó al aliarse con el poderoso y olvida
a los desheredados, traicionó al prohibir la formación intelectua
de las personas por miedo a perder su poder político, traicionó
los suyos al lucrar en su beneficio con el ahorro público, traicion
a los incontables Martinillos incinerados, cremados, quemados
mutilados, torturados, perseguidos, desaparecidos y el product
líquido de su patrimonio expropiado fue a dar a un fondo de rep
tiles con el que se financió el desastre político, social, militar
económico en el siglo XIX.

No es fácil imaginar un poder clerical, supuestamente dedi

cado a la divulgación del Evangelio, que año tras año se fortalecía económicamente al cobrar diferentes tipos de tributos, derechos y obvenciones parroquiales, subiendo y bajando tarifas según la marcha de los negocios del México independiente, además del diezmo aplicado a las cosechas, un impuesto injusto que mermaba la productividad de los campesinos y que le permitía a la iglesia quedarse con el 10% de toda la producción agrícola del país para "mantener a los obispos y cabildos de la catedral en un innecesario esplendor".[4] La iglesia católica mexicana, ¿no era arrendadora de tierras comunales de indios, al igual que institución hipotecaria que otorgaba financiamientos imponiendo elevadas cantidades por concepto de intereses? Una de las principales causas de la pobreza rural, entre ellas la desigualdad, que detonara entre otras razones el movimiento de independencia, ¿no se encuentra en la legislación eclesiástica que establecía el cobro del citado diezmo, los legados testamentarios, los bienes de capellanías, cofradías, obras pías y dotes monásticas, entre otros tantos conceptos más que hacían de la iglesia católica el principal propietario de la Nueva España?[5] El odio se incubaba en cada rincón del virreinato.

El clero contaba con facultades que iban desde la administración del sacramento de la comunión y la asistencia pública, hasta los servicios bancarios y el monopolio de la educación. Los mismos representantes de Dios eran jueces, realizaban imponentes negocios, resolvían sobre la validez de los contratos, reglamentaban el estado de la familia y las relaciones de los cónyuges, ejercían funciones fiscales y tenían el poder coercitivo de hacer cumplir sus sentencias, decretos y ordenanzas. En otras palabras, bastaba que un obispo cualquiera demandara el pago de sus obvenciones, para que las cuotas pudieran ser exigidas por el uso de la fuerza. O lo que es lo mismo: el clero tenía el poder para, en aras de sus intereses, tanto públicos como particulares, hacer que los tribunales obligaran al pago de los "derechos" a los causantes

[4] José María Luis Mora, *México y sus revoluciones*, vol. I.

[5] Enrique Marroquín, "La disertación sobre los bienes eclesiásticos", en *A Dios lo que es de Dios*.

que lo resistían, quienes, en caso de no tener dinero, siempre podrían asistir al amparo incondicional de su gran y eterna protectora: la "santa madre iglesia", pues en los templos, en los *juzgados* de capellanías, ¡el clero tenía un *banco hipotecario* que prestaba a una tasa cercana a 6% de interés anual![6] Lo anterior se debía a que "la autoridad de la iglesia no era de origen terrenal", razón por la cual también los curas gozaban de fueros y privilegios, separándose así del principio de igualdad legal de todos los ciudadanos y estableciéndose como una autoridad sin límites que se erigió como el principal obstáculo para el cambio social, económico e intelectual del país.

Así, mientras que el clero cobraba sus obvenciones parroquiales, el jugosísimo diezmo, además de tributos y de elevados derechos por concepto de la administración de sacramentos,[7] y obtenía ingresos por bautismos propios o por compadrazgo, bodas de oro o plata, confirmaciones, entierro de progenitores o familiares cercanos y recibía generosas limosnas voluntarias u obligatorias, donaciones, legados testamentarios, bienes de capellanías, cofradías, obras pías y dotes monásticas y se hacía de gigantescos recursos por celebraciones populares y fiestas religiosas, así como por arrendamiento de tierras y haciendas, sin olvidar otros notables productos propios de su actividad como institución bancaria e hipotecaria cuasi monopólica, puesto que sus propiedades estaban exentas de todo tipo de impuestos, el pueblo vivía en el hambre padeciendo un sinnúmero de privaciones, en condiciones indignas y miserables de gran explosividad social. ¿Cómo no entender el permanente estado de quiebra de una cadena de gobiernos recién independizados de España, cuando la institución que acaparaba los ingresos públicos era la iglesia, institución que contaba con un poder económicamente mayor que el de las autoridades civiles, las supuestamente encargadas de adminis-

---

[6] Michael Costeloe, "Church-State financial negotiations in México during the american war 1846-1847", *Revista de historia de América*, núm. 60.
[7] David J. Weber, *The mexican frontier 1821-1846: the american southwest under Mexico*.

trar el ahorro de la nación, violando con ello, la soberanía y uno de los principales derechos del pueblo mexicano?

La iglesia en los años de la guerra contra Estados Unidos

Tan grandes eran la influencia y el poder económico, civil y religioso de la iglesia, que en el siglo XIX, en la década de los treinta, paradójicamente un sacerdote, el doctor José María Luis Mora —catedrático de la Universidad de San Ildefonso y posteriormente consejero de Gómez Farías en 1832— calculó *que la riqueza de la iglesia en México era la tercera parte de la riqueza nacional*, pues ascendía a la sorprendente cantidad de *180 millones de pesos*.[8] Por su parte, el gobierno mexicano se encontraba en insolvencia política y financiera permanente desde que Iturbide se convirtiera en emperador de México. El catastrófico entorno político, la desestabilización total, las divisiones internas, una economía al garete, sin estímulos ni controles, las carencias propias de una sociedad improductiva sepultada en el caos, un país incomunicado geográficamente, no hicieron sino causar severos estragos en el funcionamiento de la República. De ahí que Estados Unidos, plenamente informado de esta difícil encrucijada, aprovechara la oportunidad para declarar una "guerra" o mejor dicho, ejecutar una invasión, en el territorio nacional en 1846. Sin duda era el mejor momento para ellos... ¿Cómo y con qué se defenderían los mugrosos sombrerudos del sur?

Si las arcas de la nación estaban como siempre vacías y los norteamericanos avanzaban día con día haciéndose exitosamente de plazas y más plazas vitales ya dentro del territorio nacional, y la iglesia católica, sólo la iglesia católica, tenía los fondos para armar la defensa militar del país, ¿cabe todavía preguntar si dicha institución financió o no los gastos de la guerra con justificado patriotismo o simplemente traicionó una vez más la integridad de

[8] José María Luis Mora, *op. cit.*

la República? ¿La iglesia apoyó las más caras causas nacionalistas, como sin duda era la defensa de una patria invadida y amenazada de ser engullida por un poderoso enemigo impulsado por su voracidad territorial? ¡No! ¿La iglesia dejó a un lado las diferencias domésticas para luchar por la supervivencia de México como nación, sin ignorar que la intervención militar norteamericana, de incalculables consecuencias, bien podría haberse traducido en nuestra desaparición como país? Muy simple: el clero católico se olvidó como siempre del Evangelio, se olvidó de los desheredados, se olvidó de la patria y de todos sus valores, se olvidó de la historia de casi tres siglos, de la independencia, del pasado, del presente y del futuro y se dedicó, como siempre, a preservar de la mejor manera posible su gigantesco patrimonio, lucrando con el conflicto armado internacional, al prestar dinero al gobierno de la República, a cambio de elevadas tasas de interés, en lugar de cedérselo a título gratuito dada la inaplazable necesidad de contar con recursos en una coyuntura de grave riesgo nacional. ¿Prestó los capitales sin requerir nada a cambio? ¡Qué va! Exigió la derogación de leyes que afectaban sus inmensos haberes o sus privilegios o sus fuentes de ingresos o demandó la promulgación de otras tantas disposiciones que le reportaran todas las garantías operativas respecto de sus inversiones y bienes en general. ¡Por si fuera poco, todavía invitó a otra revuelta interna muy a pesar de que el país estaba invadido por los cuatro costados!

Traicionó al no aportar los capitales necesarios para defender, antes que ninguno otro, los intereses del país. Traicionó al prestar y no ceder, cobrando todavía intereses leoninos. Traicionó al exigir a los poderes políticos la promulgación de leyes específicas para garantizar su patrimonio, lucrando con la extrema necesidad del pueblo de México. Traicionó, traicionó, traicionó...

El presidente Mariano Paredes, al no poder conseguir los fondos necesarios de la iglesia para defender a la patria, cedió su lugar a Mariano Salas. Éste fracasó igualmente, como de la misma manera fracasó Gómez Farías, quien, en su desesperación nacionalizó los bienes eclesiásticos con la finalidad de fraccionar los grandes latifundios del clero. La ciudad de México caería en manos extranjeras en muy corto plazo. La iglesia dice no a los préstamos, no a las donaciones, pase lo que pase... Santa Anna obtiene un millón quinientos mil pesos escasos a cambio de anular los decretos de Gómez Farías.[9] Todos los intentos fracasan. Antes de que la guerra concluya, el clero todavía financia una revolución interna en la ciudad de México con tal de no dar un solo peso más a la defensa. Hace estallar la rebelión de los polkos en medio de la guerra. No sólo arriesgan la soberanía de México, sino el futuro completo de la nación.[10] Todavía se llega a decir que agentes de Estados Unidos sobornaron a representantes eclesiáticos para que éstos organizaran una rebelión con el objeto de dividir al ejército mexicano y facilitar su derrota, ya que por un lado tendría que distraer forzosamente tropas para sofocar el levantamiento en la capital y por el otro lado retenerlas en el norte del país sin debilitar el respectivo frente. Cada polko debería haber sido fusilado por traición a la patria. ¡La iglesia apoyaba la invasión norteamericana financiando una revuelta a todas luces inoportuna...!

El resultado no podía ser otro: México perdió más de dos millones de kilómetros cuadrados. Sería improcedente culpar únicamente a la iglesia católica del desastre militar de 1847, ¿sólo que cuál era la única institución que contaba con recursos para hacer medianamente frente a la intervención sin que ello, desde luego, garantizara de ninguna forma el éxito? La iglesia. ¿Quién pudo haber ejercido desde el púlpito una influencia determinante en la sociedad, haciendo repetidos llamados solidarios para estructurar la defensa en lugar de organizar sublevaciones urbanas que capitalizaba la armada yanqui en perjuicio de los intereses nacionales? La iglesia, la iglesia traidora, el clero maldito. Nadie podría haber garantizado el éxito militar en contra de la intervención, ¡nadie!, sólo que sí se hubiera podido garantizar al menos un llamado

[9] Los decretos hechos por Valentín Gómez Farías fueron impuestos el 11 de enero de 1847 y Santa Anna los anuló el 29 de marzo del mismo año.

[10] Para conocer más al respecto, puede consultarse a Jan Bazant, *Los bienes de la Iglesia en México*, cuadro p. 35. También se recomienda consultar a Michael Costeloe, *op. cit.*

eclesiástico para convocar al patriotismo en momentos de aguda crisis nacional. En lugar de unir fuerzas, de resistirse a la invasión, de poner a disposición del gobierno todas aquellas herramientas e instrumentos que pudieran contribuir a la defensa y tal vez al éxito, se impuso conjuntamente la traición política y militar de Santa Anna y del clero: menuda combinación... Así nos fue...

La iglesia y la guerra de Reforma

¿Fue suficiente la guerra contra Estados Unidos que le costó a México dos millones de kilómetros cuadrados, además de una derrota que traumatizó emocional y sicológicamente a la nación, e impidió que operara entre nosotros una patriótica reconciliación política y social? ¿Aprendimos de la intervención las consecuencias de la división interna, misma que capitalizan los extranjeros, así como los nacionales desnaturalizados sin el menor escrúpulo? ¿La iglesia católica mexicana se convirtió después en una institución patriótica? No aprendimos nada. La iglesia tampoco. Los derrocamientos, sublevaciones, alzamientos y asonadas se siguieron dando uno tras otro después de la vergonzosa y no menos humillante suscripción de los tratados de Guadalupe Hidalgo, a través de los cuales le entregamos a Estados Unidos lo que hoy es Nuevo México, Texas, Arizona y la Alta California.

Después de la "guerra" contra Estados Unidos nos esperaba la guerra de los tres años, la Guerra de Reforma, otra guerra desgastante y devastadora promovida por la iglesia católica, a través de la cual México se sacudiría finalmente del cuello esa feroz sanguijuela que le succionaba la vida misma y devoraba la salud del país limitando sus posibilidades de crecimiento. La verdadera independencia no se dio, ni mucho menos, cuando el Ejército Trigarante desfiló exitoso en las calles de la ciudad de México en 1821, es decir, cuando México se liberó de España, ¡qué va!, la verdadera independencia se dio cuando Benito Juárez triunfó y expropió y nacionalizó los bienes, bancos, financieras, hipotecarias, el inmenso patrimonio inmobiliario, ranchos, haciendas y todo género de propiedades, haberes y recursos de la iglesia católica y le impidió continuar con las pavorosas exacciones que sangraban a la sociedad, entregándole finalmente todos sus instrumentos de enriquecimiento al Estado y, por ende, al gobierno, punto de arranque para el despegue de la economía nacional y, ahora sí, para el lanzamiento de México como país independiente y soberano. El ahorro público lo controlaría y lo administraría el gobierno en beneficio de la comunidad nacional, y no de un grupo de privilegiados, cuya misión en la tierra debería siempre haber sido la lectura del Evangelio, apartándose en todo caso del acaparamiento de bienes materiales.

Como respuesta a la publicación de la Ley Lerdo[11] el 25 de junio de 1856, que afectaba los bienes eclesiásticos y a sus corporaciones, el clero hizo estallar en Puebla la primera sublevación armada. El Papa Pío IX alentó directamente la rebelión, desconociendo las leyes mexicanas.[12] El mismo clero que se opuso a la independencia promovida por Hidalgo y Morelos, que saboteó la defensa de México durante la intervención norteamericana y que estuvo en contra de la promulgación de la Constitución de 1857. El famoso artículo primero del Plan de Tacubaya, redactado en el interior de las sacristías, quedó así para la posteridad:

> Artículo 1°. Desde esta fecha cesará de regir en la República la Constitución de 1857.

Estalla la guerra civil. El clero no estaba dispuesto a perder su poder económico ni el político. Benito Juárez, Melchor Ocampo, Miguel Lerdo de Tejada y Manuel Ruiz suscribieron desde Veracruz un manifiesto que alterará —¿para siempre...?— la historia de Méxi-

---

[11] Miguel Lerdo de Tejada ocupó el ministerio de Hacienda el 20 de mayo de 1856.

[12] "Así es que para que los fieles que residen ahí [México] sepan, y el universo católico conozca, que nos., reprobamos enérgicamente todo lo que el gobierno mexicano ha hecho contra la religión católica y contra la Iglesia y sus sagrados ministros y pastores, contra sus leyes, derechos y propiedades, así como contra la autoridad de esta Santa Sede, levantamos nuestra voz pontificial con libertad apostólica en esta vuestra respetabilísima reunión para condenar y reprobar y declarar irritos y de ningún valor los anunciados decretos y todo los demás que ahí ha practicado la autoridad civil."

co. Declaran la nacionalización, sin compensación, de todos los inmuebles y los capitales clericales: “en primer lugar —escriben— para poner un término definitivo a esa guerra sangrienta y fratricida que una parte del clero está fomentando hace tanto tiempo en la nación, por sólo conservar los intereses y prerrogativas que heredó del sistema colonial, abusando escandalosamente de la influencia que le dan las riquezas que ha tenido en sus manos y del ejercicio de su sagrado ministerio, y desarmar de una vez a esa clase de elementos que sirven de apoyo a su funesto dominio [...]”.

La iglesia, furiosa, no podía negar el destino que le esperaba de ganar los liberales la guerra: el ahorro público y los bienes de los mexicanos serían para beneficio de todos los mexicanos. La separación Iglesia-Estado sería definitiva e irreversible. Comenzaría la verdadera independencia de México. Se crearía el registro civil para arrebatarle al clero el poder monopólico que ejercía en las vidas de los ciudadanos, desde su nacimiento hasta su muerte. Se promulgaría la ley de panteones que ordenaba la creación de necrópolis civiles y laicas, protegiendo con ello el derecho de sepultura de quienes no pudieran cumplir con las cuotas, limosnas obligatorias... establecidas por la iglesia. Nacería un México libre y soberano, ahora sí con todas las herramientas sociales y económicas para construir su futuro. Se romperían indefinidamente las relaciones con el Vaticano. Habría llegado la hora de restañar las heridas; de estructurar las finanzas públicas, ahora ya en poder del gobierno de la República y no del clero. El porvenir económico sería radicalmente diferente. Dejemos en voz del propio Juárez la versión del origen de la Guerra de Reforma y de la participación del clero católico:

> De aquí nacieron las leyes de reforma [...] la independencia absoluta de las potestades civil y espiritual, la secularización, por decirlo así, de la sociedad, cuya marcha estaba detenida por una bastarda alianza en que se profanaba el nombre de Dios y se ultrajaba la dignidad humana.

¿Había sido suficiente la intervención armada norteamericana, una guerra demoledora, a la que siguió la Guerra de Reforma entre un sinnúmero de guerras internas que dejaron agotado y destruido al país? ¡No!, claro que no: faltaba todavía la ejecución de otra felonía más, de otra nueva traición de proporciones monstruosas en contra de México: el partido conservador, en el que la iglesia católica contaba desde luego con un lugar preponderante, insistía en traer a México a un príncipe rubio para que gobernara el país. Los vendepatrias, encabezados entre otros por el propio Miramón, lamentablemente culminaron con éxito sus propósitos al lograr traer a Maximiliano y a Carlota al Castillo de Chapultepec, provocando con ello el estallido de otra guerra más en contra de la intervención extranjera, originada esta vez ya no en la voracidad territorial de los vecinos del norte, sino en el sentimiento de incapacidad de autogobierno, en la deslealtad y en la ausencia de principios patrióticos. Se dio la invasión francesa, se ejecutó la peor traición ultraconservadora del siglo XIX. Se volvió a sumir en el letargo el ya tan necesario proceso de reconstrucción nacional.

La guerra civil para lograr la definitiva separación entre el Estado y la Iglesia tampoco concluyó en el fusilamiento de Maximiliano, Miramón y Mejía en el Cerro de las Campanas, muy a pesar de que el primero estaba conforme con los principios liberales que impulsaban el movimiento juarista. Desgraciadamente para México, los supuestos representantes de Jesús, sin duda uno de los grandes pacifistas de la historia de la humanidad, continuaron explotando al pueblo de México, avalados en un increíble principio de "divina" infalibilidad. En efecto, el clero prolongó sus estratégicas condenas y ataques al Estado, pues no sólo acusó al gobierno de pagano y diabólico,[13] sino que también puso en marcha toda su capacidad vengativa y destructiva. Fue para ello que el clero continuó promoviendo y financiando una cantidad interminable de

[13] Por absurdo e ilógico que parezca, el clero, en muchas ocasiones llegó a cuestionar el espíritu del origen y de la naturaleza del gobierno liberal.

movimientos guerrilleros, cuya —exitosa— finalidad fue la de agotar en enfrentamientos armados el capital público que originalmente sería destinado a la promoción del desarrollo del país.

La iglesia y don Porfirio

La iglesia no estaba dispuesta a darse por vencida, más aún cuando decía ser inspirada por Dios en cada una de sus acciones, incluidas la ejecución en paredones improvisados de sus enemigos, la mutilación de las yemas de los dedos de quienes hubieran tenido en sus manos los sagrados sacramentos y la excomunión de personas opuestas a sus planes o que aceptaran la nacionalización de cualquiera de sus bienes. Faltaba un nuevo protagonista, una nueva estrella en el escenario político del catastrófico siglo XIX: imposible concluirlo sin una luminaria de sus proporciones...

Movido por una ambición insaciable y después de varias e importantes derrotas electorales,[14] José de la Cruz Porfirio Díaz se percató de que nunca podría alcanzar el poder a través del clamor popular, a menos que contara con el apoyo de la iglesia. Ésta se lo concedió añorando los privilegios vigentes antes del arribo de Juárez al máximo poder mexicano. Porfirio Díaz llegó al poder a través de una doble traición, salvo que, en primer término, asestar un segundo golpe de Estado, por supuesto alevoso y por la espalda, apoyado por el clero a través de su famoso Plan de Tuxtepec,[15] no haya sido una felonía política que deba traer aparejada la pena de muerte a modo de una benévola sanción de reivindicación social..., y por el otro, haber llegado a encabezar el Poder Ejecutivo aliado con el enemigo silencioso y manipulador más peligroso del pueblo de México.

---

[14] Porfirio Díaz fue derrotado electoralmente por Juárez en 1867 y en 1871. Asimismo, entre dichas fechas, perdió la elección de gobernador del Estado de México y del estado de Morelos.

[15] Como se puede ver en Jean-Piere Bastian, *Los disidentes, sociedades protestantes y revoluciones en México, 1872-1911*, ya corría desde entonces el rumor de que la iglesia católica apoyaba y financiaba la "Rebelión de Tuxtepec".

Y la paz se hizo entre los mexicanos... En efecto, mientras Porfirio Díaz se pronunciaba por el discurso liberal y defendía en letras y palabras el proceso de la Reforma, sus acciones eran ciertamente coloniales, en las que si no se denotaba una gran timidez del gobierno para actuar en consecuencia, sí se mostraba un presente y palpable acercamiento y conciliación entre los intereses de los curas y los del gobierno,[16] lo que sin duda ayudó a que se lograra "la unidad nacional".[17]

La mejor manera de demostrar el profundo agradecimiento que Díaz, el tirano, tenía por el clero, con quien desde luego había trabado una alianza político-religiosa para eternizarse en el poder, no radica sólo en el hecho de que don Porfirio conociera con toda oportunidad los secretos del confesionario, mismos que le permitieron desbaratar varias conjuras y adelantarse a los planes de sus opositores, que ignoraban el origen de la información presidencial, sino, además, sus relaciones con altos jerarcas de la iglesia, entre los que se encontraba nada más y nada menos que el arzobispo Labastida, un gran traidor de la patria, quien también ocupó, como mexicano, el honorable cargo como regente del imperio de Maximiliano y antaño obispo de Puebla, además de un auténtico y poderoso promotor político y financiero de la guerra de los tres años.[18] ¿Cómo se llama a una persona que, como nacional, presta sus servicios a un invasor que se instala como emperador en su país gracias a la fuerza de las armas? ¿Cómo? ¿No constituye un acto de doble traición a cargo de Díaz, en su carácter de golpista, la discreta y subsecuente asociación con el alto clero que convirtió en letra muerta la Constitución de 1857, cuya promulgación costara tantas vidas, sangre, destrucción masiva y esfuerzos faraónicos? ¿De qué sirvió la Guerra de Reforma y tan-

---

[16] En muchos casos, se permitió nuevamente las enseñanzas del catecismo en las escuelas públicas. Véase Marvin Penton, *Mexico's reformation, a history of mexican protestantism*.

[17] Vicente Lombardo Toledano, *El clero político en la historia de México*, 1991.

[18] Pelagio Antonio de Labastida y Dávalos, obispo de Puebla, fue expulsado de México por Ignacio Comonfort en 1856. Fue arzobispo de la arquidiócesis de México. Murió en 1891 y Díaz presidió su funeral.

tos otros conflictos armados, es decir, la recurrente devastación de México para que Díaz entregara en los hechos la histórica causa, mientras Juárez, Ocampo y Lerdo de Tejada patearían furiosos las cuatro tablas de sus respectivos ataúdes?

Las mutuas concesiones que le reportaban atractivos rendimientos políticos y económicos tanto al gobierno como a la iglesia, sumados a la adopción de una actitud fisiocrática fundada en la conveniencia de un *laissez faire, laissez passer*, al intercambio de costosos regalos, a las negociaciones inconfesables, a la condescendencia interesada, a la convivencia discreta y recíprocamente lucrativa, a las cenas y a las invitaciones sociales,[19] hicieron que los altos jerarcas católicos comenzaran a caminar de nueva cuenta sus pasos perdidos. Ya en las últimas décadas del siglo la iglesia había reconquistado diversos peldaños: entre 1880 y 1892 se crearon once nuevas diócesis, diez nuevos seminarios y se duplicó el número de arquidiócesis,[20] "llegando a crecer... en tal cantidad, que en las poblaciones se encontraban... pequeñísimos grupos de liberales atropellados por la clerecía..."[21]

El futuro fue evidente: con el objetivo de recuperar en un par de años lo que al pueblo de México le había costado siglos quitarle, el clero comenzó a adentrarse, en secreto y con paciencia, en los círculos más importantes de poder de la época, al grado de que, en poco tiempo, los mismos curas llegaron a recomendar a candidatos para puestos públicos, los cuales eran aceptados —en muchas ocasiones— por el mismo presidente;[22] continuó manipulando la conciencia social y rechazando ideologías orientadas a la "libertad religiosa", defendiendo el derecho a exonerar de cualquier castigo a los curas católicos por desatar la violencia "contra

[19] En muchas de las reuniones del dictador, no era extraño encontrar a obispos y altos jerarcas del clero, quienes, en alguna ocasión, le llegaron a obsequiar un diamante para que "Dios guarde su salud".

[20] Véase Jorge Adame, *El pensamiento político y social de los católicos mexicanos 1867-1914*. También se recomienda ver Alfonso Alcalá, "La reorganización de la Iglesia ante el Estado liberal", en *Historia General de la Iglesia en América Latina*.

[21] Véase *El hijo del Ahuizote*, 4 de septiembre de 1898.

[22] Véase Robert Conger, *Porfirio Diaz and the Church hierarchy, 1876-1911*.

las sociedades protestantes";[23] insistió en el fortalecimiento de cuadros sacerdotales[24] para que se opusieran rotundamente a respetar las leyes derivadas de la Carta Magna,[25] así como la separación Iglesia-Estado; condenó a través de discursos sediciosos a otras religiones; apoyó —¿qué mejor prueba para demostrar el contubernio eclesiástico y gubernamental?— las reformas de los artículos 78 y 109 de la Constitución, que permitirían que Díaz fuese reelecto...[26] ¡Por supuesto que la iglesia católica era la primera interesada por múltiples razones en la reelección de Díaz, a sabiendas que éste se había levantado en armas en 1876 enarbolando la bandera opuesta, la de la no reelección!

La iglesia y la Revolución; la iglesia y la Constitución

Cuando el gobierno poblano asesinó a Aquiles Serdán (después de haberlo estado espiando "paradójicamente" desde la cúpula del templo católico que se encontraba frente a su casa)[27] y este sangriento atentado precipitó el estallido de la revolución del 20 de noviembre de 1910, la iglesia se apresuró nuevamente a tomar posiciones en el conflicto armado: la destrucción generalizada del país fue una de las más destacadas herencias del porfiriato, junto con 90% de analfabetos y la concentración de la tierra y de la riqueza en escasas manos, además del hambre y la eterna miseria de siempre, por siempre y para siempre del México independiente... La tiranía voló finalmente por los aires junto con las esperanzas de bienestar de 15 millones de mexicanos. La supuesta mano fuerte que tantos deseaban acabó en una pavorosa revolución sin

[23] Jean-Piere Bastian, *op. cit.*

[24] Se recomienda leer Manuel Esparza, *Gillow durante el porfiriato y la revolución en Oaxaca (1887-1922)*.

[25] Jean-Piere Bastian, *op. cit.*

[26] El proceso bicameral para reformar a la Constitución en cuanto a este tema, comenzó en 1887. En ese entonces, el periodo presidencial duraba cuatro años.

[27] Véase María Luisa Mendoza, *Tris de sol*.

precedentes en nuestra historia. ¿Quién dijo que la tiranía era el camino? ¿Quién? Ahí quedaron, ahorcados, de los postes de telégrafo, más de un millón de mexicanos... y el país en ruinas.

El clero se opuso a la Revolución no por el justificadísimo interés de salvar vidas, sino porque la violencia constituía una nueva y poderosa amenaza en contra de sus intereses consolidados durante los años dorados del porfiriato. La iglesia católica mexicana, ¿no le ofreció un *Te Deum*, una misa de gracias en la propia catedral metropolitana nada menos que a Victoriano Huerta, el chacal, medio hombre y medio bestia, el asesino de Madero, Pino Suárez, Belisario Domínguez, Serapio Rendón, entre otros tantos más? ¿No bendijo a uno de los peores criminales de la democracia mexicana y llegó a pensar que Huerta encabezaría la verdadera revolución religiosa de México?[28] Cuando Huerta se hizo del poder, ¿no buscó, a través de la gestión de Nemesio García Naranjo y de su Ministerio de Instrucción Pública, retroceder a la época en que la educación estaba en manos de la Iglesia Católica?[29] ¿No "obligó" a sus feligreses a unirse al Partido Católico Nacional,[30] que según Meyer, era "un movimiento de masas de inspiración antiliberal", bajo amenaza de cometer un "grave pecado"?[31]

La jerarquía clerical, incansable, comenzó en 1914, en pleno conflicto armado, a incitar a la rebelión contra el gobierno para que se desobedeciera la Constitución de 1857. Se repetía la experiencia de la rebelión de los polkos. Ordenó por primera vez, ya en el siglo XX, la clausura de templos, acusando a Carranza de ser un "¡hombre diabólico que quiere terminar con el catolicismo...!" Por su parte, el jefe del Ejército Constitucionalista, ya ungido en su carácter de presidente de la República, también buscaba, como todo buen estadista, la separación entre la Iglesia y el Estado: evi-

---

[28] F. Ruiz Cervantez, "Las relaciones oaxaqueñas de un espía carrancista", en *Guchachi'reza*, núm. 18.

[29] Vicente Lombardo Toledano, *op. cit.*

[30] El PCN fue fundado en el mes de junio de 1911 y buscaba "La libertad religiosa y la de enseñanza", entre otras cosas.

[31] A este respecto, véase a Francisco Barbosa, "La Iglesia y el gobierno civil", en *Jalisco desde la revolución.*

tar la intervención del clero en los asuntos de gobierno. Venustiano Carranza insistía en la importancia de que las instituciones religiosas carecieran de personalidad jurídica. Se encargaría de que la educación impartida por el Estado fuera laica y de que existiera libertad de elección en materia de convicciones religiosas, así como de prohibir prácticas de culto fuera de los templos:[32] reducir a la iglesia católica a la esfera de lo privado.[33]

El 24 de febrero de 1917 —antes de entrar en vigor la actual Constitución— el Episcopado mexicano difundió por todo el país una protesta en contra de la Carta Magna, en la que afirmaba que se herían "los derechos sacratísimos de la Iglesia Católica, [...y...] proclama principios contrarios a la verdad enseñada por Jesucristo".[34] Parecía ciertamente el mismo lenguaje del inquisidor que torturara a Salvador Díaz, Martinillo, inyectándole litros de agua por la boca o el que lo estirara sobre el potro de descoyuntamiento o lo izara de las manos atadas a la espalda para dejarlo caer en el vacío rompiéndole todos los huesos y tendones de brazos y espalda. Las manecillas del reloj del clero mexicano se habían quedado, por lo visto, inmóviles desde el principio del siglo XVI...

La iglesia católica no sólo condenó públicamente la Carta Magna, como lo hiciera con las Leyes de Reforma y la Constitución de 1857: también hizo claras invitaciones a la desobediencia, inmiscuyéndose nuevamente en política y promoviendo cualquier tipo de boicot imaginable contra el gobierno; envió exhortaciones para que "se ordene a los padres de familia que no envíen a sus hijos a las escuelas sostenidas por el gobierno"; solicitó la intervención internacional como cuando el arzobispo de Baltimore, James Gard Gibbons declaró que la Constitución era "un documento repugnante a los sentimientos más sagrados del

---

[32] Véase W. Richmond, *La lucha nacionalista de Venustiano Carranza: 1893-1920.*

[33] La nueva Carta Magna lesionaba gravemente los intereses del clero: el artículo tercero redujo su control sobre la educación; el artículo 27 limitó su poder económico y el artículo 130 impidió su derecho de poseer bienes, etc... Juárez aplaudía en su tumba.

[34] Trabajo del Partido Popular presentado por Lombardo Toledano el 19 de octubre de 1956.

pueblo mexicano".[35] Protestaron el cardenal francés León Adolfo, el arzobispo de Reims, el arzobispo de Toledo, el obispo de Coria, el obispo de Cuenca, el de Madrid, el de Placencia, etc... En América se sumaron a la causa católica mexicana los obispos de Argentina, de Panamá, de Nicaragua, de Ecuador, de La Habana, de Colombia, de Brasil y de Guatemala, entre otros tantos más...

LA IGLESIA Y LA GUERRA DE LOS CRISTEROS

La nueva batalla del clero en contra del México libre no terminó ni con el asesinato de Carranza ni con el levantamiento armado de Adolfo de la Huerta. En 1923, el gobierno de Álvaro Obregón se vio obligado a expulsar del país (para no meterlo en la cárcel) a Filippi, el delegado apostólico que tantas veces violara la ley.[36] El arzobispo de Guadalajara incitó a sus seguidores a atacar a la policía.[37] A continuación, la iglesia católica advirtió que excomulgaría a los profesores que se negaran a introducir el catecismo en sus cátedras o clases; utilizó al cura Federico González Cárdenas para organizar un comité de "Acción Católica"[38] y promover un levantamiento armado en contra del gobierno, con la bandera: "los enemigos de la iglesia y de los curas"[39] ¡No!, ¡no en ningún caso a la Constitución de 1917...!

---

[35] Existen cientos de documentos que lo prueban. Sin embargo, para poder conocer los hechos de forma cronológica, se recomienda consultar a Vicente Lombardo Toledano, *op. cit*.

[36] Ernesto E. Filippi fue expulsado del país en el mes de enero de 1923 debido a que participó en una ceremonia que fue considerada contra la reglas constitucionales.

[37] *El Universal*, 4, 11 y 15 de junio de 1925.

[38] "La iglesia vaticana de esos años que apunta a reorganizar sus fuerzas [...] es encomendada por Pío XI a los jesuitas, y el instrumento de lucha será la nueva Acción Católica." Véase Guillermo Zermeño y Rubén Aguilar, *Hacia una reinterpretación del sinarquismo actual*, p. 29.

[39] Véase Luis González, "Un cura de pueblo", en *A Dios lo que es de Dios*.

Dispuesta a jugar hasta la última carta, la iglesia católica, fundó una siniestra institución, el Colegio Pío Latino Americano,[40] que prepararía y entrenaría a sus más altos cuadros para futuros enfrentamientos... Renovó la famosa Asociación Católica de la Juventud Mexicana (ACJM), reclutando un contingente de jóvenes "[que] trabajasen amando a su Dios hasta el martirio..." Reforzó a los Caballeros de Colón, a los sindicatos obreros católicos y la famosa "U" o "Unión",[41] una sociedad secreta formada en 1919, por quien después fuera arzobispo Luis María Martínez,[42] que promovió el rechazo a la Constitución y que fue de los principales creadores de "cristeros".[43] En la misma tonalidad, se deben considerar a las Ligas, a las Legiones, a las Uniones de padres, a madres y a la Acción Católica Mexicana, todos ellos eficientes promotores de "mártires", personas que murieron ignorando que no defendían su fe ni su credo, sino intereses inconfesables de sus confesores. Finalmente la curia le "reveló" a sus fieles que al defender al clero —y respetar sus mandamientos— defendían a Cristo mismo y con ello se ganaban el cielo.[44]

Entonces, y sin perder el tiempo, el 7 de enero de 1926, el arzobispo de México José Mora y del Río, apoyado por el delegado apostólico Caruana y los obispos de Colima y Huejutla, entre otros, proclamó que la iglesia rechazaba varios artículos constitucionales, demostrando con ello que aún después de diez años de

[40] Dicho colegio fue fundado en 1858 y, en efecto, la gran mayoría de obispos, arzobispos y cardenales mexicanos de la época en cuestión fueron educados en dicha institución. Consúltese Manuel Canto Chac y Raquel Pastor en su libro *¿Ha vuelto Dios a México?* También véase Ana Carolina Ibarra, "Los poderes creadores de un instante: José de San Martín", *op. cit.*

[41] Nombre curiosamente muy mencionado en muchas y muy diversas organizaciones católicas. Iba desde el Colegio de Gillow hasta la sociedad secreta y la Unión Popular.

[42] Luis María Martínez nació en Michoacán en 1881. En 1919 fue nombrado canónigo de la catedral metropolitana y en 1923 fue nombrado obispo de Anemurio. En 1937 fue nombrado arzobispo de México. Fue auxiliar de uno de los personajes más involucrados en la guerra cristera, el obispo de Morelia Leopoldo Ruiz y Flores.

[43] La U era una sociedad secreta católica que tenía "la finalidad de reclutar cuadros para el movimiento cristero". Véase Guillermo Zermeño y Rubén Aguilar, *op. cit.*

[44] Uno de los mandamientos más importante del cristianismo, ordena: *No matarás.*

su promulgación, la Carta Magna seguía siendo letra muerta[45] para el clero mexicano. Por toda respuesta el gobierno promulgó la "Ley Calles" del 2 de junio de 1926.[46]

Posteriormente, el clero organizó a la "Liga Nacional Defensora de la Libertad Religiosa" y a la "Asociación de Damas Católicas" para realizar un fallido boicot económico contra el gobierno. El 25 de junio de 1926, el episcopado mexicano, dispuesto otra vez a todo, ordenó la suspensión de cultos en todos los templos de la República. El gobierno se vio obligado a tomar medidas drásticas: la agitación promovida por los cuadros bajos de la iglesia, aunada a la suspensión de cultos "podría impulsar a los pueblos [...] a la violencia".[47]

¿Qué opinaba de todo esto el Papa?

> S.S. condena la Ley a la vez que todo acto que pueda significar o ser interpretado por el pueblo fiel como aceptación o reconocimiento de la Ley [...] La Ley promulgada el 2 de julio [...] viola derechos de la Iglesia y [...] en tales circunstancias nuestra tolerancia sería criminal.[48]

Tales fueron las declaraciones netamente subversivas hechas por el cardenal Gaspari, el secretario de Estado del Vaticano, en el mes de julio de 1926; declaraciones con las que prácticamente se obligó a la turba católica a que "cristiana y amorosamente" se levantara en armas para "defender su fe", una fe que, por ignorancia y fanatismo, no se percataron de que nunca fue agraviada.

---

[45] *Excélsior*, por ejemplo, el 10 de diciembre de 1926 muestra algunas de las razones por las cuales ciertos sacerdotes y curas católicos violaban los artículos constitucionales en materia de culto.

[46] El *Diario Oficial* del 2 de julio de 1926 publicó un decreto presidencial que vulgarmente se denomina la "Ley Calles". Dicho decreto, cuyos artículos fueron incorporados al código penal para definirse las sanciones correspondientes a las violaciones de los artículos 3, 5, 27 y 130 de la Constitución, hablaba sobre los delitos en materia de culto religioso y las penas que se impondrían a los infractores.

[47] Jean Meyer, *La cristiada*.

[48] *Ibid*.

Fue entonces cuando las instituciones y sociedades secretas ya mencionadas se lanzaron a la lucha armada. Estalló nuevamente la violencia estimulada por la iglesia católica. El incendio nacional se propagaba una vez más. La historia se repetía como el tic-tac de un reloj. Un claro ejemplo fue el de Orozco y Jiménez y la Liga Nacional Defensora de la Libertad Religiosa, que promovió la lucha contra el gobierno y sus leyes y decretos, y que se proponía, entre otras cosas, defender los derechos ciudadanos de ¡la libertad religiosa![49]

La alta jerarquía del clero nacional no sólo impulsó el movimiento rebelde, sino que se aseguró de que los obispos no lo condenaran, pues, según ellos, "los católicos estaban en todo su derecho de defender su libertad religiosa". Cabe resaltar que algunos asesores jesuitas exigían la completa acción militar[50] "por los medios al alcance del episcopado, en el sentido de que se trata de una acción [...] de legítima defensa armada". Asimismo, pedían que se habilitara "canónicamente" a vicarios militares, para que las clases ricas, "patrocinaran el enfrentamiento".[51] Fue así como la traición se dio y la guerra cristera rápidamente alistó a católicos fanáticos que creían que Jesús mismo participaba en las matanzas: "NOSOTROS AVENTÁBAMOS LAS BALAS Y DIOS LAS REPARTÍA."[52]

Y aunque sería poco verídico disculpar al gobierno y a las fuerzas armadas de los enfrentamientos violentos, se debe comprender que los mismos estaban defendiendo a la nación mexicana, pues como se puede observar, la apátrida ACJM —por ejem-

[49] Para conocer más de este absurdo y contradictorio fanatismo, se recomienda leer a Leopoldo Lara y Torres, *Documentos para la historia de la persecución religiosa en México*.

[50] Se recomienda ver A. Oliviera de Bonfil, "¿Hubo un programa cristero?", en *Boletín del Centro de Estudios para la Revolución mexicana*.

[51] Algunos de los curas que suscribieron lo anterior fueron Alfredo Méndez Medina, Rafael Martínez del Campo, el obispo Leopoldo Ruiz y Flores, el obispo de Tabasco Pascual Díaz, etc. Véase Alicia Olivera, *Aspectos del conflicto religioso 1926-1929*.

[52] Lema del Museo Cristero Efrén Quesada Ibarra, en Encarnación de Díaz, Jalisco.

plo—, tenía tantos planes para el movimiento, que ya habían reescrito el himno nacional.[53]

Concluyo este capítulo de felonías y traiciones con esta versión del himno nacional que debe ser entonada y pronunciada con toda corrección:

¡Madre, madre! tus hijos te juran
Defender con valor y denuedo
El tesoro divino que el Cielo
Bondadoso en tu imagen nos dio.
Aunque luche el Infierno y sus huestes
Por destruir nuestros templos sagrados
No podrán esos fieros tiranos
Arrancar de nuestra alma a Jesús.

Coro

Mexicanos, furioso el Averno
A esta patria sus huestes lanzó,
Venceremos a todo el Infierno
Con la Reina que el Cielo nos dio.

Si el tirano nos lleva al cadalso
Defendiendo tu honor y tu gloria,
Nunca, madre, obtendrán la victoria
Porque aliento nos da nuestra fe;
Ni el martirio de dura cadena,
Ni la cárcel, el hambre, el dolor,
Temeremos ¡oh Virgen morena!
Con tu amparo invencible y tu amor.

Coro

[53] La versión completa se puede encontrar en una de las actuales páginas web oficiales de la mentada y apátrida asociación o en: http://www.geocities.com/Athens/Agora/3660/hist/gcristera.html

Ciñe ¡oh Reina! corona de olivo,
A esta patria que el dedo divino
Señaló como eterno destino,
Y si osare la CROM, tu enemiga,
Infestar con su aliento este suelo,
Manda ¡oh Reina invencible! del Cielo
A las huestes que Cristo formó.

Coro

Nunca se sabrá qué nueva letanía podrá interpretar el coro siniestro desde que Carlos Salinas de Gortari volvió a sacar al clero de las sacristías...

LA TRAICIÓN EN CONTRA DE EMILIANO ZAPATA

> Nunca pidas justicia a los gobiernos tiranos con el sombrero en la mano, sino con el arma empuñada.
>
> Moriré siendo esclavo de los principios, no de los hombres.
>
> EMILIANO ZAPATA

Mestizo, de tez morena, alto y delgado, de enorme bigote, ojos negros y brillantes como la obsidiana, mirada apacible, aguda y penetrante, escéptico y tenaz, temerariamente desconfiado, hombre de férreas convicciones y principios, Emiliano Zapata nace en San Miguel Anenecuilco (lugar donde el agua se arremolina), el 8 de agosto de 1879, en una sólida casa de adobe y tierra en el seno de una familia de largas y profundas raíces locales que llevaba en sus huesos la historia de México: su abuelo materno, José Salazar, ya de muchacho cruzaba las líneas del ejército realista para llevar tortillas, sal, aguardiente y pólvora a los insurgentes. Dos hermanos del padre de Emiliano pelearon en la guerra de Reforma, como igualmente lo hicieran durante la Intervención francesa.

¿Sabes que para nosotros todo es la tierra junto con la libertad como lo expresó John Womack en su libro, Zapata y la Revolución mexicana*? Él dijo: Situada a unos cuantos kilómetros al sur de Cuautla, en el Rico Plan de Amilpas, del estado de Morelos, con sus casas de adobe y sus chozas de palma dispersas bajo el sol, en las laderas achaparradas que descuellan sobre el río Ayala, Anenecuilco era, en 1909, una aldea tranquila, entristecida, de menos de 400 habitantes.*

Yo también quiero hablar, escúchame, por las venas de los Zapata corre, junto con nuestra sangre, una larga tradición por la libertad. Nacimos con una marca en la frente: ninguno de nosotros admitiría jamás la injusticia. Estamos forjados para luchar contra toda forma de tiranía y opresión. Mi abuelo, por esas razones, nunca estuvo del lado del virrey ni de la colonia ni del ejército realista. Se jugó la vida alimentando, cuando todavía era muy chamaco, a las tropas insurgentes, a las de la independencia de México, a las que romperían las cadenas que nos ataban a España. ¿Se podía ser de otra manera? Mis dos tíos no pelearon al lado de los conservadores ni estuvieron a favor de Zuloaga ni apoyaron el golpe de Estado de Comonfort ni fueron miramones ni mejías que hubieran propuesto y consentido la presencia de un príncipe europeo sentado en el trono del Castillo de Chapultepec: ¡Claro que no! Los Zapata estuvimos con Juárez, con los liberales, con la vanguardia, y jamás nos vinculamos ni con el clero ni con ninguna otra fuerza retardataria. Combatimos a los invasores, a los dictadores y a los que invariablemente quisieron arrebatarnos lo nuestro. No me impresiono ni me acobardo ante quienes tienen más que yo. Al contrario, me crezco y me enardezco cuando sé que su fortuna es mal habida. Entonces es cuando pido mi máuser...

> Zapata (Emiliano), político y revolucionario mexicano, n. Cerca de Ayala (Morelos) [1879-1919], promotor de la reforma agraria. Proclamó el Plan de Ayala (1911), que exigía tierras para los campesinos. M. asesinado.

Los biógrafos narran los acontecimientos mecánicamente, tal y como está descrito en el párrafo anterior, y, no señor, ¡no!, le falta vida a ese texto, le falta colorido, le falta sangre, saliva, sudor, insomnio y miedo; le falta hambre, riesgo, intransigencia y audacia. Mi vida, como la misma historia de México, no es de ninguna manera un mero recuento de hechos planos carentes de pasión, la gran fuerza que debe mover a los hombres, a las sociedades y a los países. ¡Claro que no! Si algo impulsó el movimiento zapatista en el estado de Morelos fue la garra, el coraje, la rabia y la más extremosa e inclaudicable terquedad, que sólo terminaría ante dos supuestos: o que nos devolvieran las tierras que los hacendados les habían robado en el último medio siglo a nuestros pueblos o que nos mataran a balazos ante la imposibilidad de convencernos. ¿La bala? ¡La bala! Lo que fuera antes de resignarnos a perder lo que fue tan nuestro, es tan nuestro y será tan nuestro. Nuestra existencia, como la de los sabinos, ya te lo dije, está íntimamente ligada a la tierra: si los pudiera uno arrancar con todo y raíces se morirían de la misma manera que la cecina de Yecapixtla se seca al sol. Nosotros, los de Anenecuilco, estamos ligados al suelo. Aquí nos tocó nacer y aquí nos tocó morir... Mira mis manos...

Óyeme narrador, deja de escribir como si estuvieras llenando una ficha para un nuevo libro. Estás hablando de Zapata, El Atila del Sur, aun cuando el nombre me ofenda porque no soy ningún bárbaro...

Huérfano a los 16 años, de cualidades raras y sencillas, heredó una concepción del valor sin ambiciones y una empecinada integridad. Después de llegar a ser brevemente caballerango del hacendado Ignacio de la Torre y Mier (yerno de don Porfirio Díaz), Zapata regresa a su terruño indignado después de constatar que los caballos de algunos establos de la ciudad de México vivían mejor que la inmensa mayoría de los campesinos morelenses. Se integra entonces como uno de los dirigentes del grupo de hombres jóvenes que habían participado activamente en la defensa de las tierras de Villa de Ayala y Anenecuilco. Firma protestas, forma parte de las delegaciones enviadas ante el respectivo jefe político, ayuda a mantener la moral del pueblo, suscribe convocatorias, se instala en la rebeldía, organiza la protesta: su terquedad lo proyecta como líder natural de los suyos hasta llegar a ser, apenas cumplidos los 30 años, el jefe agrario de Anenecuilco. Años después, como presidente (Calpuleque) habría de defender no sólo las tierras de su pueblo, sino el derecho que tenían todos los campesinos mexicanos sobre las tierras que habían sido suyas.

¡Claro que me hice solo, y cómo no iba a serlo cualquier chamaco que se queda huérfano a los 16 años! Sólo que yo muy bien sabía que la traía adentro, que latía en mi interior. Algo en mí me anunciaba un papel, una misión especial, ya desde muy temprano. Como que ya nace uno con dignidad y con coraje, igual que se nace prietito como los frijoles o blanco como la harina, y ya desde muy niño ni quien se atreva a pisarlo a uno porque no tienen que ir muy lejos por la respuesta. Así se es: ni modo... Y no porque yo hubiera juntado más centavos que los peones y los vaqueros, ahorros producto de mi trabajo y de mi herencia, y hubiera sido aparcero, arriero y exitoso comerciante de caballos, iba a ser yo distinto de los míos. ¿A poco cuando me vestía de negro con mi botonadura de plata los días de fiesta y montaba mi alazán favorito era yo diferente a los demás? Para ellos siempre fui Miliano, y cuando me asesinaron, "pobrecito", eso sí, siempre creyeron en mí, "como un joven que podía encabezar el clan, un sobrino amado, firme y verdadero..."

¿Cómo no nos íbamos a sublevar cuando los grandes terratenientes cultivadores de caña de azúcar, nos quitaban día tras día nuestras tierras y nuestras aguas heredadas de nuestros abuelos y de las que dependíamos para comer y sobrevivir? ¿Todos nos íbamos a convertir en sus empleados para que nos pagaran con fichas, en lugar de dinero, y ni con la muerte pudiéramos quitarnos las deudas de encima? Ser sus empleados era condenarnos a la miseria. Mejor, mucho mejor, tener nuestras cosechas y nuestros animales y nuestra dignidad sin ser esclavos de nadie. ¿Por qué?, sí, ¿por qué ser esclavos de nadie? ¿Por qué? ¿Por qué perder lo poco que nos permitía vivir como personas o al menos igual que los caballos del tal Torre y Mier, el yerno del dictador y sus caballerizas de mármol blanco? Yo mismo ordené que los hombres se armaran y que derribaran las bardas colocadas encima de nuestros terrenos. Si a alguien le faltaba tierra que tomara la de los patrones. ¿A balazos? ¡A balazos!

Nosotros peleamos desde las acequias, en las milpas, en los apantles, los campos y en los juzgados nuestros derechos, mismos que se estrechaban cada vez más porque los hacendados y sus influencias en el porfiriato hacían que los jueces dictaran invariablemente sentencias en nuestra contra. Había más: nos imponían gobernadores, senadores y diputados a su antojo, violando las urnas electorales, alterando el recuento de los votos, amenazando a los votantes y enviando a nuestros líderes a campos de trabajos forzados a Yucatán, de donde salían, con los años, convertidos ya ni en la sombra de lo que eran. Ahí se doblaba hasta el más tieso. ¿La policía? Escúchenme bien: la policía cobraba en las listas de raya de las haciendas azucareras o productoras de piña. Pobres indios imbéciles, ¿no...? Nada teníamos a nuestro favor, nada, nadita de nada. De los cien pueblos que había en Morelos no había uno solo al que los hacendados no quisieran quitarle sus tierras. Un día nos almorzábamos con la noticia de que un latifundista, nuestro vecino, había corrido su barda de adobe o de alambre y ya sólo teníamos la mitad de nuestro terreno o hasta menos, y a ese paso bien pronto no tendríamos ni espacio para enterrar a los viejos. ¡Cuántas veces vimos cómo los capataces disparaban contra nuestros animales que estaban en nuestro terreno alegando que ya no era nuestro y en nuestra cara los destazaban y los vendían o les doblaban el pescuezo a nuestros gallos giros para prepararse un mole y comérselo con tortillas, hijos de la tiznada! ¿No se llevaban presos a los nuestros por invadir "propiedad ajena" y nos imponían multas imposibles de pagar? ¿Cuál tribunal? ¿Cuál juicio? ¿Con que este predio y estas aguas ya son mías y se acabó, pinche sombrerudo? ¿Con que tú tuerces la ley a tu favor? ¿Sí? Pues yo te torceré a ti el gañote... ¿Cómo íbamos a tolerar que impusieran a Escandón como gobernador y su banda de ladrones y su congreso de escandonistas para que nos decretara leyes de bienes raíces, cobrara impuestos y derechos siempre a favor de los dueños, como él, de haciendas? ¡Cárguenle la mano a los jodidos porque no tienen cómo defenderse y sus tierras se desperdician en sus manos? Con que los de Anenecuilco si quieren sembrar que siembren en maceta, porque ni en tlacotol han de tener tierras... ¿verdad? Cuando los blancos, bien vestidos, nos matan, entonces se califican de lamentables los hechos, ahora bien, si nosotros, los de tez oscura somos los que matamos, entonces somos unos salvajes, la raza inferior, criminales desalmados, monstruos sanguinarios, inhumanos... Denme mi carabina... Nos veremos...

Quién nos iba a decir que la modernidad se iba a traducir en perjuicios y nuevos despojos en contra nuestra... Cuando se construye un ramal del ferrocarril de Veracruz hasta Cuautla en 1871 y otro hasta Yautepec en 1883, los hacendados azucareros ya pueden importar maquinaria y equipo de Estados Unidos o de Europa para procesar el dulce. En lugar de mejorar las técnicas de cultivo, no se les ocurrió otra cosa que tomar nuestras tierras a la brava, ya que necesitaban más caña para procesar en sus modernos ingenios. El gobierno, el congreso, los tribunales, la policía, los ediles municipales, los capataces y sus matones a sueldo, los jefes políticos y el ejército se encargaron de "legalizar" el robo, de aplastarnos y de someternos. La tiranía porfirista, la modernidad, la avidez de los latifundistas por el dinero fueron nuestros más feroces enemigos. ¿Qué hacer? ¿Esperar a que consumieran todo lo nuestro? ¿Venderles nuestras tierras para irnos a otro lugar a vivir, cuando ahí habíamos nacido, ahí nos moriríamos y ahí habíamos enterrado a nuestros abuelos? ¿Por qué vender o perder lo que había sido, era y es históricamente nuestro, aun cuando los ingenios hubieran elevado su producción en un 50% y México alcanzara el tercer lugar mundial en el mercado del azúcar después de Hawaii y Puerto Rico? Sí, sí, lo que fuera, pero antes estaba lo nuestro. Morelos, el estado más rico de la República, ¿y nosotros muertos de hambre? Di, di eso, escritor mercenario, no lo calles, aun cuando no te convenga, deja clara nuestra causa. ¿Sabes por qué los grandes líderes mandan escribir sus propias biografías? Porque no creen en la historia que ustedes escriben y se quieren hacer una a su medida que los proyecte como próceres y no como lo que fueron.

El jefe del Ejército Libertador del Sur se lanza a la lucha revolucionaria agrarista con el objeto de recuperar tierras originalmente propiedad de pueblos indios:

> Como no soy político no entiendo de esos triunfos a medias, de esos triunfos en que los derrotados son los que ganan, de esos triunfos en que, como en mi caso, se me ofrece, se me exige, dizque después de triunfante la Revolución, que salga no sólo de mi estado, sino también de mi patria... Estoy resuelto a luchar contra todo y contra todos sin más baluarte que la confianza, el cariño y el apoyo de mi pueblo.

Mi historia es mucho más completa que ésa, señor biógrafo. Fíjese bien: estuve en contra de Díaz y sus latifundistas. Ahí están las pruebas y las evidencias. Nuestra moral creció cuando supimos que el dictador renunciaba con la toma de Ciudad Juárez y se largaba a la Francia de sus sueños. Madero, don Pancho, era nuestra esperanza. A él lo habíamos apoyado respaldando el Plan de San Luis. A él lo acompañé caminando a un lado de su automóvil cuando entró entre vítores, serpentinas y vivas a la capital de la República. Ahí estaba Emiliano Zapata al lado del líder antirreeleccionista que había tumbado al viejo tirano después de 34 años de usurpación del poder. Le creí a Madero hasta que le permitió a León de la Barra hacer las veces de presidente provisional y me mandó a Victoriano Huerta a Morelos para que acabara con el zapatismo. ¿Cómo fue a permitir Madero que un esbirro de don Porfirio ocupara el puesto que le correspondía a él y luego consintió en que el chacal viniera a despedazarnos? ¿No dijo Huerta que exterminaría hasta el último zapatista del estado y traería hombres y mujeres de otros lugares para poblar Morelos con gente sana y trabajadora? Cuando finalmente don Pancho llega a la Presidencia de la República, y de pura chiripa porque León de la Barra ya lo estaba impidiendo, al extremo de que cuando Madero le pedía audiencia al presidente, éste se disculpaba alegando la atención de asuntos de Estado, ¿no me advirtió don Pancho que debería rendirme incondicionalmente y salir de Morelos, aun cuando en pláticas personales yo le había indicado que no lo haría a ningún precio? ¿Eso es lo que debíamos esperar de él, de la nueva autoridad federal, una nueva amenaza en lugar de que nos devolvieran nuestras tierras? ¿No habíamos publicado el Plan de Ayala con todo un proyecto de distribución de la tierra? ¿Se ignoraba? ¿Madero, como Díaz, siendo aquél también en el fondo un latifundista acaudalado, se olvidaba de nuestras peticiones? La respuesta sería la guerra cuando tuviéramos parque y hombres, y la guerrilla cuando careciéramos de ambos. Yo fui siempre leal a Madero, pero me traicionó al igual que a mi ejército, al pueblo de Morelos y a la nación entera. Alguna vez habré de llegar con veinte mil hombres a Chapultepec, sacaré al presidente del castillo y lo colgaré de uno de los sabinos más altos del bosque... ¿Por qué callar todo esto, señores historiadores?

Si no nos pudimos entender ni con Díaz ni con Madero, menos nos íbamos a acercar a negociar con Victoriano Huerta, nuestro histórico enemigo, asesino de indios, como los yaquis. Cuando llegó a nuestros oídos que Madero y Pino Suárez habían sido asesinados y que nada menos Huerta era el nuevo presidente, ya no dudamos quién había sido el criminal autor del atentado y pusimos nuestras barbas a remojar: con Huerta en Chapultepec no podía esperarnos nada bueno y nada bueno nos llegó. Nosotros seguimos en nuestra lucha sin cuartel, siendo que las noticias empezaban a sernos favorables: no estábamos solos en esto ni el chacal podría devorarnos a su antojo. Carranza, otro perfumadito hacendado del norte, se había levantado en armas en contra de Huerta protestando por el magnicidio. Mi general Villa hacía lo propio. Yo me mantendría en la línea. Nadie le haría el caldo gordo al nuevo tirano ni yo tendría que enfrentarlo solo. Aquí estallaría la verdadera revolución. ¿Nacía la verdadera oportunidad de recuperar lo nuestro? ¡Vámonos al monte! Descansemos sólo durante la temporada de lluvias para sembrar y que nuestras familias no se mueran de hambre. Tumbemos caña: no podemos quedarnos sin salarios y sin tortillas. Es la época del año en que debemos enfundar las pistolas y guardar en los graneros nuestros 30-30...

Ya en 1913 Venustiano Carranza lo invita a apoyar el Plan de Guadalupe. Zapata se resiste una y otra vez desde el momento en que se niega a someterse a cualquier autoridad presente o futura. Las negociaciones entre Carranza y Zapata conducen a un punto muerto, a posiciones irreductibles. Zapata insiste en que la base de todo acuerdo era la aceptación de los principios del Plan de Ayala por los constitucionalistas, es decir, el reparto de tierras sin condiciones ni dilaciones. Carranza exigía, por su parte, el sometimiento del Ejército del Sur a las fuerzas federales. Se opone a toda discusión en torno al reparto de tierras. Las cartas y documentos confidenciales de Carranza identifican a Zapata como "el enemigo..." Quien se opusiera al Plan de Guadalupe sería ejecutado...

Y cómo no señor biógrafo: ¿que no estaba yo ahí para pelear por los míos y nuestras tierras? ¿Cómo iba yo a ceder si Carranza estaba adoptando la misma posición de Porfirio Díaz, de León de la Barra y de Madero? Si no nos restituían nuestras tierras era inútil que nos sentáramos a hablar. ¿Hablar de qué? ¿No hay tierras? ¡No hay pláticas! Tres presidentes en cadena y tres rechazos a nuestras peticiones. Así seguiríamos hasta llegar a cien presidentes, a mil, a diez mil jefes de Estado si no accedían a devolvernos lo nuestro. Claro que para comprar municiones continuaríamos exigiendo préstamos forzosos a los latifundistas que empezaban a salirse ya no del estado, sino del país. La carencia de pertrechos de guerra era para nosotros cada vez más angustiosa. Villa nunca pudo abastecerme a pesar de todas sus promesas. ¿Cómo contener a mi gente si ni siquiera les podía dar un máuser y un par de cartuchos? Temía yo la desbandada ante la falta de acción y de avance de nuestro movimiento. El parque que podíamos obtener de los federales corruptos era insuficiente y, por supuesto, Carranza no me iba a dar ni un fulminante, a menos que me plegara yo al Plan de Guadalupe. ¿Y él por qué no se plegaba al Plan de Ayala...? A pesar de que la industria azucarera nacional se desplomaba y la economía se iba al garete, nosotros, necios en nuestras reclamaciones, continuaríamos quemando cañaverales y haciendas, saqueándolas a nuestro paso, aun cuando transitoriamente nos lastimáramos al destruir nuestras propias fuentes de empleo. El campo morelense, tan rico para unos cuantos, estaba devastado, arruinado, abandonado. Al igual que las ciudades del estado, todo se convertía en pueblos fantasmas llenos de paredes tiznadas y casas sin techo, tiendas cerradas y calles vacías a cualquier hora del día. Una quinta parte de la población había emigrado o había muerto o sido deportada o fusilada o colgada. La hacienda, de hecho, había desaparecido por el fuego y la violencia. Los molinos se encontraban desmantelados. Todo el estado era una ruina. No había una sola piedra puesta sobre la otra. Los maizales aparecían con la matas amarillentas después de la última cosecha meses o años atrás. En los pastizales no se encontraba ganado. La gente vivía puertas para adentro, si acaso salía a hacer un breve mandado. En los hogares morelenses privaba el miedo, el pánico a un nuevo luto, a un nuevo e irreparable dolor. Los viejos dirigentes y la autoridad eran ya inexistentes... ¿Traición? ¡Claro que no! Es la revolución señores: se trata de romper el orden establecido con sacrificios para todos. Es el precio que paga un país cuando los que tienen se niegan a abrir el puño y hay que emplear la fuerza para lograrlo. La humarada morelense ya se veía desde cualquier parte de la nación. La policía incendiaba nuestros pueblos como represalia: ¡maten a los zapatistas donde los encuentren!, era la consigna. Nos etiquetaron como unos forajidos y bandidos. Para ellos, éramos unos cobardes a quienes no podían encontrar en la sierra y porque no dábamos la cara en un combate abierto, franco. Después de incendiar ingenios, preparar celadas para cazar federales, secuestrar capataces y ediles para fusilarlos por traidores, nos desvanecíamos en el bosque con la llegada de la noche.

Sólo que la historia era cada vez más convulsa. No bastaba con que entre todos los mexicanos estuviéramos haciendo añicos a nuestro país con tal de sacar a Huerta del poder, no, qué va, faltaba ahora una nueva intervención norteamericana en Tampico y otra en Veracruz, nos faltaba en plena revolución un desembarco militar en nuestros dos principales puertos. El jefe de la Casa Blanca, añorando los años democráticos de Madero, se había convertido en un enemigo feroz del exterminador de la libertad en México y también se propuso derrocarlo echando mano de diversos recursos, sí, ni hablar, su participación fue determinante y su apoyo militar y el abasto de armas, municiones y dinero fueron definitivos, pero la verdad de las cosas, la invasión yanqui nos puso en un predicamento: o luchar contra Huerta, el enemigo común, o suspender las hostilidades domésticas y emprenderla contra los gringos nuevamente intervencionistas. ¿A quién atacar, a los gringos o continuar combatiendo a los nuevos usurpadores y asesinos, como Huerta y Blanquet? Si la patria era primero y es primero, ¿a quién atacar antes para no parecer traidores?

¿Por qué para los biógrafos dos más dos son cuatro y no explican los dilemas, las encrucijadas y las alternativas de quienes tienen que tomar las decisiones históricas que pueden matar o impulsar un movimiento como el zapatista? La apuesta militar y política consistía en continuar luchando sin tregua ni cuartel en contra de Huerta para que cuando finalmente se fuera, de la misma manera los gringos se largaran con él: suponíamos —y no nos equivocamos— que los güeros no venían a quedarse indefinidamente ni pretendían engullirse el país de una mordida. El trágico bombardeo de Veracruz desde la fragatas gringas fue para espantar y arrinconar al chacal. ¿Fui un traidor, señor biógrafo, porque no fui a luchar contra los invasores y seguimos dándole la batalla a Huerta? La historia nos dio la razón. Largado Huerta se largaron los norteamericanos. No sé si en el futuro se nos haga de alguna manera justicia, alguien siempre tratará de lanzarnos dardos envenenados. Al menos ahí están los hechos, siempre tercos, de nuestro lado...

En abril de 1915 Obregón vence a Villa en el Bajío, y Pablo González inicia la campaña final contra Zapata y sus huestes, quienes eran entendidos por los carrancistas como forajidos sin la menor idea de cómo gobernar. "Carranza es un viejo egoísta y personalista que no está interesado en las reformas inmediatas", dice de él Zapata.

Cuando Obregón derrota finalmente a Pancho Villa en Celaya, los malditos constitucionalistas, también mis enemigos, enderezan sus baterías en contra nuestra. Por supuesto, Carranza se cuida mucho de mandar nuevamente a Obregón para que nos arrasara. Era claro que empezaba a temerle y deseaba disminuir el prestigio creciente que tenía entre la tropa y entre todo el generalato federal. González, señor historiador, un general famoso porque nunca había ganado una batalla, llega a barrer con los zapatistas. Su principal problema sería dar con nosotros. Emboscaríamos a los carrancistas; les haríamos como nadie y como nunca antes la guerra de guerrillas; agotaríamos su paciencia; los debilitaríamos paso a paso. Esto nos perjudicaba porque en ningún lugar podíamos estar el tiempo suficiente como para ejecutar nuestras reformas agrarias. Ellos, por contra, venían con todo el tiempo del mundo a desaparecer poblaciones enteras, a saquear nuestras casas, a violar a nuestras mujeres, a llevarse caballos, mulas, reses y gallinas para venderlas o para comérselas. Querían poner al pobre pueblo de rodillas para que nos entregáramos, pero eso sí, jamás lo lograrían: rendirnos ¡jamás! Mientras quedara un solo zapatista vivo ahí habría una posibilidad de justicia y de restitución de tierras. Todos lo sabíamos, nadie renunciaría aun cuando nos llamaran forajidos. ¿Éramos unos forajidos por no permitir que nos robaran lo nuestro? ¿Forajidos por reclamar lo que nos pertenecía? Un día me podría ver cara a cara con Carranza para preguntarle de qué lado estaba. ¿La revolución no intentaba resolver el problema del campo, la injusticia prevaleciente de generación en generación? Traidor. Carranza era un traidor. Yo seré muy ignorante y no sabré cómo gobernar. Nadie podría discutir todo ello: sólo que yo no quería gobernar, sino repartir tierras. En eso había empeñado mi vida entera, y los constitucionalistas y su jefe jamás lo habían entendido. Yo no quiero el poder, quiero tierras para mi gente. Eso es todo. Si usted sigue explicando mi vida así, señor historiador; si usted continúa contando los hechos de esa manera, terminará por confundir a todos sus lectores. ¿Pablo González inicia la campaña final...? Ya lo veríamos...

El 11 de marzo y con arreglo a la Constitución de 1917 se llevan a cabo las primeras elecciones para legisladores federales y presidente de la República. El estado de Morelos no se somete al poder constitucionalista. Sin reconocer al presidente Carranza, Zapata vive replegado en Morelos cada vez con menos fuerzas militares, pero con el respaldo de su pueblo.

A fines de 1918 Pablo González lanza una nueva ofensiva para controlar militarmente el estado de Morelos. Junto con él aparece en el escenario un enemigo igualmente feroz: una epidemia de influenza española, mortal entonces, que causa verdaderos estragos en el territorio zapatista. La población debilitada por la guerra, los desplazamientos, la mala alimentación y las destrucciones fue rematada por la enfermedad. En la sierra, en los campos, en las chozas, la muerte causó un desploblamiento atroz. Una cuarta parte de la población falleció.

Tras la influenza, entró a Morelos el ejército de González, obligando a Zapata a refugiarse en las montañas. En los primeros meses de 1919 todas las ciudades de Morelos estaban ocupadas por las tropas nacionales. Zapata manda una carta a Francisco Vázquez Gómez reconociéndolo como Jefe Supremo de la Revolución. Esta correspondencia se traduce en el acta de defunción política del zapatismo.

En este tiempo, Zapata envía una carta desafiante a Carranza en la que le solicita que renuncie por el bien del país al cargo que ostentaba... Muy a pesar de la ocupación militar y de las severas secuelas de la epidemia, los zapatistas celebran fiestas escondidos entre su gente. La irritación de Carranza llega a niveles intolerables. Niega que Zapata represente las aspiraciones de la gente del campo ni que enarbole el programa social de la Revolución. Carranza fracasa en el intento de hacer que los batallones rojos, formados por los sindicatos anarquistas de la Casa del Obrero Mundial, se enfrenten militarmente a las tropas necias encabezadas por el Caudillo del Sur. Decide entonces aplastar con cualquier medio a su poderoso enemigo político. Recurre a Pablo González. Éste sabría cómo utilizar las armas de Zapata en contra del propio caudillo.

Así fue, efectivamente así aconteció todo: los astros se pusieron en contra nuestra. La campaña militar de González fue devastadora. Nada parecía estar a nuestro favor. De cada cuatro morelenses, uno murió de influenza. Entre el fuego de la metralla, la despiadada persecución y la peste, las casas y las familias se fueron cubriendo de luto. Ninguna ciudad o pueblo zapatista quedó bajo nuestro control. ¿Huir entonces, como me sugirieron unos colegas, usando lentes oscuros y rasurándome el bigote? Airado les contesté que yo, en primer lugar, no huiría por nada del mundo, y, en segundo, porque no era "afeminado ni torero ni fraile..." Aceptaría todas las consecuencias y correría todos los riesgos propios de mi posición política... El daño fue incalculable, sí, sólo que nadie me traicionaba porque entre nosotros no había traidores: había esperanza en el resurgimiento. Había confianza en Miliano. Carranza tenía que entender que aun cuando todo el estado de Morelos fuera reducido a cenizas, incluido el bosque, los cañaverales, los campos, pueblos y caseríos, aun cuando Anenecuilco y Ayala fueran un par de brasas en extinción, los zapatistas no nos rendiríamos. Sólo dejaríamos de pelear con todo lo que tuviéramos a nuestro alcance si nos devolvían nuestras tierras o nos metían un par de tiros en la cabeza o nos colgaban de un sabino. Antes no teníamos nada que discutir. Las cosas se resuelven más fácilmente cuando está uno dispuesto a dar la vida a cambio de un ideal. ¿Hay algo más caro que la vida? Ningún carrancista entendería nuestra postura...

¿Por qué el historiador cuenta a grandes zancadas todo lo acontecido, dejando fuera de la narración pasajes clave dentro del movimiento zapatista? El historiador no debe tomar partido y tal

parece que en este caso usted se encuentra de lado de los carrancistas. De haber habido objetividad en la crónica se debería haber mencionado que después de la caída de Huerta se organizó la Convención de Aguascalientes para conciliar los intereses políticos y militares de los grandes jefes de la Revolución. ¿Qué hizo Carranza cuando resultó electo Eulalio Gutiérrez como presidente de la República y se descartó su candidatura? Simplemente se levantó en armas en contra de todos nosotros, desconociendo cualquier resultado de la convención que él mismo había convocado. ¿Cuál democracia? ¿Cuál constitucionalismo? ¿Cuáles libertades? Carranza quería la presidencia a cualquier precio: los principios y móviles de la Revolución podían esperar. Antes que nada para él estaba el poder...

Yo, por mi parte, y en medio de la nueva revolución que estallaba por culpa de Carranza, aproveché mi tiempo para continuar con mi obra en Morelos. Manuel Palafox y yo fundamos el Banco Nacional de Crédito Rural; establecimos Escuelas Regionales de Agricultura; constituimos una Fábrica Nacional de Herramientas Agrícolas y creamos seis comisiones agrícolas para levantar planos topográficos, definir los límites de un centenar de pueblos y proceder de inmediato a la asignación de las tierras de cultivo, de las aguas respectivas y de los bosques. Estábamos creando un puño invencible. ¿De qué les iba a servir a los campesinos morelenses entregarles la pura tierra si no sabían cultivarla y, si sabían hacerlo, cómo iban a explotarla si les faltaba capital para semillas o fertilizantes o herramientas o agua? Dar la tierra por la tierra era un suicidio. Asignaríamos predios, pero con la certeza de que serían trabajados. En lo que hacía a los ingenios azucareros, mis generales los operarían, tal y como fue el caso de Temixco, Atlihuayán, Zacatepec y Hospital, administrados por De la O, Amador Salazar, Lorenzo Vásquez y Emigdio Marmolejo, respectivamente. La riqueza que generaríamos conjuntamente se repartiría en beneficio de todos en un futuro cercano. ¿Verdad que no todo es tan simple como decir que Pablo González enderezó una ofensiva final en contra del zapatismo pasando por alto la distribución total de la tierra? ¿Por qué no la distribuyó

Porfirio Díaz en 30 años o lo inició León de la Barra o Madero para apagar tantas mechas prendidas? Si ya Carranza me llamaba forajido, era claro que la Reforma Agraria en sus manos iba a ser un fracaso y se iba a ejecutar una nueva traición en contra del campesinado mexicano. Contamos con tres años maravillosos para instrumentar los cambios en nuestro estado. ¿La Constitución de 1917? Palabras, palabras y palabras: en Morelos estaban las realidades, los cambios, las asignaciones de terrenos, el trabajo en equipo, la futura prosperidad que todos anhelábamos. Nuestro sueño se realizaba finalmente gracias a la Revolución. Había trabajo para todos. Contábamos con tierras fértiles y entusiasmo creciente. El carrancismo era solamente el ruido del chicharronero. ¿Aplicación práctica, bondad y progreso? ¡Únicamente el zapatismo!

Sólo que en lugar de entender que éramos un ejemplo a seguir en todo el territorio nacional, en lugar de concedernos la tribuna para explicar lo que pasaba en Morelos, la verdadera revolución con todos sus beneficios colectivos, Carranza, ya electo presidente de la República y apoyado por Estados Unidos, nos señaló como un foco de pus en el organismo nacional, una podredumbre que tenía que ser extirpada sin tardanza. Éramos el enemigo a vencer después de haber sido aniquilada la División del Norte, un movimiento que debería ser desmantelado, sus líderes fusilados y sus militantes encarcelados o escarmentados. Carranza puso entonces todo a su alcance con tal de destruirme y destruirnos...

A mediados de marzo Zapata se enteró de ciertos informes que hablaban de una profunda discordia entre Pablo González y el coronel Jesús Guajardo, el mejor comandante del 15° Regimiento de Caballería. González le había ordenado a Guajardo, un devoto de aquél, que atacara a los zapatistas. A cambio de ello fue sorprendido en una cantina. Es arrestado con los cargos de insubordinación. Estalla el escándalo. Zapata lo invita a través de una carta, que le costaría la vida, a unirse a las tropas zapatistas, entre las que sería recibido con las consideraciones merecidas. La carta es interceptada por González. Este último consulta a Carranza en persona. Obtiene la anuencia de armar el plan para aniquilar a Zapata. El presidente de la República acepta los detalles del asesinato. Ejecútalo hoy mismo, si puedes. González justificaría su acción alegando que, si bien era una traición, el jefe suriano también había provocado a Guajardo para cometer un acto igual...

González comprometió primero la participación de Guajardo. Lo amonestó y lo acusó no sólo de ser borracho, sino más grave aún, traidor, mostrándole como prueba la carta enviada por Zapata. Si todavía quería demostrar su inocencia, le hizo saber que debería participar en el plan para atrapar al Atila del Sur. En el mes de abril de 1919, Guajardo, de acuerdo con sus superiores, acepta desde la hacienda de San Juan Chinameca la invitación de Zapata para unirse con sus fuerzas al movimiento campesino a cambio de suficientes garantías para él y sus compañeros ex constitucionalistas...

—Entrégame a Zapata vivo o muerto para demostrar tu lealtad —dispara Pablo González a la cara de Guajardo.

—Será usted recibido con los brazos abiertos —aduce Zapata en una nueva carta.

Él, el caudillo del Sur, tiene excelentes referencias de Guajardo como hombre de convicciones y de ideas firmes, las necesarias para luchar por el bien general de la clase humilde. El 8 de abril Guajardo hace pública en Cuautla su "rebelión", saliendo con todos sus hombres rumbo a Jonacatepec, tal y como Zapata le había ordenado. En la mañana del 9 de abril ocupó la población en acatamiento de las instrucciones de aquél. Zapata llegó con su escolta hasta una pequeña estación de ferrocarril al sur de ese poblado. A pesar de haber recibido informes de que se le preparaba una trampa, mandó llamar a Guajardo con treinta de sus hombres de escolta.

Guajardo se presenta con una columna de 600 soldados y una ametralladora. Zapata lo recibe dándole un abrazo. El futuro asesino le regala un fino caballo alazán, el *As de Oros*. Los dos militares avanzaron hasta Tepalcingo. El traidor rechaza una nueva invitación de Zapata, esta vez para cenar. Alegando dolor de estómago se retira a la hacienda de Chinameca. El jueves 10 de abril, en la misma hacienda discutirían el futuro.

Zapata pasa la noche en Tepalcingo con la mujer que ama. Cerca de las tres de la mañana se levanta sobresaltado y pide su caballo, dice que algo anda mal, que hoy habrá muchas novedades, que está copado y que quién sabe qué quieren hacer con él, quizá una negra traición... Muy temprano parte velozmente con su escolta hacia la hacienda de Chinameca. La conversación entre Zapata y Guajardo se interrumpe con la supuesta noticia de que las fuerzas nacionales se acercaban a la zona. El general ordena a Guajardo que prepare la defensa de la hacienda. Manda varias patrullas, con sus propios hombres, a reconocer el terreno. Zapata regresa a los alrededores de la hacienda a la una y media de la tarde. Guajardo había dispuesto, en aquel entonces, que diez de sus oficiales de confianza, disfrazados de soldados, montaran la guardia en la puerta del casco de la hacienda con la consigna de disparar contra Zapata tan pronto lo tuvieran al alcance del fuego. Zapata decide esperar a un contingente de los suyos. Guajardo insiste en que pase al interior de la hacienda. Estará más cómodo... A las dos y diez, montado en el *As de Oros,* hace su entrada trágica a la hacienda, acompañado de tan sólo diez de sus inseparables hombres.

Cuente, cuente señor historiador. Diga la verdad completa. Explique las razones. No reduzca usted su narración a una mera repetición de los hechos: Carranza tenía que asesinarme con el sobado pretexto de la pacificación del país. La verdad era y es que me había convertido para él en un espejo en el que no quería verse reflejado. Yo no representaba ya ninguna amenaza militar para la nación, sobre todo después de los estragos y de la masacre de zapatistas que ocasionó el general Pablo González en nuestras filas, en nuestra gente y en nuestro medio. ¿No dijo una y mil veces el presidente que repartir tierras era "descabellado", cuando el origen de la Revolución era precisamente la concentración de tierras en tan pocas manos? ¿Cómo iba a ser descabellado si ésa era la única solución? ¿Qué pretendía Villa en el norte y yo aquí en el sur? ¿De qué se trataba? ¿No luchábamos cada quien, a nuestra manera y en nuestras respectivas trincheras, en contra de todos los Terrazas y sus seis millones de hectáreas y sus Chihuahuas dentro de mi rancho y nosotros aquí, no cumplíamos con nuestra parte peleando contra las haciendas azucareras que nos asfixiaban día con día, perdiendo nuestros espacios de cultivo porque requerían más y más áreas de producción?

Carranza no quería saber de mí porque el movimiento zapatista lo exhibía ante el congreso constituyente, lo exhibía políticamente como un burgués incapaz de entender la causa campesina, como un político insensible ajeno a las miserias y a las carencias del pueblo y como un traidor a las más altas metas de la Revolución. Mientras yo existiera lo mostraría como él no deseaba ser visto por el electorado ni por la opinión pública. ¿Carranza un reaccionario y un traidor que no repartiría tierra a quien no tenía ni para sembrar una triste milpa? ¿Carranza incondicional de los latifundistas hambreadores del pueblo? Era mucho más fácil esconderme tres metros bajo tierra, desaparecerme del escenario político, enterrar mis razones, mis principios y mi ideología para que no se volviera a hablar de la concentración de tierras en México, que en buena parte era y es una de las causas de nuestro atraso. Los periódicos ya no le recordarían cada mañana la existencia infeliz y molesta de Zapata. Ya no. En lugar de coronar el movimiento armado con un reparto masivo de tierras y promulgar leyes agrarias de vanguardia en un país de 15 millones de habitantes, de los cuales 13 dependían del campo; en lugar de dedicarse a resolver el problema de fondo del país para que el día de mañana no volviera a estallar de nueva cuenta la violencia por las mismas razones que en 1910; en lugar de cambiar la rueda cuadrada del campo dentro de la economía nacional, resultó mucho más sencillo matarme, mandarme asesinar como un hampón, sin detenerse a revisar mis trabajos y mis avances en el estado de Morelos. Para él los cambios instrumentados por los zapatistas eran basura, inutilidad y fuentes de conflicto, cuando en realidad quien no desmantelara la bomba de tiempo del campo tarde o tem-

prano escucharía o asistiría a una nueva explosión social tan o más devastadora que la presente.

¿Matarme? ¿Acribillarme a balazos? ¿Con eso se resolvía el viejo problema agrícola de México? ¿Así se erradicaba el hambre de este país? ¿Así se ponía a trabajar la inmensidad de tierra ociosa con la que contamos? ¿Así se atacaba la mortandad, el hambre y la desesperación en el campo y se impedía que sus habitantes angustiados e impotentes tuvieran que emigrar al norte en busca del bienestar que no les concedía la patria, comprometiendo con ello las posibilidades alimenticias de México? Las balas. Menudo lenguaje adquirió el padre de la Constitución de 1917...

Un joven asistente narra:

> La guardia formada parecía preparada a hacerle los honores. El clarín tocó tres veces llamada de honor. Al apagarse la última nota con la llegada del General en Jefe al dintel de la puerta... a quemarropa, sin dar tiempo para empuñar ni las pistolas, los soldados que presentaban armas descargaron dos veces sus fusiles y nuestro general Zapata cayó para no levantarse jamás.

Antes de que Guajardo llegara a Villa de Ayala con el cuerpo de su víctima atravesado en una mula, la noticia ya había cundido. A Cuautla, la información llegó por teléfono. Pablo González preparó al mismo tiempo la defensa de Cuautla. Ordenó que el cadáver fuera fotografiado.

Un escueto comunicado del Estado Mayor Presidencial, firmado por González y dirigido al señor presidente de la República, consigna:

> Cuautla, Mor., 10 de abril. Venustiano Carranza: "Con la más alta satisfacción tengo el honor de comunicarle a usted que en estos momentos (9:30 p.m.) acaba de llegar a esta ciudad el C. Coronel Jesús Guajardo con sus fuerzas trayendo el cadáver de Emiliano Zapata, que por tantos años fue el Jefe de la revolución

del Sur y la bandera de la irreductible rebeldía de esta región. De acuerdo con los informes verbales que debe haber rendido a usted el Gral. Vizcaíno, jefe del Estado Mayor, se desarrolló el movimiento preparado, dando por resultado que el famoso cabecilla suriano se viera precisado a combatir con las fuerzas del Coronel Guajardo, siendo muerto en lucha, así como tres o cuatro de los principales jefes que lo acompañaban, y respecto de los cuales se hará la identificación precisa para comunicar sus nombres, junto con otros detalles que por el momento omito, a fin de enviar sin demora la importante noticia que le comunico. Felicito a usted calurosamente Sr. Presidente, y felicito por conducto a la Nación entera, por el señalado triunfo que ha obtenido el Gobierno constituido y por el importante adelanto que se obtiene de la pacificación efectiva de una región importante del país, con la muerte del cabecilla del Sur, que por tantos años había de mantenerse fuera del alcance de las más terribles persecuciones que se le habían hecho, cayendo ahora sólo en virtud de los planes especiales que se desarrollaron contra él. El cadáver de Zapata ha sido identificado, perfectamente identificado, y se procede a inyectarlo para mañana tomar las fotografías del mismo y para que pueda ser visto por cuantos lo deseen o pudieran dudar de que es un hecho efectivo que sucumbió el famoso jefe de la rebelión sureña. Con enviado especial remito mañana las fotografías. Salúdolo respetuosamente. Gral. en Jefe Pablo González.

Carranza, satisfecho por el asesinato de Zapata y para sellar el episodio, ascendió a los oficiales y soldados que habían participado en el crimen. Guajardo no sólo fue elevado de rango en la jerarquía militar a general de brigada, sino que también recibió una recompensa de cincuenta mil pesos, misma que repartió entre los hombres que lo habían ayudado a traicionar a Zapata. Su autoimagen le hizo suponer que contaba con el prestigio público para lanzarse como precandidato a la Presidencia de la República en las elecciones de 1920. No pudo alcanzar esa aspiración política. Murió fusilado meses después por rebelarse contra el presidente De la Huerta.

El día 12 de abril, a las dos de la tarde, el general Emiliano Zapata fue sepultado en el cementerio de Cuautla. Largas caravanas integradas por el pueblo de Morelos, consternadas y desmoralizadas, siguieron el cortejo del Jefe de la Rebelión del Sur. Quedarían como huérfanos agrícolas y políticos hasta nuestros días.

En 1920, muerto Zapata, los revolucionarios de Morelos fueron oficialmente reconocidos como cuerpo político legítimo de México. Uno a uno fueron deponiendo las armas mientras Zapata podría haber muerto, otra vez, de la decepción y de la frustración por tanto esfuerzo desperdiciado. Se repartirían tierras en pequeña escala durante el gobierno de Obregón para tranqulizar a los ex zapatistas. Más se intensificaría la reforma agraria durante el cardenismo que repartió profusamente el patrimonio agrícola del Estado entre sus legítimos tenedores. La conquista política se había logrado.

El crimen cometido en la persona de Zapata se inscribe como una de las más estremecedoras traiciones de nuestra historia. Su violenta desaparición política torció sin duda el destino de México.

¿Qué quieres que te diga ya señor historiador? Fui traicionado como tantos otros hombres en la historia de México. Mira, mira cómo me dejaron: 20 orificios de bala en todo el cuerpo y la impotencia de no haberme podido defender ni haber podido devolver el fuego ni a uno solo de mis victimarios. Nunca jamás morí en lucha. ¿Cuál combate? Fui cobardemente traicionado y me mataron sin haber podido siquiera escupir a la cara de mis asesinos... Hijos de puta, traidores, miserables... Quien me mandó matar y orquestó la traición, el propio presidente de la República, don Venustiano Carranza, también caería muerto víctima de una trampa. ¿Guajardo? ¡Claro que Guajardo moriría fusilado! Qué más quisiera yo que a todos los guajardos de la tierra les esperara la misma suerte. ¿No sería una auténtica maravilla que todos los traidores, como Judas, perecieran colgados o fusilados? Mi asesinato lo narraste estupendamente bien, como si te hubiera movido un morbo especial al redactarlo. ¿Te has fijado cómo el

sepulturero trabaja mecánicamente ajeno al dolor de los deudos? Él abre la fosa, baja el ataúd, lo cubre con tierra y se retira a abrir otra sepultura sin detenerse ante el llanto, la pena o la colocación dolorida de la primera rosa depositada sobre el féretro. ¿Cuáles discursos y cuáles lágrimas? No hay tiempo para eso: a mí me pagan por fosa de la misma manera, señor historiador, que a usted deben pagarle por cuartilla... Bravo, bravo. ¿Por qué no dijo, por elemental justicia ante los que ya no podemos hablar ni defendernos de las calumnias, que Anenecuilco, al día de hoy, está exactamente igual que cuando mi tío abuelo, José Salazar, cruzó por primera vez las líneas realistas para llevar tortillas, sal, aguardiente y pólvora a los insurgentes? No ganamos nada. Verdad de Dios que la miseria nunca acabará...

—¿Qué más quería que dijera? Parece que los hombres como usted tienen una vanidad insaciable.

Si hubiera sido vanidoso hubiera siempre querido llegar a Palacio Nacional o al Castillo de Chapultepec y ustedes, los historiadores, recogieron la escena cuando Villa y yo no queríamos sentarnos en la silla presidencial en los días en que Carranza huyó a Veracruz después de la Convención. No señores, no, yo pretendía repartir tierras, hacer justicia agraria y después dedicarme a mis caballos y a las fiestas del pueblo, a montar, a mi familia y al campo en general. Nunca pretendí la gloria ni fui vanidoso ni soberbio. ¿Terco? Sí; obstinado, también. Su acusación es falsa y usted lo sabe...

—¿Qué más quería que dijera, entonces, señor Zapata?

Me hubiera gustado que dejara comparado en sus cuartillas cuántas personas descalzas asistieron al entierro de Madero o de Carranza o de Obregón y cuántas asistieron al mío o al de mi general Villa. ¿Por qué no contar las filas interminables de gente que me lloró, que me quería ver con el niño lactante envuelto en el rebozo y con los pies llenos de costras de lodo y que hubiera esperado una vida entera con tal de verme una vez más aun cuando ya estuviera yo muerto? El día de mi entierro sólo había cabezas humilladas, trajes de manta y desgastados sombreros de palma detenidos por manos encallecidas y agrietadas como la tierra.

¿Usted ha visto llorar a un pueblo? ¿Por qué no decir que al asesinarme a mí estaban asesinando al pueblo de México, estaban silenciando a una voz que hablaba por ellos, una voz por donde respiraba la mexicanidad, sus verdaderas necesidades y aflicciones: estaban estrangulando su futuro, a su gente, a sus más íntimas aspiraciones? ¿O cree usted que quienes acompañaron a Madero o a Carranza al panteón, vestidos de negro y con sombrero de copa, tenían algo que ver con el pueblo? Diga, diga usted que al asesinar a los genuinos representantes del pueblo de México se estaban traicionando ideales, principios, metas y los más caros valores de la nación. Han creado un monstruo que un día nos engullirá a todos: a ustedes, los historiadores, también...

FRANCISCO SERRANO Y ARNULFO GÓMEZ: LA OPOSICIÓN EXTERMINADA

Era el 3 de octubre de 1927. Una breve comitiva integrada por tres vehículos militares y escoltada por 100 soldados de a pie, se acercaba lentamente de Cuernavaca a la ciudad de México. Conducían, en el más sigiloso secreto, a un grupo de distinguidos presos políticos rumbo a una prisión en el Distrito Federal. Apenas habían dejado atrás el pueblo de Tres Marías y se acercaban a Huitzilac, cuando repentinamente se detuvo la procesión al encontrarse con otros automóviles que venían en sentido contrario. El general Claudio Fox, jefe de operaciones militares en el estado de Guerrero, se apeó de un Lincoln convertible, último modelo, propiedad del general Joaquín Amaro, secretario de la Defensa Nacional. El brillo de sus botas era imponente. De inmediato se dirigió a Nazario Medina, el jefe encargado del destacamento, para sostener con él un intercambio de palabras. Éste se cuadró marcialmente con tan sólo constatar los galones y las estrellas en la indumentaria de su superior. El desconcierto se apoderó de los presos. ¿Qué pasaba? ¿Qué acontecía? ¿Quién era el uniformado? ¿De qué se trataba...?

Al concluir la fugaz entrevista los detenidos fueron bajados a gritos y empujones de los automóviles. Acto seguido, se les concentró en un mismo lugar. Unos protestaban, otros se resistían, sin embargo, a ninguno de ellos escapaba el significado de la instrucción. En ese paraje apartado y solitario ya nada los salvaría: serían irremediablemente asesinados. Sus minutos estaban contados. Se vieron entre sí, se consultaron en silencio sin confesar el pánico que ya asomaba trémulo en sus labios. Habían adivinado su destino. ¡Imposible ignorar los alcances de Calles y de Obregón con tal de retener el poder en sus respectivos puños! No se detendrían ante nada ni ante nadie: el poder era el poder...

Unos tenían los ojos húmedos y la mirada perdida; los más serenos delataban su resignación con la vista clavada en el suelo, como quien evalúa su responsabilidad y pretende extraer el último sentido a su existencia. No faltaba quien mostrara un rostro impertérrito, o una serena gallardía ante lo inevitable, o quien se arrepintiera y lamentara su suerte, o finalmente, quien, enfurecido por la impotencia, indignado por el atropello, todavía maldijera con valentía al presidente de la República y a Obregón, el caudillo, por otra arbitrariedad más, cometida ya no sólo en contra de ellos, sino en perjuicio del país y de la evolución democrática de la nación. Este último fue silenciado con un culatazo de 30-30 en plena dentadura y rematado con otro golpe brutal en el estómago al echarse para atrás con la boca ensangretada. ¡Calladito, cabrón...! Tirado en el piso los militares lo patearon hasta cansarse. Acto seguido fue jalado de la corbata e incorporado al resto del grupo entre insultos y amenazas. La zozobra creció entre los detenidos, más aún cuando se percataron de la cara destrozada a culatazos de quien seguramente hubiera sido el secretario de Hacienda en el próximo gobierno federal.

Juntos, como el arriero que espera la orden del capataz para abrir la compuerta y dar muerte uno a uno a los animales encerrados en el corral, así se encontraban inmóviles e impotentes, incapaces de sustraerse a su destino, el general de división Francisco R. Serrano, candidato a la Presidencia de la República, además de varios integrantes de lo que hubiera sido su equipo de trabajo: el general Carlos A. Vidal, Miguel A. Peralta y Daniel L. Peralta, Rafael Martínez de Escobar, Alonso Capetillo, Augusto Peña, Antonio Jáuregui —sobrino de Serrano—, Ernesto Noriega Méndez, Octavio Almada, José Villa Arce, Otilio González, Enrique Monteverde y el ex general Carlos V. Ariza...

El año de 1927 marcó un sangriento episodio más en la historia de México. Los hechos estremecedores quedaron grabados en la conciencia de quienes presenciaron con horror los métodos sanguinarios utilizados para resolver las pugnas y diferencias entre los aspirantes a detentar el poder político de la nación, que aún se debatía entre la violencia y los conflictos sociales causados por la guerra civil de 1910.

Corría el último año del gobierno callista y, por lo tanto, había llegado el momento de iniciar la contienda electoral para ejecutar el cambio de poderes federales de 1928. Era imperativa la definición de alianzas, la aparición en la arena política de nuevos partidos con sus respectivos candidatos a ocupar la famosa silla de elevado respaldo, tapizada en terciopelo verde oscuro, y en cuyo extremo superior izquierdo se encuentra bordada en hilos de oro la figura del águila devorando una serpiente. La renovación de poderes significaba la sustitución obligada del principal inquilino del Castillo de Chapultepec. Ni Calles ni Obregón podían presentarse como aspirantes a la Presidencia de la República simplemente porque en la Carta Magna de 1917 había quedado consignado, también con letras de oro, y después de un siniestro baño de sangre, la gran conquista de la Revolución: Sufragio efectivo. No reelección. De modo que el jefe del Ejecutivo y su paisano, Obregón, el caudillo sonorense, estaban legalmente excluidos de la promisoria contienda electoral. Uno era el presidente en turno; el otro, ya lo había sido. Si cualquiera de ellos intentaba reelegirse tendría que pasar por encima de la Constitución: ¡Imposible! Para mantenerse o volver al cargo se tendría que reformar la Carta Magna y con ello traicionar el principio más caro del devastador movimiento armado: ¡Imposible, también...!

¿Porfirio Díaz no se había levantado también en armas contra Juárez y contra Lerdo de Tejada a través del Plan de la Noria y el de Tuxtepec, respectivamente, movido por el mismo principio de no-reelección? Y tan pronto el tirano se hizo violentamente del poder, ¿no se reeligió hasta hartarse...? ¿El propio Obregón no había organizado un movimiento igualmente armado, el Plan de Agua Prieta, para impedir la reelección de Carranza? Todo fuera en nombre de la reelección...

Calles, el Turco, el presidente saliente, hermético y observador como siempre, contemplaba atento la marcha de los acontecimientos, tratando de llenar los vacíos políticos acercando sigilosamente a sus consentidos al gratificante calor del comal. El jefe de la nación posee siempre una información privilegiada: todas las fuentes concurren finalmente en él. Calles sabía los nombres de los candidatos y de sus grupos de apoyo, sus posiblidades políticas reales, sus fortalezas y debilidades, la solidez y vigencia de las alianzas trabadas, los centros de reunión, la identidad de los convocadores y la firmeza de los acuerdos tomados, que bien podrían ser derogados con un puñetazo asestado sobre la superficie de caoba perfectamente barnizada del escritorio presidencial o ignorados a través de un jugoso soborno u olvidados para siempre por medio de una amenaza... Calles observaba y callaba...

Obregón, por su parte, continuaba viendo la Presidencia de la República, "parado de puntitas", desde la Quinta Chilla, su rancho agrícola de Sonora. Como un rumor que va creciendo en intensidad, el retorno del caudillo a la vida política nacional se había venido convirtiendo, tiempo atrás, en un caudaloso secreto a voces. La sola posibilidad de su regreso creaba un profundo malestar en el proceso electoral. Calles y los precandidatos preferían verlo como un exitoso exportador de garbanzos...

—Un presidente no puede reelegirse —argumentó más tarde el caudillo con su típica sorna norteña—, por supuesto que no: sólo que yo soy ex presidente y al estarme eligiendo no se violaría norma fundamental alguna...

Obregón tendría que pasar por alto principios, postulados, valores, sangre, destrucción masiva, atraso y esperanzas políticas para tratar de reelegirse, además de tener que recurrir a un sinnúmero de malabarismos legales y a juegos infantiles de palabras para lograrlo. ¿Lo intentaría sin detenerse a pensar en que la "traición" a la herencia maderista despertaría una enconada oposición que implicaría la reorganización de los viejos antirreeleccionistas integrados en un solo frente con la suficiente fortaleza como para socavar su prestigio político y militar como caudillo? ¿Se reelegiría?

Francisco Serrano, un amigo de la infancia genuinamente cercano a Álvaro Obregón, a quien lo unía una sólida amistad que se remontaba a sus primeros años en Huatabampo, Sonora, sentía contar con todos los merecimientos como para pretender acceder justificadamente a la Presidencia de la República. Ya desde marzo de 1913, el primero se había unido a las fuerzas constitucionalistas dirigidas por Obregón para derrocar a Victoriano Huerta, el usurpador, después del asesinato de Madero y de Pino Suárez. A partir de entonces y movido por una enorme simpatía hacia Serrano, Obregón se convirtió en su tutor político, nombrándolo en primer término capitán primero de su Estado Mayor; acto seguido, jefe del Estado Mayor obregonista; en 1918, diputado en la XXVIII Legislatura; en 1920, subsecretario de Guerra y Marina y secretario de dicho Ministerio en el gobierno del propio Obregón. Concluye el apoyo cuando, ya como ex presidente, lo hace nombrar jefe del Gobierno del Distrito Federal en el cuatrienio de Calles. Los lazos de amistad eran intensos, ¿no?

La relación protector-protegido era bien conocida y formaba parte de los comentarios recurrentes de la opinión pública, pues se sabía que Serrano era un hombre de carácter alegre y vivaz, que gustaba de la vida nocturna —y también de las actrices y cantantes— y que ello le había llevado a contraer fuertes deudas, también de juego, que Obregón se había encargado de pagar con cargo a la Tesorería de la Federación.

—Serénate, Pancho, serénate si quieres llegar a la presidencia —aconsejaba repetidamente Obregón a Serrano, asumiendo una actitud abiertamente paternalista—: o dejas atrás los escándalos, las viejas y el juego o te tendrás que olvidar de tu carrera política...

Cuando los tiempos electorales fueron madurando, Obregón continuaba contemplándose en el espejo como el hombre más capacitado para llevar al país hacia la reconstrucción social. Yo aglutino a las fuerzas armadas, soy el caudillo, mi nombre mágico unifica a la nación, a la que puedo poner de pie con un solo chasquido de dedos... ¿Por qué desperdiciar mi prestigio y fortaleza política? Obregón comenzó a declinar gradualmente su apoyo a Serrano. Esperaba el momento propicio para manifestar abiertamente su intención de regresar a la vida política. Atrás y para siempre, quedaría la Quinta Chilla y las actividades agrícolas. Calles, por su parte, levantaba la ceja. Escuchaba. Miraba fijamente a la cara a sus informantes. No perdía detalle en las conversaciones políticas. Acaparaba los datos. Ponía la lupa en cada movimiento de su paisano, sobre todo cuando éste regresaba una y otra vez a la ciudad de México con el ánimo de mantener su presencia y hacer evidente que gozaba de una fuerte base popular, política y militar que bien lo podría sostener en caso de presentar su candidatura a la jefatura del Poder Ejecutivo. Calles registraba las insinuaciones y los mensajes.

Serrano empezó a ser considerado como el mejor representante de los intereses del obregonismo. El caudillo callaba. Sus relaciones políticas, su innegable simpatía personal, sus poderes magnéticos le hacían alimentar las mejores esperanzas para llegar a la presidencia. De haber sido un buen lector de las entrelíneas de la política nacional, nunca debería haber dado el paso que le costaría la vida. Sin contar con la aprobación específica de Calles ni del mismo Obregón, anunció sin más, en un auténtico salto al vacío, su postulación como candidato a la presidencia por el Partido Nacional Antirreeleccionista. Esta decisión le acarreó un fuerte enfrentamiento con Obregón, con quien hasta le unían también estrechos lazos familiares.[1] Los recuerdos de cuando "compartían una infancia pueblerina" en Huatabampo, Sonora, quedaron borrados de golpe.[2] La amistad quedó en el olvido cuando Serrano creyó poder arrebatar a su jefe, protector, tutor y amigo la posibilidad de convertirse nuevamente en presidente.

—Es ilegal tu candidatura, Álvaro, entiéndelo con mil carajos. Este país se desangró para que ya nunca hubiera reelección, y tú sales negando la historia y anulando el sacrificio de millones —le disparó un día, en pleno rostro y con no menos audacia, al caudillo.

En ese momento conoció al verdadero Obregón: no lo conoció sorprendentemente con el asesinato de Carranza ni con el de Field Jurado ni con el de Francisco Villa ni con la brutal sofoca-

[1] Serrano y Obregón eran compadres, además del hecho de que Amelia, hermana de Serrano, estaba casada con Lamberto, hermano mayor de Obregón.

[2] Héctor Aguilar Camín, *La frontera nómada: Sonora y la Revolución mexicana*, p. 303.

ción del movimiento delahuertista y el "fusilamiento" de Diéguez, Maycotte, Alvarado y muchos más... Lo conoció hasta que se le puso enfrente y le hizo saber que llegaría a la presidencia con o sin su beneplácito y apoyo. ¿Quedaba claro...?

Obregón anunció entonces públicamente su candidatura reeleccionista, con la previa anuencia jurídica de las cámaras encargadas de aprobar, en noviembre de 1926, las reformas a los artículos 82 y 83 de la Constitución para permitir la reelección no consecutiva,[3] enmiendas legales que le concederían el derecho a volver a ceñirse en el pecho la codiciada banda presidencial.

La balanza se inclinó rápidamente en favor de Álvaro Obregón. Necesitamos un hombre fuerte que lleve, sin titubeos, las riendas del país. Calles tuvo que aceptar la inminente reelección del caudillo, ya que la mayoría obregonista hizo sentir su peso en los diversos ámbitos de la política nacional, obligando al presidente a retirar todo apoyo a sus viejos amigos Luis N. Morones y Arnulfo R. Gómez, de quienes era bien conocido su deseo de llegar a las alturas del Castillo de Chapultepec. Era mejor esperar y analizar los acontecimientos, antes de asestar un golpe final, certero y puntual.

Serrano intentó todavía conciliar posturas con su antiguo protector pidiéndole se retirara de la campaña y desistiera de su actitud contradictoria. La fractura entre ambos era irreparable desde el momento en que Serrano quiso trascender políticamente, brillar con luz propia, lo que fue interpretado por el caudillo como una muestra de ingratitud, deslealtad y traición. Yo te hice hombre, te hice militar destacado, te hice político y te dejé comer de mi mano...

De la misma forma en que Serrano había entrado por la puerta grande a la política nacional apoyado por Álvaro Obregón, Arnulfo Gómez hace lo propio respaldado y custodiado por Calles, de quien esperaba su apoyo incondicional.

---

[3] Sobre las modificaciones a estos artículos y el proceso electoral de 1927, véase María Elena Aragón Benítez, *La campaña presidencial de 1927: apuntes para la historia del antirreeleccionismo en México*, p. 118.

Gómez, también sonorense, extraído del semillero que empezaba a tomar las riendas del país, aparece por primera vez afiliado al movimiento antirreleccionista encabezado por Ricardo Flores Magón en contra de la dictadura porfirista. Sus convicciones políticas no dejaban lugar a dudas. Plutarco Elías Calles lo forma como teniente coronel y más tarde lo eleva a general de división, encargado de la Plaza México, la de Chihuahua y la de Veracruz. Su adicción al callismo ya era innegable desde 1914.

Aún faltaba un año para las elecciones presidenciales. El clima político era efervescente. El reeleccionismo volvió a ser blanco de debates. Gómez sostuvo finalmente un encuentro con Obregón del que también sólo podría sobrevenir la irreparable ruptura. ¿Había otra posibilidad de cara a la voracidad política del caudillo? Ante la pasividad de Calles se convirtió formalmente en junio de 1927 en el otro candidato antirreeleccionista. Calles y Obregón lo miraban de reojo. El candidato empezó a subir el tono de sus discursos y proclamas electorales. No se percataba de que se suicidaba al criticar, condenar y amenazar directamente al caudillo:

—Si se hace una farsa del voto, el único recurso será el mismo que usó Obregón en 1920: la fuerza de las armas.[4]

Como si dicha advertencia hubiera sido insuficiente, todavía suscribió y rubricó su sentencia al declarar enardecido en un mitin en Puebla:

—Obregón y su grupo están destinados a las Islas Marías o simplemente a irse bajo tierra... El caudillo debería llamarse "Álvaro Santa Anna..."

Aun con la anuencia del presidente y con la actitud irónica de Obregón, Gómez y Serrano continuaron encabezando una oposición en contra de la candidatura del caudillo. Los apoyaban el Partido Antirreeleccionista de la Clase Media, el Centro Obrero Antirreeleccionista, el Partido Demócrata Popular, el Liberal Tamaulipeco, el Laborista Mexicano, entre otras organizaciones.

---

[4] Citado en John W.F. Dulles, *Ayer en México, una crónica de la Revolución mexicana, 1919-1936*, p. 308.

Sus intenciones, sin embargo, no durarían más que unos meses. La lealtad de Gómez hacia Calles subsiste; sin embargo, aquél no es acompañado de ninguna manera en sus sentimientos... Las elecciones presidenciales de 1927 significarían para ambos generales el rompimiento con sus otrora compañeros de combate y aún más: la firma de su sentencia de muerte.

Para Obregón no sólo se trataba de aplastar el movimiento antirreeleccionista, sino de decapitar a "los cabecillas" de la oposición, de modo que él se quedara solo en la arena política.[5] Quien se atreviera a ser su contrincante se encontraría con una bala alojada entre ceja y ceja, o, de tener suerte, se le concedería un piadoso destierro... De ahí que tramara junto con Calles un plan mediante el cual haría que tanto Serrano como Gómez se rebelaran militarmente. Ambos hartos, desesperados y frustrados ante la figura invencible de Obregón, invitarían a ciertos sectores de las fuerzas armadas —que el presidente y el caudillo controlaban de punta a punta— a ejecutar un golpe de Estado. Si caen en la trampa y se animan a llevar a cabo la asonada, los aplastaremos como chinches, sin sufrir el menor desgaste ante la opinión pública...

—Arrinconémoslos, Plutarco, hagámosles sentir que no tienen la menor posibilidad de sacarnos del Castillo de Chapultepec. Juguemos con su desesperación y con sus ambiciones —repetía Obregón al oído del presidente, quien asentía con la cabeza sin mostrar la menor emoción ni expresar argumento alguno. El caudillo, con su conocida sonrisa sardónica, le hacía llegar el mensaje al propio jefe del Estado mexicano.

—¿A dónde vas con todo ello, Álvaro?

—Necesitamos dejar que se crezcan, permitir incluso que nos insulten, para exhibir ante la opinión pública nuestras convicciones democráticas. Hablamos de un México libre, ¿no?, de un México nuevo en el que se dan todas las garantías políticas, ¿no es cierto?

---

[5] Rosalía Velázquez, "Serrano y Gómez: la oposición liquidada", *Nuestro México*, núm. 14, p. 5.

—Sí, por supuesto —repuso el presidente con la frente fruncida.

—Como tú tienes que ser el máximo defensor de la Constitución y de la legalidad, lo que haremos es acercarles la idea, filtrárselas inteligente y discretamente, orillarlos a que se convenzan de que la única posiblidad de ganarnos y de acabar políticamente con nosotros es a través de un golpe de Estado ejecutado en contra tuya, Plutarco.

Elías Calles se levantó de su asiento aterciopelado como si lo hubiera mordido un alacrán de los que anidan en los pantanos de Tabasco. Se apartó de su escritorio. Caminó unos pasos con las manos entrelazadas en la espalda. Finalmente se dirigió a Obregón no sin antes cerciorarse de que estaban totalmente solos:

—Tú sabes muy bien que si alguien prende fuego a un bosque puede perecer quemado sólo con que cambie el viento de sentido. No provoquemos incendios, Álvaro... ¿Qué tal que no controlamos el movimiento y se salen con la suya?

—Sólo que fuéramos pendejos, paisano: tenemos gente en el ejército que nos es totalmente leal. Además, nunca se te olvide que no hay general mexicano que aguante un cañonazo de 50 mil pesos...

—Sí, sólo que Serrano y Gómez también le pueden dar a nuestros generalotes, no uno sino dos cañonazos de a 50 mil, y ya verás a dónde vamos a dar nosotros...

—Eso también puede ser —repuso Obregón pensativo—, sólo que si les falla el tiro y no nos derrocan, porque nos puede fallar uno y no todos, entonces saben que los fusilo con tres mil pelotones juntos al otro día. Uno nos puede traicionar, pero no todo el ejército: lo conozco al centavo. Yo sé que no correríamos riesgos.

Cuando Calles regresaba a su lugar, el caudillo continuó la presentación del plan que había diseñado pacientemente en su rancho de Sonora durante los cuatro años de gobierno de su sucesor. Él sabía cómo tratar a la oposición fuera la que fuese:

—Ellos, Plutarco, se levantarán en armas sin saber que desde el primero al último de sus planes los harán acompañados de nuestra propia gente. Tú y yo estaremos informados de los avances diarios del proyecto, de las fechas, de los horarios, de los involucrados, espías nuestros o no, del lugar exacto del golpe y de lo que supuestamente será nuestro destino.

Calles tamborileaba con los dedos. Mantenía la mirada clavada en el entrecejo de Obregón. Como siempre escuchaba, basculaba las posibilidades, medía los márgenes de error, descubría y confirmaba los alcances del caudillo.

—¿No me funcionó a la perfección cuando Carranza se internó en Tlaxcalantongo? Lo asesinaron como a un presidente prófugo de sus poderes, ¿no? —preguntó como si realmente hubiera sido ajeno a los hechos—. ¿No sucedió lo mismo cuando Fito de la Huerta se levantó en armas y sólo así nos aseguramos de que tú pudieras estar sentado el día de hoy en ese hermoso escritorio? ¿No? Entonces —concluyó ufano—, aceptemos que mi escuela opera como relojito suizo: arrinconémoslos políticamente para que no les quede otra salida más que la rebelión militar. Ahí los tendremos en nuestras manos, y cuando los atrapemos y exhibamos ante la opinión pública sus planes para derrocar a un gobierno electo constitucionalmente, los procesaremos en juicios sumarios para cuidar la fachada legal y los fusilaremos por traidores a las más caras causas de la República. ¿Qué tal paisanito...?

Calles se echó para atrás recargándose en el respaldo de la silla. Se hizo un silencio pesado. Obregón leía cada una de las expresiones del rostro del presidente. Esperaba ansioso la respuesta.

—¿Quién es tu hombre para filtrar el plan? —cuestionó finalmente el jefe de la nación, coincidiendo de hecho en la estrategia propuesta por el caudillo. ¿Qué otra alternativa me queda?, pensó para sí...

Obregón sonrió por dentro. Descansó: el general Eugenio Martínez es nuestro hombre... El jefe de operaciones de la guarnición del Valle de México.

En el último momento de euforia, después de haber ganado la partida de ajedrez, Obregón todavía alcanzó a decirle al oído de su paisano, sujetando el picaporte dorado de la puerta privada de salida:

—¿No te das cuenta, Plutarco, de que así nos quedaremos, tú y yo, con todo el poder, sin enemigo que nos compita ni opositor que nos moleste y nos pelotearemos la presidencia el uno al otro hasta que se nos dé la gana?

Fue entonces cuando Plutarco Elías Calles sonrió con una mueca ciertamente curiosa que Obregón sólo hubiera podido entender el trágico día de "La Bombilla..."

Arnulfo Gómez, confiando como siempre en la integridad y el sentido del honor del propio general Martínez, su principal apoyo, trazó una campaña militar para avanzar hacia la frontera con Estados Unidos con el objeto de hacer levantamientos escalonados y aislar la cuenca petrolera de Tampico. Obregón y Calles conocían el plan y simplemente decidieron esperar para concentrar sus fuerzas y acabar de un solo golpe con los opositores. La movilización militar comenzó con los operativos en Veracruz, Tabasco y Chiapas. El golpe final y determinante se daría en el campo militar de Balbuena. De acuerdo con lo pactado, el general Eugenio Martínez sería el encargado de aprehender al presidente Calles, a Obregón y al secretario de Guerra, Joaquín Amaro, cuando éstos presenciaran las exhibiciones militares con las que se festejaba el aniversario de la Independencia. El acuerdo con Martínez consistía en fusilar en el acto al mandatario y a sus acompañantes el día 2 de octubre de 1927...

Después del triunfo de su movimiento, los serranistas tenían planeado nombrar como presidente interino a Carlos Vidal —presidente del Comité Pro-Serrano y antiguo gobernador de Chiapas—, quien a su vez convocaría a elecciones para que Serrano se postulara como candidato a la presidencia, repitiendo así el desarrollo de los acontecimientos que se habían sucedido durante la rebelión de Agua Prieta.

Al parecer, Serrano también tenía puesta toda su confianza en el golpe militar, pues su campaña fue muy efímera, limitándose sólo a una gira por el estado de Puebla y a sus presentaciones en la ciudad de México, de tal manera que el esfuerzo principal del candidato y sus colaboradores se centró en la organización del levantamiento por medio del cual pretendían llegar a la presidencia. ¿Ellos, por su parte, también habían concebido el golpe como la última alternativa viable...?

Pero en tanto su proyecto se cumplía, Serrano decidió salir de la ciudad de México hacia Cuernavaca con el fin de que no se le incapacitara como candidato presidencial, por el hecho de haber participado en una rebelión militar. La coartada que utilizaría para justificar su presencia en aquella población sería el festejo que sus partidarios le ofrecían para celebrar su onomástico, pero lo cierto es que Serrano se había trasladado a Morelos para conseguir también el apoyo del comandante Juan Domínguez, jefe de operaciones del Estado.

El general Arnulfo R. Gómez también había salido del Distrito Federal rumbo a Perote, Veracruz, buscando la lealtad de otros jefes militares para poder sostener la rebelión. Los alcances de su campaña habían sido muy limitados. Quizás tenía la remota esperanza de que Calles terminara declinando en su favor.

De golpe empezaron a darse movimientos raros y sospechosos. El general Martínez anunció repentinamente la necesidad inaplazable de salir a Europa en un "viaje de estudios". El viejo militar no estaría presente en Balbuena para encabezar el golpe de Estado... Por supuesto que Calles y Obregón se abstendrían a última hora de asistir a las maniobras. Obligaciones inherentes a su cargo o la intensidad de la campaña electoral les impedía estar presentes...

Gómez había confiado plenamente en la colaboración incondicional del general Martínez. Nunca hubiera podido imaginar que éste había acordado ya con Calles la realización de un viaje a Europa precisamente el día de la asonada. El ingenuo plan fue develado. ¿Cómo prosperar en política sin malicia y con semejantes enemigos? Las traiciones se ejecutan en todos los frentes. En esos días de octubre, el gobierno federal comenzó una verdadera cacería de brujas. Ordenó fusilar sin previo juicio a varios generales y a sus seguidores. La justicia militar ya se ocuparía en su momento de los generales Serrano y Arnulfo Gómez, unos verdaderos traidores a la patria y a la integridad de la República. Se les crearía un Consejo de Guerra, se les juzgaría en los términos de la ley, como acontecía en cualquier país civilizado, y se les pasaría por las armas con los primeros rayos de cualquier amanecer... Obregón se quedaría solo en la contienda electoral, frotándose las manos respecto de un triunfo que jamás habría de disfrutar... Los dos virtuales candidatos a la presidencia y sus "secuaces" morirían asesinados antes de las elecciones.

¿Quién era más traidor, el que se había atrevido a derogar una conquista revolucionaria fundada en el *Sufragio efectivo. No reelección*, la misma que había costado tanta sangre, muerte, atraso y destrucción, o quien supuestamente había orquestado un golpe de Estado para echar del poder a dos individuos que intentaban eternizarse en él a cualquier costo? ¿Serrano y Gómez son unos traidores por el hecho de haber roto con sus protectores y amigos y haberse lanzado a defender la causa del antirreeleccionismo, de la ley y de la democracia, o tal vez los traidores son el caudillo y el presidente, que pasaban por encima de todos los valores con tal de mantenerse en el mando? ¿Traidor por defender mis principios políticos o traidor por aplastar a los opositores con la fuerza bruta?

En el Castillo de Chapultepec las horas también habían transcurrido lentamente. Los hombres encargados de tomar las decisiones respecto al malogrado levantamiento militar discutían la suerte que debían tener los autores de la rebelión. En la sala de juntas del presidente de la República estaban reunidos diversos personajes de la política nacional para conocer el desarrollo de los acontecimientos, así como para manifestar su apoyo al presidente Calles, quien en esos momentos evaluaba, con Obregón y Amaro, las órdenes a ejecutar. Al calor de los hechos, y seguramente exaltado por la presión que su cargo demandaba en ese trance, el presidente Calles se levantó bastante exasperado y golpeando la mesa con ambas manos le preguntó al caudillo: "¿Tú crees que si hemos caído en el cuatro que nos pusieron en Balbuena no nos asesinan?" [6]

—Sí —repuso Obregón, cáustico como siempre—, sin duda nos hubieran asesinado; acuérdate que para quien madruga, hay otro que no se acuesta.

---

[6] John Dulles, *op. cit.*, p. 324.

Ese mismo día el comandante Claudio Fox recibió de manos de Joaquín Amaro las instrucciones de ejecutar a Serrano y a sus partidarios. En la copia del telegrama, en el cual se detallaban los pasos a seguir, el presidente Calles había escrito simplemente que se procediera a la captura de los rebeldes. El presidente ignoraba que cuando el texto fue revisado por Obregón, éste agregó, en un par de renglones vacíos, previos a la antefirma: "Ejecute a los prisioneros y conduzca los cuerpos a ésta." [7] Con tales órdenes, Fox partió rumbo a Morelos en el flamante Lincoln convertible, propiedad de Amaro, que se le había proporcionado para tal efecto. Las traiciones se daban en todos los niveles, entre todos los protagonistas y en todo momento. Serrano y Obregón se llamarían traidores el uno al otro, de la misma manera que Arnulfo Gómez etiquetaría a Calles de traidor a la patria, a la amistad, al honor militar, a los principios democráticos y constitucionales. Calles sólo le respondería: Eres un pendejo. Nunca entendiste nada...

En una actitud extrañamente ingenua, o tal vez demasiado consciente de su destino, Francisco Serrano ignoró las señales que le indicaban el fracaso del levantamiento en la ciudad de México, pues ya le habían llegado noticias de la peligrosa concentración de tropas que se efectuaba en Cuernavaca. A pesar de ello, Serrano rechazó la idea de huir hacia la sierra o regresar al Distrito Federal, empeñándose en mantener una posición que anunciaba la inminencia de su muerte.

En la ciudad de México la rebelión había sido sofocada casi desde sus inicios, ya que sólo cuatro grupos militares obedecieron el plan original. La inmensa mayoría de jefes militares a lo largo de la República se manifestaron adictos al gobierno, cerrando con ello el cerco que se había tendido en torno a los generales Gómez y Serrano y eliminando con su adhesión cualquier posibilidad de triunfo antirreeleccionista.

Entre los partidarios de Serrano reunidos en Cuernavaca la atmósfera era de profunda depresión y desconfianza, el candidato

---

[7] *Ibid.*, véase también, "Cómo narra el general Fox la horrenda matanza de Huitzilac", artículo reproducido en Rosalía Velázquez, *op. cit.*

presidencial había tenido que abandonar el hotel Bellavista en el que se hospedaba para esconderse en casa de un amigo, intentando retardar así la acción de los militares que seguían ya sus pasos por órdenes expresas del presidente Calles.

La noche entre el 2 y el 3 de octubre fue larga, bañada por el temor y la tensión de quienes aguardaban el desenlace fatal, Serrano y sus colaboradores habían dormido todos en una misma habitación, vestidos con ropas de calle tal vez para poder huir en cualquier momento. La dura espera abatió cualquier optimismo. Nadie intentó idear un plan de escapatoria ni ofrecer posibilidades de salvación: parecía que todos, incluso Serrano, habían entrado en el letargo que da la resignación ante lo inevitable.

Hacia el mediodía del 3 de octubre llegó finalmente la guardia federal para aprehender a Serrano y a sus compañeros. Serían conducidos a una prisión en el Distrito Federal. Los reos salieron de la casa en donde se ocultaban fuertemente custodiados. Carecían de la menor oportunidad de fuga. Sólo Francisco J. Santamaría lograría burlar la vigilancia huyendo del destino que parecía aguardarle y, convirtiéndose, así, en el único sobreviviente de ese sangriento día.

Cuando el general Fox encontró a la comitiva a la altura de Huitzilac hizo reunir a los presos a un lado del camino. El representante del presidente de la República, del caudillo y del secretario de la Defensa Nacional se percató en ese momento de que todos los detenidos tenían firmemente atadas las manos en la espalda con cables de luz, y que muchos de ellos ya sangraban de las muñecas y de los dedos amoratados. Los altos oficiales deliberaban en tanto los soldados esperaban las siguientes instrucciones para ejecutarlas sin chistar. ¡Pobre de aquel país en el que los militares deliberan...! Se hizo un silencio mortal. Al fin y al cabo, ¿qué era la eternidad...? El viento mecía suavemente las ramas de los pinares en tanto el sol colgaba indiferente a la mitad de la bóveda celeste. Las últimas lluvias otoñales habían pintado de verde todo vestigio de vida. El volumen de las mazorcas anunciaba la proximidad de la cosecha. Habría maíz y tortillas en abundancia.

Fue entonces cuando Fox llamó a Nazario Medina, a sus

principales ayudantes y lugartenientes para vertir las últimas indicaciones. Serrano y todos sus hombres cercanos serían aniquilados. ¿Cuál Consejo de Guerra? ¿Cuál juicio previo? ¿Cuál fachada legal? ¿Una nueva entrevista con Obregón, mi paisano? ¡Imposible! Cada uno de los reos sería adscrito a un piquete integrado por tres soldados. Se internarían en el bosque con sus respectivos presos y, una vez dentro de los pinares, se procedería a disparar "a discreción" hasta cerciorarse de que todos estuvieran muertos: "Cumpla con las órdenes que tiene usted. Procure que se haga todo sin exceso y dentro de la menor violencia posible. Si me desobedece en este sentido, fusilo al que falte a mis instrucciones", sentenció Fox con toda severidad. Dicho lo cual se retiró casi un kilómetro, tal vez por temor o por vergüenza, dejando atrás ese claro en el bosque cercano al poblado de Huitzilac, para sólo oír en la lejanía las descargas que rompieron el silencio de aquella tarde. Las campanas de una iglesia lejana convocaban agónicamente a misa.

Francisco Serrano, el candidato a la Presidencia de la República por el partido antirreeleccionista, conocía sobradamente a Claudio Fox, lo había visto en repetidas ocasiones en el Castillo de Chapultepec cuando, el hoy preso, visitaba a Obregón en su caracter de secretario de la Marina o cuando era citado a acuerdo por el propio Calles, ya como jefe de gobierno del Distrito Federal. El uniformado era toda una personalidad política, cuya cercanía a las máximas autoridades del país era indudable. Antes de retirarse, Fox le aseguró a Serrano que lo conducirían intacto, junto con los suyos, a la ciudad de México. Es una mera cuestión de trámite, ¿sabes...?

—Pancho: tienes la garantía de mi palabra. Nunca olvides que los militares fuimos forjados dentro de un rígido código de honor, además, mi general Obregón quiere verte... —adujo Fox revisando el lustre de sus botas.

Al sentirse solo y rodeado por tres soldados, Serrano entendió que había sido nuevamente traicionado. Estaba solo y perdido. El dolor de las muñecas atadas era insoportable. Sentía las manos húmedas por la sangre. Pidió que lo soltaran, que le liberaran al menos los amarres. Por toda respuesta uno de los sardos lo tomó del pelo y a jalones lo introdujo en la espesura del bosque. El resto de los detenidos pensó en huir. Su instinto no se equivocaba. Si ya al aspirante a la presidencia lo trataban con semejante brutalidad, ¿qué suerte les esperaría a ellos? ¿Qué es esto...? ¡Cállense, chingao...! Entre empujones propinados por la punta de los cañones de sus rifles, insultos y amenazas, fueron obligados a seguir el camino de su jefe. Bien pronto la carretera se vio ocupada solamente por el resto de la escolta y los automóviles militares. Comenzaba una densa espera. El Lincoln propiedad de Joaquín Amaro había desaparecido con Claudio Fox a bordo.

En su carrera ciega Serrano tropezó y cayó al suelo. Al tratar de levantarse, echó furioso la cabeza para atrás desafiando abiertamente a sus verdugos:

—Fox me garantizó que llegaría con vida a la ciudad de México, señores —advirtió con ambos pies clavados en el piso y los labios temblorosos—, cumplan con su palabra...

—¡Camina ya!, hijo de la chingada —repuso Crispín Marroquín, el coronel encargado del mantenimiento y bienestar de los caballos de Joaquín Amaro. Volviéndolo a tomar del cabello lo internó, murmurando maldiciones, al fondo de una arboleda.

—Soy candidato a la Presidencia de la República —se volvió a detener Serrano sin mostrar el menor dolor—. ¿Se da usted cuenta de lo que está haciendo?

Otro furioso tirón de pelo a modo de contestación: la resistencia tenaz del aspirante a ocupar el cargo de jefe del Ejecutivo Federal. Impotente para convencer con ese argumento utilizó otro:

—Soy compadre de Obregón y cuñado de su hermano mayor. Mi hermana está casada con Lamberto Obregón —su rostro palidecía por instantes—. ¿Le queda a usted claro...? ¡Escúcheme...!

Fue lo último que alcanzó a pronunciar antes de agotar la paciencia del militar, quien, ya sin voltear a ver a su víctima, desenfundó la pistola y asiéndola con la mano derecha asestó un cachazo sobre la nariz de Serrano fracturándosela en varias partes. La sangre apareció en borbotones sobre el rostro del reo. Éste cayó de rodillas sin poderse llevar las manos a la cara. La escena pareció congelarse cuando repentinamente escuchó tiros aislados, sonoras detonaciones y poderosos ecos que después de romper la paz se escondían en el último pliegue de las montañas. Era la tarde, las 4 de la tarde, en cualquier momento empezaría a llover. El cielo encapotado comenzaba a lanzar relámpagos rabiosos a diestra y siniestra.

Menuda oportunidad le proporcionaba la vida a Crispín Marroquín al permitirle vengar sus resabios personales, sus resentimientos generacionales y afrentas familiares haciendo lo que le viniera en gana con uno de esos hombres poderosos nacidos para dar órdenes y que vivían eternamente rodeados de placeres palaciegos, bienes, mujeres, fortunas y privilegios, de los que él y millones y más millones como él carecían y carecerían para siempre. Tenerlo ahí, a sus pies, arrodillado y suplicante, disponer así de un politicote de esos que igual que los suyos, le habían ordenado a su abuelo, a su padre y a él mismo, Crispín, aquí; Crispín, allá; Crispín, tráeme; Crispín, ponme; Crispín, sírveme; Crispín, Crispín, Crispín... ¡Al carajo con todos los crispines! ¿Por qué todos los crispines de la historia hemos nacido para satisfacer y servir a estos mamarrachos, señoritos, invariablemente bien vestidos con sedas, que hablan con palabras tan raras y comen tan diferente, mientras nosotros tragamos con las manos y bebemos el tequila a pico? Ya me tocaba un pez gordo de estos hijos de su reputa madre...

Fue ahí cuando Marroquín pateó en plena cara a Serrano, quien cayó de espaldas, quieto, con los ojos crispados. Ya era imposible reconocer las facciones de su rostro o entender sus quejidos. Estaba inmóvil.

—¿No quisieras mearte en uno de estos miserables que le metían la mano a tu madre bajo las faldas cuando era sirvienta? —propuso Marroquín a uno de los otros dos integrantes de la breve cuadrilla—: cágate en él, ya nos tocaba, ¿no, tú...? ¿Cuándo crees que podrás volver a tener a un candidato a la presidencia a la altura de tu bragueta...?

Movido por un espasmo, sin entender ni poder contener el impulso animal que lo estimulaba, el lugarteniente de Marroquín tomó el cañón de su rifle con la mano derecha y la culata con la izquierda, y movido por todos los indios marginados de la historia, por su madre, por el derecho de pernada, por los pisos de polvo y los jacales pestilentes e inmundos, por el comal, la letrina y el eterno traje de manta, por la revolución frustrada, por los traidores del movimiento, por los colgados de los postes de telégrafo, por los paredones, las adelitas y los caídos y también por su padre, su abuelo y bisabuelo enterrados en petate en un agujero a un lado de donde comen los marranos, por la eterna costra de lodo que siempre cubrió sus pies descalzos, pateó una y otra vez el cuerpo de Serrano:

—Toma, por haber sido, como *dijistes*, secretario de Marina, hijo de tu puta madre, mientras mis hermanos se morían de mal del viento... ¡Toma!, por haber sido jefe de gobierno del Distrito Federal, mientras nosotros limpiábamos y nos comíamos la mierda de tus caballos en tus establos... ¡Toma! por ser compadre de Obregón y cuñado de su hermano mayor, grandísimo cabrón, mientras mis chamacos se mueren de hambre... y ¡toma!, ¡toma! y ¡toma! por rotito y por ser candidato a presidente *pa'* chingarnos todavía más... Así *nomás* deben acabar los cabrones como tú...

Por supuesto que los tres se orinaron encima del cuerpo inmóvil de Serrano en tanto no dejaban de escucharse tiros y más tiros cercanos, ayes de dolor y voces de por favor, por lo que más quieras, ¿cuánto quieres por dejarme ir?, seguido por detonaciones macabras que silenciaban para siempre las súplicas de los ajusticiados.

A la mayoría les habían pedido que se echaran a correr: órale, te vamos a dar tu *chanza* de que huyas, sólo que si no te pintas hecho la chingada te vas a encontrar con la bala... De modo que a correr... Uno a uno se desplazaron como pudieron con las manos atadas a la espalda, tropezándose con raíces sobresalientes, escondiéndose en su carrera despavorida, cayéndose, incorporándose sólo para volver a caer después de recibir un balazo en la espalda o en cualquier parte del cuerpo. Se había desatado una cacería en la que los soldados disparaban apuntando a la cabeza, tratándose de los más afortunados, o a las piernas o a los hombros para no matarlos y no perder el inmenso placer del tiro de gracia. Los perseguían subiéndose a montículos o parapetándose en ramas o salientes desde los que apuntaban y abrían fuego:

—Yo ya me chingué al mío; ¿cómo vas, tú?

—Cuando lo alcanzamos, el muy *jijo* de la chingada ya se había pelado al infierno... Por si las pinches moscas le vacié la cartuchera en la carota.

A algunos heridos, todavía con vida, se les apuntaba a la cabeza tirados boca arriba, maniatados, para acabar con sus lamentos, gemidos y súplicas después de accionar una y otra vez el gatillo de sus pistolas.

—¡Maricones! ¡Ni siquiera saben morir con dignidad! ¡Estos riquitos son unos pinches putos...! —hablaba el resentimiento histórico del populacho.

Pronto el silencio se apoderó de Huitzilac. Las escoltas armadas en sus arduos y puntuales desempeños no percibían el aire perfumado del campo ni la frescura vigorizante llena de vida que traía el agua de lluvia. Sólo Francisco Serrano, por lo visto el último sobreviviente, negaba lentamente con la cabeza sin pronunciar palabra alguna. Fue entonces cuando el último soldado del piquete exigió su derecho:

—Déjeme que yo me lo chingue, mi coronel, ustedes ya lo madrearon: *'ora* me toca a mi meterle un tiro en la puritita jeta *pa'* mandarlo *pa'l* otro lado. Déjeme, mi coronel, ¿qué le costaría...?

El último disparo selló para siempre el crimen de Huitzilac. Con él se perdió toda esperanza de democratizar al país. Muchos lustros, tal vez un siglo completo tendría que transcurrir para que la nación pudiera salir de la dictadura encabezada por un solo hombre o de la tiranía corporativa dirigida por un partido de Estado. La consolidación política de Obregón y de Calles en el poder a través del asesinato, del crimen y de la desaparición física de sus opositores políticos, hizo que se detuvieran repentinamente los relojes de la historia de México.

Aquella tarde otoñal llovió como siempre en la región. La naturaleza se mostraba indiferente al horror de la masacre. La sociedad se mantuvo al margen, según la costumbre cincelada desde los años negros de la Santa Inquisición: no tomó la calle, no protestó por haber sido nuevamente decapitada la libertad y con ella el futuro ni se publicaron artículos incendiarios y furiosos en defensa de los caídos para defender su nombre y hacer justicia a su elevada causa. La reclamación de la comunidad se redujo a la colocación de crespones, a misas y a la publicación de esquelas en los periódicos. ¿Quién se atrevía en contra de Calles y de Obregón? ¿Quién...?

—Mira nada más cómo te dejaron, querido Pancho —exclamó Obregón al ver el cadáver de su protegido, amigo y compadre.

El movimiento serranista había concluido con un nuevo baño de sangre, sin embargo, para terminar de descremar políticamente a la nación, extinguir el menor brote de la oposición y garantizarse su estancia en el cargo, era conveniente, necesario e inaplazable que Obregón y Calles mataran al otro candidato a la Presidencia de la República, un hombre igualmente ligado a los poderosos norteños: Arnulfo Gómez.

Obregón no quería estorbos en el camino. Su campaña electoral la haría sin oposición ni adversarios políticos. Los enemigos saldrán de la cárcel pero nunca del hoyo... ¿Cuál democracia? ¿Ése era el México añorado después de la Revolución? ¿Así iban operar las nuevas y promisorias instituciones de la República? ¿Éste era el modelo de país que se merecían los mexicanos después del movimiento armado? ¿Cuál "juro defender la Constitución y las leyes que de ella emanen y si no que la patria así me lo demande"? ¿Cuál, sí, cuál defensa de la Constitución, cuáles leyes, cuál patria y cuál demanda, cuáles derechos humanos y cuáles garantías individuales? ¿Cuáles, sí, cuáles?

Un mes después del asesinato de Serrano, Arnulfo Gómez cayó severamente enfermo. Se encontraba en Veracruz, concretamente en la región de Perote, acompañado de unos cuantos seguidores. Conocía la longitud del brazo de Obregón... Entendió finalmente que su lucha política no había sido sino una carrera hacia la muerte. Sabía muy bien que sería acusado de deslealtad y traición. No ignoraba que la historia la escribían los vencedores y que Calles y Obregón gozarían injustamente de ese privilegio: pasarían a la posteridad como los genuinos defensores de la patria.

Un grupo de feroces sabuesos inició la búsqueda del general disidente en la sierra veracruzana. Gómez, con signos visibles de debilidad, se encontraba escondido en una gruta de Compalapa con su sobrino, el teniente coronel Francisco Gómez Vizcarra y Salvador Castaño. Sus otros acompañantes habían sido capturados y después igualmente asesinados. ¿Quién rastreaba a don Arnulfo de día y de noche deseoso de atraparlo y fusilarlo sin mayores trámites, para obtener a cambio un ascenso en la jerarquía militar o al menos una condecoración de manos del presidente de la República? A nadie puede escapar que en la respuesta debe encontrarse la identidad de un traidor... ¿Quién cometería la nueva felonía en este pasaje de la Revolución mexicana? Nada menos que el general Escobar, el mismo que anteriormente había fungido como subordinado del general Arnulfo Gómez y quien lo conociera como la palma de su mano. Traición, traición, traición...

El general Escobar, simultáneamente incondicional de Calles, armó una coartada para capturarlos, impidiendo cualquier posiblidad de fuga. De hecho, contó con la ayuda de Lázaro Cárdenas, el joven jefe de operaciones en la Huasteca, con quien diseñaría el plan para evitar la huida del otrora glorioso militar por zonas aledañas. Habría que cazarlo como a un tigre herido...

El 4 de noviembre de 1927 finalmente fueron descubiertos. Una vez hechos prisioneros se les transportó a Teocelo, muy cerca de Coatepec. La única súplica del general Arnulfo Gómez consistió en exigir su derecho a ser juzgado en la capital de la República ante un tribunal competente que fundara y motivara la causa legal del procedimiento.

—Exijo, además, una entrevista con el presidente de la República: mi rango militar y mi condición política me lo permiten...

Las instrucciones ya habían sido vertidas. Las pruebas debidamente evaluadas y descartadas antes de tenerlas a la vista. Los alegatos analizados y dirimidos sin haber sido escuchados. El tribunal integrado sobre la rodilla había dictado su veredicto inapelable sin sopesar los cargos. Todas las instancias estaban cerradas y agotadas. El acusado ya había sido oído y vencido antes de la celebración del juicio. Se trataba de una cosa juzgada. Él mismo se había declarado culpable de todos los cargos. Los jueces firmaron la sentencia en hojas en blanco. Al día siguiente, el 5 de noviembre, después de un sumarísimo Consejo de Guerra y en cuestión de minutos, los "acusados", incluido el teniente coronel Francisco Gómez Vizcarra, fueron pasados por las armas. Gómez fue ejecutado por siete heridas en el pecho casi en línea recta.[8] El general de bigote prusiano murió con entereza, estableció el parte militar.

La "Honorable" Cámara de Diputados destituyó a 28 diputados de filiación antirreeleccionista. Mientras la nación estaba en contra de la reelección, la representación popular votaba a favor de ella. Los legisladores destituidos al menos habían salvado la vida. Generales y ex generales "sublevados" fueron pasados igualmente por las armas.

El camino a la Presidencia de la República quedó abierto a favor del general Álvaro Obregón. El caudillo declararía a la prensa:

> Soy el primero en lamentar los sensibles sucesos que corrieron. Durante mi campaña proclamé en todas partes que la resolución de la lucha deseábamos obtenerla en las urnas electorales y no en el terreno de la violencia, no obstante de comprender, aun con sacrificio de mi modestia, la inferioridad de nuestros adversarios en capacidad y en número.[9]

La lucha política había sido extinguida brutalmente. Naufragaba la democracia una vez más, y se hundía, llevándose al fondo todas las posibilidades de desarrollo, de progreso y bienestar que

---

[8] "Cómo fue fusilado el general Gómez", en *El Universal*, México, 7 de noviembre de 1927, p. 1.

[9] Rosalía Velázquez, "Serrano y Gómez...", *op. cit.*

sólo se dan en un ambiente de libertad política. México se convertía, una vez más, en una sociedad cerrada. Se clausuraban puertas y ventanas. Se cerraba el paso a la evolución. Se enrarecía el ambiente. Igual que en el agua estancada proliferan las bacterias y los parásitos, un país oprimido y mutilado se pudre por dentro, apareciendo todas las señales ominosas de descomposición orgánica, como es el atraso y la corrupción en todas sus formas y manifestaciones. Al asesinar a Serrano y a Gómez, a la oposición, también se asesinaba el futuro de México.

Los contrincantes del caudillo para ocupar la oficina más importante de México habían sido asesinados. Las cárceles vacías, los panteones llenos. El silencio y el miedo, sepulcrales. ¿La ambición política era insaciable? ¿El que a hierro mata a hierro muere? Obregón abusó del recurso de la bala, la bala acabó con él. De nada le valió tanto asesinato, un asesino también terminaría con su vida. Calles decía para sus adentros en un críptico silencio: nadie sabe para quién trabaja...

MANUEL PELÁEZ O EL PODER CORROSIVO DE LA TRAICIÓN

Cuando en el corazón mismo de Londres, Inglaterra, el histórico Big Ben dio la primera campanada para anunciar las 5:30 en punto de la tarde, el primer ministro, Herbert Henry Asquith, primer conde de Oxford, sonriente como de costumbre, abrió personalmente la puerta del número 10 de Downing Street, para recibir y estrechar la mano de sus ilustres invitados. En aquella ocasión asistían lord Cowdray, el presidente de la compañía petrolera El Águila, acompañado por varios ejecutivos de la empresa. Igualmente estaba presente el almirante de la Real Marina de Guerra, así como el secretario de Asuntos Energéticos de la Gran Bretaña. Aquella tarde el reducido grupo estudiaría y analizaría complejos asuntos de Estado dentro del más estricto hermetismo.

Lord Cowdray, vestido de rigurosa etiqueta, pantalón gris Oxford con discretas rayas negras, sombrero de copa y un tropical *cashné* de seda amarilla rematado por una perla oscura que hacía las veces de fistol, fue el primero en intervenir después de las presentaciones de rigor y de las amables palabras de bienvenida del primer ministro. El ambiente no podía ser más ceremonioso. El té se servía apropiadamente acompañado de galletas de jengibre en una elegante vajilla de Limoge que descansaba sobre una charola de plata labrada. Se habló, por supuesto, de la niebla, del clima londinense, de las condiciones ambientales comparadas con el explosivo sol mexicano. De la misma manera se abordaron temas relativos a la guerra que acababa de estallar en aquel continente. Cuando se habló del petróleo mexicano, los rostros de todos los altos funcionarios de Su Majestad adquirieron una dureza sorprendente. Todos se acomodaron instintivamente en sus asientos. Nadie se recargaba ya en los respaldos de los sillones negros de piel capitonada. La charla convencional había concluido. En el centro mismo de la sala de juntas, encima de la chimenea ya encendida en aquellos primeros días de diciembre de 1914, se encontraba un retrato al óleo pintado con colores muy intensos del rey Jorge V, quien parecía presidir la reunión con la debida sobriedad. Al otro lado se encontraba otro cuadro de cuerpo completo de sir Thomas More, uno de los personajes favoritos del primer ministro en la historia del Reino Unido.

Sentado a la mitad de la mesa victoriana, donde aparecía una cartulina con su nombre escrito, lord Cowdray empezó su intervención. La luz de un candil dorado iluminaba su rostro tostado por el sol de la Huasteca veracruzana. El conocido magnate narró cómo había logrado hacerse de importantes concesiones petroleras durante los últimos años. Para dejar constancia de su elevado nivel de influencia en México, Cowdray dejó caer circunspecto el nombre y el título del más importante protector de sus inversiones en América: el general Porfirio Díaz, ex presidente de la República.

—A propósito, ¿no sabían ustedes que Porfirito, su hijo, como es bien identificado en México, es director y accionista en mi principal empresa?

Acto seguido explicó que Díaz, a falta de un ejército poderoso y de capacidad coactiva para hacer cumplir las leyes mexicanas, ante la avasalladora presencia de los inversionistas norteamericanos respaldados cada uno por una cañonera yanqui, había diseñado una estrategia para atraer a México empresarios europeos y enfrentar así, indirectamente, a las potencias del viejo continente que sí contaban con recursos políticos y militares suficientes como para encarar a la Casa Blanca. En todo caso, resumió Cowdray, fue una buena fórmula para lograr el equilibrio económico que requería Díaz para no ser absorbido por los yanquis.

—Sólo que el viejo cumplió 80 años en 1910, precisamente cuando se conmemoraban en México los 100 años de la independencia de España —comentó sonriente el famoso empresario británico. Nadie ignoraba que después de él podría venir el diluvio, o sea, un cambio de poderes en cualquier sentido que éste se diera.

—Todos sabíamos que Díaz tenía que irse, tanto por su edad como por haber estado ya 34 años en el Castillo de Chapultepec —el almirante sonrió esquivamente al confesar su incapacidad de pronunciar las complejas palabras mexicanas que el petrolero pronunciaba con tanta naturalidad.

—¿Democracia en México? —se le preguntó.

—Mentira que México esté listo para la democracia, mentira, mentira, mentira —repuso, enrojeciendo gradualmente del rostro sin esperar respuesta alguna—, ese país requiere y requerirá de mano dura por muchos años por venir. La democracia viene acompañada de la educación, y una nación de sombrerudos enhuarachados, ignorantes y torpes, jamás podrá autogobernarse. ¿Cuál libertad, cuál independencia, cuál soberanía cuando el 90% de la población no sabe ni leer ni escribir y la que sabe hacerlo no se interesa por nada? Que tengan los mexicanos su congreso, su cámara de diputados, su cámara de senadores, su poder judicial, que jueguen a la República, dejémoslos, pero que tengan un hombre fuerte que los gobierne y que esté muy por encima de todos los poderes a modo de una Santísima Trinidad, como dicen por ahí...

—Se refería usted al petróleo —intervino el primer ministro flemáticamente, constatando que su intelocutor se desviaba de la conversación...

—Perdón, Su Excelencia, perdón: sólo que mi experiencia política me hace ver situaciones que el grueso de los mexicanos no saben o no pueden ver. A la salida de Díaz —continuó el magnate ya sin inmutarse—, Madero se convirtió en el presidente de México con todos los riesgos consecuentes, ya que no lo conocíamos y porque se había especulado, por otro lado, que su hermano Gustavo había negociado en secreto ayudas económicas con la Standard Oil para ayudar al financiamiento de la Revolución a cambio de generosas concesiones petroleras que otorgaría don Francisco a los norteamericanos cuando éste llegara al Palacio Nacional. Mala, mala señal para nosotros —advirtió el empresario, en tanto se secaba los labios con una pequeña servilleta perfectamente almidonada y bordada en Brujas, Bélgica.

—¿Quién era Madero? —él se respondió a sí mismo—: finalmente también un industrial, con importantes intereses metalúrgicos en el norte de México.

—¿A qué se redujo su gobierno? —parecía estar dando cátedra en un salón de clases en la Universidad de Manchester—: a tratar de imponer una serie de impuestos petroleros tan ciertamente insignificantes como irritantes, hasta que el embajador Wilson, aliado con Victoriano Huerta y Félix Díaz, el sobrino de don Porfirio, un trío de borrachos perdidos, decidieron mandarlo asesinar para que el presidente mexicano no volviera a las andanzas desde el exilio.

En la mesa, perfectamente barnizada y tallada a mano por los mejores artesanos victorianos, empezaba a producirse una inquietud, un cierto nerviosismo. Los asistentes estaban ávidos de llegar al tema central. El secretario de Asuntos Energéticos tamborileaba con los dedos encima de una carpeta negra, en la que aparecía su nombre grabado con letras doradas, en tanto el primer ministro miraba discretamente un reloj de pared sin mostrar la menor impaciencia.

Lord Cowdray continuó su exposición explicando que con Huerta se habían entendido a la perfección, porque Estados Unidos de hecho le había declarado la guerra y eso había contribuido a que el dictador cayera en los brazos de los inversionistas ingleses. El presidente Wilson no había querido saber nada del presidente Huerta, un auténtico patriota, el hombre fuerte que México requería, ningún tirano, como se dijo más tarde, y todo ello no había hecho sino acelerar la entrega de jugosas concesiones, tantas que en El Águila nunca nos hubiéramos podido siquiera imaginar... Mientras la Casa Blanca más presionaba al nuevo presidente mexicano para que renunciara, sin saberlo, más beneficios recibíamos y más se inclinaba la balanza a nuestro favor.

—Con Huerta nos hubiéramos apropiado de todo México en menos de un abrir y cerrar de ojos, señores... ¿Pero para qué hablar más de historia? —los asistentes se acomodaron en sus asientos en espera del plato fuerte.

¿Para qué lamentarnos de que él ya no está ahí para ayudarnos como siempre lo hizo...? —acotó con un dejo de amargura—. Venustiano Carranza se levantó en armas en contra del supuesto nuevo dictador, asesino de la democracia, según dijo siempre, y al vencerlo con el apoyo yanqui llegamos al momento en que nos encontramos actualmente —concluyó cuando el vicepresidente de El Águila ya iba a interrumpirlo al percatarse de la impaciencia de los asistentes. Bien pronto se podrían haber empezado a dar muestras de descortesía por la impaciencia del caso. El director general de El Águila estaba listo como siempre a dictar una cátedra interminable.

Las agendas estaban muy apretadas. El tiempo apremiaba. Sólo que lord Cowdray era un incansable contador de hazañas especialmente atractivas después de una cena opípara, un buen *pudding* y un café colombiano acompañado de tabaco de Madagascar para pipa y, desde luego, un coñac. Sin embargo, el momento, claro estaba, no se prestaba, ni mucho menos, para un evento social ni para colocar ceremoniosamente medallas al mérito empresarial en el pecho del connotado lord inglés. ¿Cómo hablar de condecoraciones cuando la guerra mundial estaba convirtiendo a Europa en un conjunto de astillas, el fuego de la pavorosa devastación bien pronto llegaría a 10 Downing Street y el imperio inglés requeriría del petróleo mexicano como un enfermo del oxígeno? El representante del almirantazgo expresó que cada día avanzaba a más velocidad la conversión de los barcos de la Marina Real accionados por carbón a máquinas consumidoras de petróleo. Este combustible era cada vez más caro y escaso y la supervivencia de Inglaterra y el éxito de la guerra dependerían del país que contara con las debidas reservas energéticas para poder mover tropas y equipo militar y transportar alimentos y medicinas tanto a las ciudades como al frente. No se podía descuidar a la población, no, pero tampoco a los ejércitos.

—La marina de Su Majestad depende del abastecimiento oportuno del petróleo mexicano —agregó el almirante envuelto en un uniforme azul oscuro con el pecho poblado de insignias que hablaban de su alto rango en la jerarquía castrense—. Nosotros esperamos poder satisfacer 75% de nuestras necesidades energéticas a través de los pozos del Golfo de México. El destino del Reino Unido —sentenció sin expresar la menor duda ni recelo— depende de dos consideraciones críticas: una, del subsuelo mexicano, es decir, de la habilidad de usted, lord Cowdray, para extraer el oro negro en este violento contexto de guerra civil y, dos, de la capacidad de la marina inglesa para traerlo a salvo a puertos ingleses, antes de que los submarinos del Kaiser hundan a nuestros buques.

Se produjo un denso silencio. Las miradas apuntaron a lord Cowdray. Menudo negocio haría vendiendo buques y más buques de petróleo mexicano y además sin pagar casi impuestos gracias a la bendita Revolución mexicana. Era el momento, su momento. No cabe duda de que las guerras, antes que nada, representan enormes oportunidades de hacer dinero, de amasar una inmensa fortuna como la que yo siempre soñé. Bien valió la pena meterme en la Huasteca y padecer las infinitas calamidades, sufrimientos, decepciones y miedos con tal de dar con los pozos. La audacia, la tenacidad y la ambición siempre tienen una recompensa...

—¿Y bien? —cuestionó cortante el primer ministro.

Lord Cowdray salió de un sueño. Fue algo así como cuando el analista truena los dedos para sacar de un trance hipnótico a un paciente. El magnate ya viajaba nuevamente entre los palmares y daba con una y otra y otra chapopotera más. Recordaba sus primeros años en Tamaulipas y Veracruz, cuando no podía creer lo que le decían sus ojos. Sólo faltaban las torres, era innecesario perforar a grandes profundidades. La extracción sería muy barata. Estaba al alcance de la mano. El petróleo mexicano ya afloraba hasta la superficie de la tierra y los campesinos mexicanos, unos ignorantes, se quejaban de que cuando sus animales iban a pastar se envenenaban al beber esa porquería, mientras la aviación internacional ya conquistaba todos los aires... La cara que puso cuando descubrió que la máxima utilidad práctica que se le daba a semejante riqueza del subsuelo, un obsequio de la naturaleza, era curar a las vacas de los forúnculos, después de tallar en las patas de las bestias esa maldita sustancia cochina que no se quitaba de las manos jamás, *verdá* de Dios.

—Bien señor, bien, perdón Su Excelencia —se apresuró el exitoso empresario a responder finalmente la pregunta del uniformado—, los petroleros extranjeros hemos dispuesto la creación de una zona, deseamos aislar militarmente el territorio mismo en el que se encuentran nuestras instalaciones y nuestros principales pozos, de tal manera que sea una región apartada del conflicto bélico y que además, esté excluida de los alcances de toda legislación, que bien sabemos puede perjudicarnos con controles y gravámenes. Estaremos fuera del alcance de las leyes y de los movimientos de los revoltosos.

—Eso es imposible —sentenció el almirante lanzando una mirada como si lo hubieran atropellado e insultado gravemente—. No podrá usted contar con un solo soldado de las fuerzas armadas de Su Majestad: las dedicaremos en su totalidad a combatir alemanes y austrohúngaros, a aplastarlos como cucarachas donde sea que los encontremos. Nuestra batalla —continuó inflamándose— es a muerte, aun cuando tenga que golpearlos yo mismo con la cacha de mi pistola. Y si está usted pensando en una fuerza aliada con Francia al otro lado del Atlántico... yo le diría que las posibilidades son mucho menos que un cero del tamaño de la abadía de Westminster...

La reunión parecía llegar a su fin al no dar con una salida al conflicto. Los ojos volvieron a clavarse en lord Cowdray. ¡Cómo disfrutaba este hombre con los papeles protagónicos! ¡Cómo gozaba conducir los acontecimientos a callejones cerrados provocando verdadera angustia entre los contertulios y después, como el mago ocurrente y genial, una vez concluidas y expuestas todas las posibilidades y analizados todos los escenarios demostrando la inviabilidad del proyecto en cuestión, salir entonces con una respuesta insospechada, de la misma manera que el ilusionista saca un conejo blanco de una chistera negra deslumbrando a su auditorio.

—No, señor almirante, no —exclamó conteniendo una sonrisa esquiva ante la desesperación del militar y la mirada turbada de los demás asistentes—, no señor, México es un país de traidores y como tal tenemos un hombre, desde luego mexicano, que nos va a ser particularmente útil en la configuración de un ejército de guardias blancas que brindará la debida protección a nuestro patrimonio. No necesitamos a la armada británica ni al ejército francés para cuidar nuestros pozos...

—Si México es un país de traidores, como usted dice —interrumpió el primer ministro más preocupado aún—, ¿cómo hará usted para que el traidor no lo traicione a usted también y por lo mismo traicione a Su Majestad y la cadenita siniestra comprometa el abastecimiento de petróleo?

El comentario provocó una carcajada de los presentes. Lord Cowdray enrojeció sin molestarse ni apresurarse a contestar. Él tendría la respuesta. Era bueno, de cualquier manera, permitir que Asquith se luciera. Al fin y al cabo era el papel y el objetivo de los políticos. ¡Qué poca cosa deben sentirse cuando invariablemente están ávidos de reconocimiento y de aplausos!

—Éste no nos traicionará, Su Excelencia...

—¿Se puede saber por qué razón, milord, ese mexicano ilustre, ha de ser distinto de los demás?

—Es muy sencillo: nadie sobre la tierra le podrá pagar 200,000 dólares al mes para el sostenimiento de nuestras propias fuerzas armadas.[1] Nadie podrá sobornarlo, Su Excelencia, lo tendremos absolutamente fuera del mercado.

Un breve rumor acompañó este último argumento del magnate. Ya nadie reía. No era hora de reír. No había nada que festejar.

—¿Y si lo matan por traidor?

—Siempre habrá otro mexicano dispuesto a sustituirlo y a más, mucho más, a cambio de dinero. Debe usted saber —concluyó ufano el petrolero— que contamos con un eterno vivero, un invernadero de mexicanos corruptos invariablemente listos para transplantarlos de la maceta al campo de acción —remató lord Cowdray, esta vez con una larga carcajada en la que se fue quedando solo. Ni sus ejecutivos mudos participaron de su hilaridad.

—¿Cómo se llama su hombre?

[1] Esta cantidad fue afirmada como cierta por la Liga Asociada de Naciones Libres (The League of Free Nations Association). También se recomienda consultar para este propósito a Edmund D. Cronon, en su libro titulado *The cabinet diaries of Josephus Daniels (1913-1921)*, 1963. Aquí cabe resaltar que aunque Cronon cita una cantidad mucho menor, hace palpable la injerencia económica de las compañías petroleras en el movimiento traidor.

—Manuel Peláez —agregó el petrolero—, pero se puede llamar Pedro Pérez, es lo mismo, todos son iguales: prietos, chaparros, tramposos y pendejos...

—¿Qué significa pendejous?

—Inútiles, Excelencia, inútiles...

Cuando Venustiano Carranza llegó a la Presidencia de la República, encontró a un México quebrado, sepultado en la insolvencia total, sumido como siempre en el subdesarrollo. Una población paupérrima —en su mayoría analfabeta, escéptica, harta y fatigada— sufría las repercusiones de tantos años de explotaciones, invasiones e intervenciones extranjeras y luchas intestinas. La descomposición social era patética. La revolución para deponer a Porfirio Díaz, el golpe de Estado y el consecuente asesinato del presidente Madero, el arribo y derrocamiento de Victoriano Huerta y el esfuerzo faraónico para destruir a Villa y su División del Norte, habían dejado a la tesorería y a la moral nacional al borde del colapso. Sin lugar a dudas, por ello su política se concentró en la búsqueda de una profunda reforma legal y económica que mejorara las condiciones sociales tan severamente afectadas por el régimen porfirista y huertista. Al ser México, según Black,[2] "la región petrolera más grande del mundo",[3] el viejo y barbado liberal se percató de que apoyándose precisamente en dicho sector lograría recuperar el desarrollo del país, así como "al menos hacerse de una parte del control político, económico y social" que ejercía el capital extranjero en la nación.[4]

No le sería fácil de ninguna manera. Las medidas que Carranza impuso afectaron irremediablemente los intereses propiedad de extranjeros privilegiados por los gobiernos que le habían precedido. Requeriría de tiempo, habilidad, astucia y coraje el poder apartarse del cuello a una enorme y poderosa sanguijuela

---

[2] Black W., vicepresidente de la Tampico Petroleum Pipe Line & Refining Company.
[3] Véase el *Dallas Morning News* del 14 de diciembre de 1941.
[4] Véase Herbert Priestley y Moisés Sáenz, *Some mexican problems*, 1926.

que succionaba de día y de noche las entrañas de México en busca de más petróleo y más utilidades para construir enormes edificios en la Quinta Avenida de Nueva York y en el distrito financiero de Londres. Una primera respuesta se dio cuando las compañías petroleras respaldadas por sus respectivos países de origen decidieron, a finales de 1914, tomar secretamente el rumbo de la revolución y apoyaron económica, política y militarmente los levantamientos armados de distintos caudillos regionales.[5] Entre ellos, Manuel Peláez, cacique de la Huasteca, estaba dispuesto a sustraer por seis años toda la zona petrolera de la jurisdicción del gobierno central.[6]

—Que quede claro —agregó el propio Peláez en una ocasión, después de apurar de un solo golpe un caballito de tequila, mientras devoraba una quesadilla de cazón el día de su cumpleaños—: Que a nadie le quepa la menor duda: no me prestaré a chantajes ni a sentimentalismos. Quien venga a decirme lloriqueando que el país está agotado y que no se puede echar a andar después del movimiento armado porque carecemos de recursos financieros y de crédito público; que el territorio mexicano está al alcance de cualquier potencia dada la imposibilidad práctica de defenderse; que la economía nacional está destruida y paralizada y amenazada por la efervescencia social; que la pacificación es un problema agudo y que no existen los medios para llevarla a cabo; que los enfrentamientos entre caudillos podrían ocasionar daños patrimoniales incalculables y que el gobierno mexicano requiere como siempre dinero y más dinero para desperdiciarlo y volverlo a desperdiciar, es conveniente que sepa que lo mandaré por donde vino... Estoy harto de pretextos. No soy ningún traidor: yo defiendo el patrimonio petrolero para que la revolución no acabe con él... Me tiene sin cuidado que estalle una y mil veces la guerra mundial en

---

[5] Además de la sublevación del personaje estudiado, se recomienda analizar el caso de Félix Díaz, sobrino de don Porfirio Díaz y el caso del huertista Esteban Cantú, en Baja California.

[6] Véase Lorenzo Meyer, *Mexico and the United States in the oil controversy (1917-1942)*.

Europa y que me adviertan que podemos ser nuevamente invadidos por impedir o dificultar el abastecimiento de petróleo a los aliados. Y grítenlo de tal manera que lo sepa Dios y el mundo entero: aquí en las Huastecas no penetrará ni la revolución ni tropa alguna, como no sea la mía, ni leyes, constitucionalistas o no, dictadas por un fanático. He de cuidar con todo lo que tenga a mi alcance las zonas de producción petrolera de los extranjeros para que los mexicanos no echemos a perder el patrimonio que Dios nos dio con su inmensa sabiduría.

Como era de imaginarse, la primera finalidad de la conspiración, era disminuir la funcionalidad del Estado mexicano al aumentar los gastos del gobierno —de por sí ya deficitarios— en enfrentamientos internos. Por ello y para contrarrestar el efecto, Carranza se vio obligado a crear una serie de impuestos aplicables a las compañías petroleras,[7] las cuales no sólo se negaron a realizar los pagos, sino que "prefirieron" entregar dichos recursos al movimiento de Peláez, quien vio enormemente favorecida su traición al recibir cantidades millonarias para llevar a cabo sus propósitos "rebeldes". De hecho —y no es de sorprender—, para 1915 el cacique había logrado el completo control sobre la zona petrolera de Tampico, y poco tiempo después, ya contaba con el apoyo de más de once líderes que comandaban tropas repartidas entre Veracruz y Oaxaca.[8]

Lord Cowdray, presidiendo la asamblea de accionistas de El Águila ya en la ciudad de México un par de años después, alegaba:

—Si nuestro Peláez requiere de 1,000 soldados se los daremos. Si al día siguiente resulta que se necesitan 2,000 también se los daremos, como le facilitaremos el doble y más del doble, si así fuera el caso, para que dejen en paz nuestras instalaciones petroleras y para que los alemanes no puedan bombardearlas ni sabotearlas ni lastimarlas de modo alguno. ¿Peláez demanda 4,000

[7] Katz Friedrich, *The secret war in Mexico*. También se recomienda consultar a Jonathan Brown, *Oil and revolution in Mexico* y a Lorenzo Meyer, *op. cit*.
[8] Como fuente de información secundaria se recomienda leer el libro de Ezequiel Ordoñez titulado *El petróleo de México*.

hombres bien armados? Ahí están a sus órdenes, como también están a su disposición las tesorerías de Estados Unidos, las del Reino Unido y las de las principales empresas petroleras del orbe.[9] ¿No dio el propio Woodrow Wilson, el presidente norteamericano, "el beneplácito a la rebelión"[10] y autorizó "cuantiosos fondos de las compañías petroleras" y la venta de "armas de Estados Unidos?"[11] Hagámonos fuertes aquí. No nos dejemos impresionar por Carranza ni por sus leyes ni por sus reformadores. Se trata de venderle todo el petróleo posible a Inglaterra: me es irrelevante si después no saben qué hacer con él...

Aquella mañana el lord estaba incontrolable al extremo de haber llegado a confesar:

—A todos nos interesa proteger los yacimientos mexicanos, ¿no es cierto? ¿Verdad que es también de la incumbencia de Estados Unidos la preservación de los pozos porque no saben qué giro puede tomar la guerra? ¿Verdad señores, verdad que sí...? ¿Quién creen ustedes que acusó a Carranza ante Wilson de "conspirar con el gobierno germano" por tratar de arrebatarle el hidrocarburo a los aliados?[12] ¿Quién creen ustedes que empezó a meterle ruido a Wilson en la cabeza respecto de la peligrosidad de una alianza de México con los alemanes para que tuviera más cuidado de su vecino del sur? ¿Quién logró que los asesores de la Casa Blanca presionaran al presidente Wilson, para que invadiera México —por el territorio de Tampico— con la finalidad de "asegurar el suministro de petróleo?"[13] ¿Quién creen ustedes que inspiró a Villa para que invadiera Estados Unidos y fusilara norteamericanos en Columbus

---

[9] Tal fue la información que el mismo Manuel Peláez le dio al cónsul británico en Tuxpan. Véase *Foreing & Public Record Ofice, London*, correspondencia de 1916 y de 1917 citada por J. Brown, *op. cit.*

[10] Lorenzo Meyer, *op. cit.*, Lansing a Parker el 27 de enero de 1917, en los archivos del departamento de Estado Norteamericano, 812.6363/257.

[11] Friedrich Katz, *op. cit.*

[12] Para conocer más de estas acusaciones de "conspiración", véase Manuel González Ramírez, *Planes políticos y otros documentos*.

[13] Véase Josephus Daniels, *Short-sleeve diplomat*. Además, no se debe olvidar que en una ocasión las tropas norteamericanas entraron al territorio por el puerto de Veracruz. Véase Robert Quirk, *The mexican revolution (1914-1915)*.

para provocar un grave conflicto internacional que desembocara en una nueva invasión también ordenada por el presidente Wilson?[14] ¿Quién? ¿Quién? ¿Quién... señores? Nosotros, nosotros los petroleros también tenemos agentes diplomáticos y somos especialistas en intrigas. Ni pierdan su tiempo pensando. A nosotros nos convenía una invasión para que en el caso de que fallara Peláez o fuera derrotado por Carranza, los pozos estuvieran bien custodiados por los marines norteamericanos a falta de los británicos o franceses. Nuestro *buffer-state* es un coto de caza del que deben estar excluidos los constitucionalistas y los alemanes, ellos no están ni estarán invitados a la fiesta. Hasta la vista, amigos...

Sin embargo, y muy a pesar de todos los "obstáculos, excusas, justificaciones y pretextos" que Carranza encontraba a su paso, el 5 de febrero de 1917 se promulgó la nueva Constitución Política de los Estados Unidos Mexicanos. Dicha ley suprema a través de su artículo 27 intentó nacionalizar el petróleo por primera vez en la historia patria,[15] es decir, reintegrar el subsuelo a su legítimo propietario: el pueblo de México. ¿Cuáles fueron las respuestas de Peláez y las de Cowdray ante lo dispuesto por la Carta Magna que bien pudo atragantar al incansable lord en medio de su *twelve o'clock daily gin shot*? ¿Qué tal cuando leyó aquello de que el suelo y el subsuelo son propiedad de la nación...? En lo que hacía a Carranza, éste tal vez pensó que él cumplía con su parte al dejar asentado semejante texto nada menos que en la máxima ley de los mexicanos. Él lograba lo suficiente con promulgar la Carta Magna, ya vendría después otro jefe de Estado a aplicarla en otra coyuntura más favorable... Por lo pronto el "protector petrolero, Peláez",[16] aumentando el recuento de felonías a su ya larga lista

[14] Franck Haninghen, *The secret war*, 1934. Además, se debe resaltar que aunque las tropas norteamericanas sí entraron al territorio nacional en lo que se conoce como "la invasión Pershing", el incidente no se transformó en una invasión en gran escala.

[15] Para conocer más sobre este proceso político-legislativo en cuestión, véase Rouaix Pastor, *Génesis de los artículos 27 y 123 de la Constitución Política de 1917*.

[16] En muchas ocasiones se dijo que Peláez "protegía" a las compañías petroleras de las medidas del gobierno carrancista. Para estos efectos, se recomienda consultar *The New York Times* del 16 de noviembre de 1917.

de acciones en contra de su propia tierra, lanzó un manifiesto nacional donde rechazó —lisa y llanamente— la nueva Constitución y donde negó que el petróleo del territorio nacional fuera propiedad de los mexicanos...[17] La gestión de lord Cowdray unos meses después, ya en enero de 1918, consistió en una recomendación del servicio de inteligencia naval británica en la que dejaba asentada la necesidad impostergable de derrocar "a Carranza por medio de un golpe de Estado centrado en [el mismo] Peláez..."[18] Los enemigos no eran pequeños: sólo que a la Casa Blanca no le convenía un cambio brusco en México durante la guerra mundial... Inglaterra, por otro lado, ciertamente cuidadosa de no provocar un enfrentamiento con su principal aliado, al que le podría llegar a deber su supervivencia como país, se abstuvo de apartarse de las políticas dictadas por Washington. Tontos no eran, desde luego...

La guerra petrolera que se libraba en el interior de México continuaba sin tregua ni contención. Con desesperación, el gobierno mexicano, urgentemente necesitado de recursos financieros después de la debacle revolucionaria, contemplaba cómo su principal riqueza, sus fuentes reales de recuperación derivadas de la creciente industria petrolera, se le escapaban como arena comprimida en el centro de un puño. Imposible poner en regla a los petroleros, más cuando estaban capitaneados por un traidor. Carranza eleva nuevamente los impuestos, se enfrenta valientemente a los magnates privilegiados por el Departamento de Estado y por el de Asuntos Extranjeros de Su Majestad. Le angustia crear, en febrero de 1918, una mayor crisis diplomática con el gobierno de Estados Unidos de Norteamérica,[19] que continuamente le exigía "garantías de paz" y lo "amenazaba" con la intervención. Insiste en una participación del gobierno en las regalías de las compañías petroleras. Se apalanca en la guerra. Sabe astutamente que la Casa Blanca no desea el caos

[17] Dicho manifiesto a la nación está fechado el 5 de mayo de 1917.

[18] Cabe recalcar que, para estos efectos, también se consideraba a Félix Díaz, véase Friedrick Katz, *op. cit.*

[19] Además, días más tarde, el gobierno carrancista emitió un decreto que obligaba a las compañías extranjeras a registrar de nueva cuenta sus títulos de propiedad, con lo que finalmente se comenzó a aplicar la Constitución de 1917.

ni una nueva inestabilidad en la frontera sur. Juega su juego. Apuesta. Las compañías petroleras continuaron defendiendo y auxiliando al traidor. Velan, según dicen, por sus "legítimos" intereses. Convocan reuniones con sus respectivos gobiernos, deliberan en el seno de sus consejos de administración, se mueven de un país a otro en busca de consensos, esparcen rumores, sobornan a la prensa para que se publiquen hechos falsos, manipulan a la opinión pública y finalmente coinciden en operar un proyecto secreto —ya no sólo consistente en aislar la región petrolera de la Huasteca—, sino otro muy disinto y de mucho mayor alcance, en el que Francia, Inglaterra y Estados Unidos se unirían en torno a Peláez para organizar una nueva "revolución que devolviera a los extranjeros afectados todas sus propiedades confiscadas".[20] El plan era perfecto. La guerra mundial terminaba. Alemania, Austria y Hungría resultaban los grandes perdedores. Wilson proponía sus famosos 14 puntos. Era el momento de ajustar cuentas con ese necio de Carranza, un suicida que jamás debería haber llegado a ser presidente de la República y menos, mucho menos, ser reconocido diplomáticamente por el mundo entero

Sólo que Peláez, el patriota, no estaba todavía satisfecho. Trama, nunca deja de tramar ni de urdir ni de intrigar ni de dividir. Aliado con el infausto senador norteamericano Albert Fall y un grupo de petroleros,[21] pretendió separar de México los estados de Baja California, Sonora, Chihuahua, Coahuila, Nuevo León, Tamaulipas y Veracruz, con la finalidad de "formar una nueva República."[22] Gran mexicano, ¿no? ¿Verdad que nunca conoció

[20] Existe una gran cantidad de documentos que demuestran lo anterior. Para conocer algunos, se recomienda consultar las obras de Meyer y Katz ya citadas en esta investigación.

[21] Algunos académicos afirman que Villa, el Centauro del Norte, también estaba inmiscuido en la treta. Por honestidad histórica y para efectos de este trabajo, debo recalcar que me vi imposibilitado de demostrar la participación de Arango en "tan particular" asunto.

[22] Dichas declaraciones fueron hechas por Charles Hunt, un allegado a Albert B. Fall. Véase *El Universal Gráfico* del 11 y 14 de marzo de 1924. Asimismo, se recomienda consultar a Lorenzo Meyer, *México y los Estados Unidos en el conflicto petrolero (1917-1942)*.

el significado de la palabra traición? Los ejércitos carrancistas evitaron que el territorio nacional fuera nuevamente mutilado, por lo pronto, y anexado, tal vez en un futuro cercano, a nuestro vecino país del norte. Las compañías petroleras, el Foreign Office y el Departamento de Estado Norteamericano[23] siguieron apoyando y defendiendo a Peláez, al grado de que el mismo don Luis Cabrera los culpó totalmente de la "rebelión en la zona petrolera."[24]

Peláez, al igual que Carranza, también era incansable. Sin disminuirse ni dejarse impresionar, movido por una terquedad fanática, todavía logró crecer y hacer crecer su movimiento armado. No sólo se alió con el militar Luis Caballero,[25] a quien le prometió dinero y asistencia militar,[26] sino que también logró sobornar a algunos de los más cercanos colaboradores del "Supremo Gobierno..." Tal fue el caso de César López de Lara, de quien se dice "ya tenía a los pelaecistas" dominados en Tampico, y que por recibir un buen número de dólares provenientes de las compañías petroleras, se "hizo de la vista gorda..."[27]

Sin embargo, la tensión cede repentinamente. La atmósfera se relaja como cuando cae la tarde en el azul turquesa del mar Caribe. La presiones desaparecen súbitamente. Las gaviotas vuelan juguetonas con los vientos del atardecer. El sol cae lentamente en la inmensidad del horizonte. Las copas de champán chocan delicadamente celebrando un nuevo triunfo para luego ser arrojadas de espaldas y entre carcajadas, contra muros de piedra propiedad de empresas y embajadas extranjeras. Los brindis se dan a uno y otro lado del Atlántico: Venustiano Carranza, el padre de la Cons-

---

[23] Lorenzo Meyer, quien a su vez cita una carta de las compañías petroleras al Departamento de Estado del 9 de septiembre de 1918, resguardada en el archivo del Departamento de Estado, National Archives, Washington D.C. 812.6363/312.

[24] Carlos Díaz Dufoo, *La cuestión del petróleo*.

[25] Algunos autores afirman que Luis Caballero se rebeló contra Carranza porque este último no lo apoyó en su candidatura a la gobernatura de Veracruz.

[26] Linder Peter, *Every region for itself. The Manuel Peláez movement (1914-1923)*.

[27] Fowler Salamini Heather, *Caciquismo and the mexican revolution: the case of Manuel Peláez*, ponencia de la 6a. Conferencia de historiadores mexicanos y americanos realizada en 1981.

titución, el defensor inclaudicable de la soberanía nacional, el recio forjador de instituciones, caería asesinado de varios tiros en el pecho el 21 de mayo de 1920 en Tlaxcalantongo, mientras el país atravesaba por una de las mayores crisis internas y externas de su historia. "El jefe máximo Carranza" fue salvajemente baleado por las tropas de Rodolfo Herrera, "curiosamente", socio de Manuel Peláez...[28] y por ende empleado de las compañías petroleras.

¿A toast? Yes my friends. It's time for a toast: to the health and strenght of our countries and corporations. To the health of our mexican son of a bitch: mister Peláez...

¿El final de la historia? ¡Cómo no...! Don Adolfo de la Huerta tomó el poder como presidente interino de la República el día 1° de junio de 1920 y permaneció en el cargo hasta que el general Álvaro Obregón resultó triunfador en las nuevas elecciones.[29]

Ulteriormente, en Washington, se acusó al presidente Obregón de atentar "contra el bienestar norteamericano",[30] al reconocer la vigencia de la Constitución de 1917, razón por la cual se volvieron a divisar buques de guerra en las costas nacionales "para recordar" al recién ungido presidente mexicano que se debía "proteger a los extranjeros" de cualquier conflicto social...[31]

Sin embargo, aunque la campaña internacional contra el nuevo gobierno no disminuyó, sus acciones fueron ciertamente menos efectivas, a pesar de que el mismo Albert Fox[32] aseguró que en menos de seis meses, antes de terminar el año 1921, sería derrocado el nuevo gobierno encabezado por Obregón. Las compañías petroleras intentaron crear turbulencias sociales e inestabilidad política para obligar a una invasión armada, sin embargo, sus esfuerzos desestabilizadores afortunadamente no fructificaron.[33]

---

[28] Véase Jonathan Brown, *op. cit.*

[29] De la Huerta duró únicamente seis meses en el cargo de presidente.

[30] Cronon Edmund D., *op. cit.*

[31] *El Universal*, 12 de julio de 1921. También se recomienda consultar *El Heraldo de México* seis días antes del mismo mes y año.

[32] Véase el artículo de dicho autor publicado en el *Washington Post*, el 28 de marzo de 1921.

[33] Todo indica que fue por ello por lo que se hicieron masivos despidos de trabajadores petroleros en Tamaulipas. Con dichas medidas drásticas, se buscó provocar que los

Lo anterior se debió, entre otras razones, a que con "el manco de Celaya" en el mando, se apresuró a exigir la rendición incondicional de Peláez y de Díaz[34] ante el gobierno federal,[35] desmantelando con ello las estrategias devastadoras tramadas en los elegantes salones donde sesionaban los concejos de administración de las compañías petroleras internacionales.[36] El proyecto de guerra no sería viable en la paz.

Un año después, en 1921, el general Manuel Peláez dejó el territorio nacional y partió hacia Estados Unidos de Norteamérica "para tratarse una herida de guerra"... Como un fiel sirviente, fue reconocido y avalado en los más altos círculos sajones, al grado de que en 1921 el *Chicago Tribune* lo nombró: *Ally of the Allies; The Man Who Made the Mexican Oil Fields Safe for Democracy*.[37]

Posteriormente, Adolfo de la Huerta se levantó en armas contra el gobierno y "extrañamente", el traidor Peláez regresó a México.[38] Por ello fue apresado y algún tiempo después, cuando se consideró que "ya no haría más daño", fue puesto en libertad. Finalmente, Peláez murió en el año 1959,[39] dejándonos a todos los mexicanos como a las "chapopoteras", con el honor manchado. En lo que hace a Albert Fall, éste fue hecho preso en su propio país por haber dado mal uso a las reservas de la marina norteamericana. La cárcel acabaría con él. Al lastimarse tan gravemente su vanidad y su soberbia se fue extinguiendo de la misma manera en que se va agotando un rico pozo petrolero... Lord Cowdray ter-

---

hambrientos obreros recurrieran a la violencia y justificaran, con ello, una invasión norteamericana. Agraciadamente, ello no sucedió.

[34] Para conocer más sobre las "traiciones petroleras", entre ellas la de Félix Díaz, véase Romero Flores, *Anales históricos de la revolución mexicana*.

[35] En ese entonces, México ya producía 22.7% del petróleo mundial.

[36] Quien sí se levantó en armas fue Eusebio Gorozane, pero su rebelión en la Huasteca no fructificó. Se recomienda consultar *El Universal Gráfico* del 15 de marzo de 1924.

[37] "Aliado de los Aliados; el hombre que hizo los campos petroleros mexicanos seguros para la democracia."

[38] Adolfo de la Huerta, el ex presidente interino de México, se levantó en armas contra el gobierno en el mes de diciembre de 1923.

[39] Dulles John, *Yesterday in Mexico: a chronicle of the revolution (1919-1936)*. Véase también Linder, *op. cit*.

minó sus días instalado en la opulencia, como había sido su sueño dorado...

La traición de Manuel Peláez quedaría inscrita como una de las peores felonías ejecutadas por mexicano alguno, ya no en contra de una persona, sino de su patria misma...

"¡Ou!, mecsicanos", descansó el primer ministro inglés cuando concluyó al guerra y pudo constatar que lord Cowdray había tenido razón: las zonas petroleras de Tamaulipas y Veracruz habían abastecido 75% de las necesidades energéticas de la Gran Bretaña durante la primera guerra mundial, sin que ingleses ni norteamericanos ni franceses hubieran enviado un solo hombre a protegerla y sin permitir que ningún sabotaje alemán la dañara. Los mexicanos responsables de su custodia habían sido muy eficientes y precisos...

EL PUEBLO: ¿FANTASMA O TRAIDOR?

Cuando hace ya 154 años Estados Unidos declaró a México la guerra, ¿la guerra...?, ¿cuál guerra?, bueno, mejor dicho, cuando ordenó practicar una invasión militar matemáticamente articulada para despojarnos a mano armada de enormes planicies y fértiles llanuras, lo hizo, en parte, para satisfacer su voraz apetito expansionista, el mismo que empezó a exhibirse con la compra de la Luisiana, se acentuó a través de la adquisición de la Florida y Oregon y quedó temerariamente evidenciado al diseñar y montar como joyero unas maniobras migratorias, diplomáticas y políticas perfectamente orquestadas para apropiarse de Tejas, un inmenso y rico territorio tan mexicano como despoblado y abandonado, por el que no pagaron ni siquiera un triste *nickel* y que les permitió agregar otra estrella más a su colorida bandera, igual de temida y odiada que admirada y respetada...

Si México en el siglo XIX era un país débil e indefenso y ahora mismo, en los inicios del presente milenio, continúa siendo más débil, más indefenso y más dependiente, ¿cómo y con qué podríamos acaso habernos defendido, entonces y ahora, de un despojo territorial, si el país, como siempre, en franca bancarrota, carecía de recursos para equipar y preparar debidamente a un ejército con la capacidad necesaria para enfrentar al que ya se anticipaba como el Coloso del Norte? ¿Cómo y con qué podríamos defendernos el día de hoy, en el año 2000, de un ataque norteamericano que tuviera por propósito la anexión a Estados Unidos de todo el territorio nacional o simplemente la apropiación por la fuerza de nuestras riquezas subterráneas o submarinas, si el país subsiste penosamente asfixiado por la amortización del servicio de la deuda pública, por la explosión demográfica, la mitad de la población se encuentra sepultada en la miseria y el presupuesto de gasto es francamente insuficiente para satisfacer las más elementales necesidades sociales? Por otro lado, en descargo de México,

¿quién podría oponerse a una potencia nuclear que cuenta con la avasalladora capacidad destructiva como para mover, a través de una detonación atómica, el eje sobre el cual gira la Tierra?

Desde un principio la estrategia norteamericana fue hábilmente diseñada: las gigantescas planicies tejanas, fértiles y bien irrigadas, y los largos litorales bañados por el Golfo de México, serían paulatina y discretamente poblados por norteamericanos. A continuación, "los texanos", ya no los "tejanos", propondrían la escisión de México por negarse a aceptar el autoritario centralismo mexicano. Nacería una nueva estrella en el firmamento político mundial: la República de Texas. Acto seguido, y después de constituirse en Estado libre y soberano, los texanos, las autoridades y el congreso solicitarían formalmente su anexión a la próspera Unión Americana. ¿Qué tal?

Hasta ahí parecería perfecta la articulación de los planes norteamericanos ejecutados en apariencia con impecable civilidad: inyección gradual y silenciosa de una migración norteamericana en territorios despoblados por la corona española y por los gobiernos independientes; rechazo creciente a la injerencia mexicana en dichos confines; separación y anexión a Estados Unidos sin necesidad de guerra ni de pago o indemnización económica a México por la mutilación de uno de sus departamentos. Nada: el diseño era perfecto.

Sólo que la anexión de Tejas fue un mero pretexto para intervenir militarmente en México. Nadie podría siquiera haber sospechado que los fines ocultos de la guerra consistían finalmente en el despojo de California y de todo cuanto la uniera con Texas. Que la supuesta línea fronteriza impuesta arbitrariamente por Estados Unidos hubiera sido "violada" por los mexicanos y que de este suceso aislado, irrelevante e intrascendente se hubiera producido, ya en "territorio norteamericano..." un hecho de sangre absolutamente insignificante y, lo que es más, que de este incidente se hubiera podido desprender una declaración formal de guerra, sólo puede expresar las intenciones inconfesables del gobierno yanqui para hacerse de más territorios mexicanos, de los que deseaba apropiarse de la manera más disfrazada y sutil.

¿La guerra no estalló por una "violación" a la línea fronteriza texana? Si así hubiera sido, el conflicto armado tendría que haber quedado reducido a la definición de dichas fronteras y al reconocimiento diplomático mexicano de la anexión de Tejas a Estados Unidos, según la supuesta voluntad mayoritaria de los tejanos... ¿De acuerdo...? ¿Entonces, por qué a los mexicanos además nos arrebataron Arizona, Nuevo México y la Alta California, con lo cual Estados Unidos ya tendría una salida —menuda salida— nada menos que al océano Pacífico? La invasión militar tenía, por supuesto, otros alcances. Tejas fue un mero pretexto para ejecutar el robo más grande del siglo XIX.

Las verdaderas intenciones del gobierno norteamericano no tardarían en manifestarse para nuestra sorpresa, angustia e impotencia. El tema que "supuestamente" había justificado la guerra, pasó veladamente a un segundo término en la mesa donde se negociaba el armisticio. Extraño, ¿no? De repente, a la representación norteamericana dejó de interesarle el reconocimiento de México relativo a la anexión de la República de Texas a Estados Unidos.

Alta California no es tema de conversación ni lo es lo que hoy es Arizona y Nuevo México. Hablemos de la frontera del río Nueces o del Río Bravo. Eso y nada más que eso es lo que nos convocó a esta reunión. California nada tiene que ver con todo esto...

Era claro, sin embargo, que los motivos que habían inspirado "la guerra" habían sido curiosamente olvidados...

Ahí mismo se conocieron las auténticas intenciones del presidente Polk para declarar la guerra. Lo de Texas ya era un asunto irrelevante que no requería sino de ciertos formalismos para concluirlo. Lo ciertamente importante era la "venta", con la bayoneta en el cuello, el sable en el estómago y la carabina apuntando al centro de la nuca, de otros casi dos millones de kilómetros cuadrados de territorios mexicanos.

O me "vendes" Arizona, Nuevo México y la Alta California o yo no ordeno el retiro de mis tropas.

¿Y Tejas?

Texas es asunto superado, olvidado...

¡Canallas!

Otro de los orígenes de la declaración de "guerra" en contra de México hace ya más de 150 años se encuentra en la esclavitud, una institución que los mexicanos extirpamos de nuestro sistema de vida mucho antes que los norteamericanos. Estados Unidos era una nación esclavista. El Congreso de aquel país debatía si debería seguir siéndolo o no. Los estados sureños bien podrían perder la partida a la hora de la votación en el Senado y con ello dejar de ser competitivos desde el momento en que la desaparición de la esclavitud los obligaría a pagar una mano de obra que les resultaba gratuita y que, por lo mismo, les reportaba costos insignificantes de operación. Mercados, mercados a costos competitivos. ¿Los seres humanos...? ¡Bah!, los seres humanos... Se requerían más estados esclavistas para asegurar el resultado de la votación cuando en el futuro se tuviera que tomar una decisión en el Congreso en contra de la voluntad de los estados norteños proclives a la extinción de tan vergonzosa y retardataria institución. ¿México? ¿Mutilar a México para contar con más estados que garantizaran el voto esclavista? Si se trataba de consolidar la esclavitud en Estados Unidos, ¿qué más daba tener que arrebatarle a México la mitad de su territorio con tal de no pagar mano de obra? La Guerra de Secesión, casi veinte años después de la invasión yanqui en México, daría la última palabra...

La jugada era ya evidente. La orquestación de la guerra, la invasión norteamericana por tierra y por mar, no tenía de ninguna manera el propósito de vengar una "afrenta fronteriza", sino de disfrazar un atraco, maquillar un inmenso e histórico despojo territorial, vistiéndolo con los ropajes de la etiqueta y de la diplomacia internacionales. El conflicto tenía un fondo ciento por ciento económico.

¿No se trató finalmente de una mera compraventa entre las partes interesadas? ¿No quedó todo reflejado en un convenio civilizado como el Tratado de Guadalupe Hidalgo? ¿No...? Entonces la historia dictará su veredicto inapelable, y si no lo dicta ni hoy ni nunca, entonces nosotros, de cualquier manera, ya contamos con más de dos millones de kilómetros cuadrados y, desde luego, con nuevas salidas al mar, al Golfo de México y al Océano Pacífico, con las cuales pesan menos, mucho menos, las condenas del porvenir... A propósito, ¿cuál condena, eh? ¿Quién, sí, quién la dicta...? Los mexicanos desperdiciaron, desperdician y desperdiciarán los territorios "adquiridos"... Nosotros los haremos poderosos, productivos y fértiles. En sus manos inútiles no cosecharán más que miseria y malestar. Aquí no hay más juez que el tiempo. Dejémonos de condenas, blasfemias y otros sentimentalismos... Si Dios hubiera querido y respetado a los mexicanos les habría permitido descubrir las minas de oro en California a tan sólo cuatro años de que ese territorio había pasado felizmente a nuestras manos... Los beneficios de la fiebre del oro de 1852 fueron para nosotros, no para los mexicanos. ¿No es claro a quién quiso finalmente premiar con tanta generosidad el Señor?

Años más tarde, después de la adquisición de Alaska, Estados Unidos daría por integrado finalmente su territorio nacional para comenzar una política de expansión comercial y financiera orientada a dominar el mundo. Las enormes extensiones de tierra ya no le despertarían el apetito al gigante del norte: de ahí en adelante únicamente lo movería el acaparamiento de dólares sin consideraciones éticas respecto a su origen. ¡Dólares, dólares, dólares...! Su tremendo poderío económico y militar se utilizaría en el futuro para asegurar mercados. Tras cada dólar iría un *marine*... Dólares y diplomacia. Dólares y marines. Dólares y cañones. Se impondría la política del Gran Garrote apoyada en la filosofía del Destino Manifiesto.

Sólo que a México le sería muy difícil superar aquel mes de septiembre de 1847. Hoy hace más de un siglo y medio que concluyó la "guerra". Pocos sabían en aquellos momentos que Antonio López de Santa Anna, Su Alteza Serenísima, el Napoleón del Oeste, el Segundo Libertador, el Fundador de la República, el Héroe de Tampico, el General Presidente Vitalicio, se entendía en secreto con Polk y ejecutaba la peor traición conocida en la historia de México.

El plan acordado se cumplió puntualmente: una a una fueron

cayendo durante la "guerra" ciudades y puertos como Matamoros, Monterrey, Saltillo, Tampico, Buena Vista, La Angostura, Cerro Gordo, Palo Alto, La Resaca, Veracruz, Puebla, El Peñón, Padierna, Churubusco, San Ángel, Molino del Rey, Chapultepec, La Ciudadela y la garita de Belén hasta que el general Winfield Scott hizo su entrada triunfal entre los irritantes acordes de *Yankee Doodle*, interpretada por sus "dragones", su banda favorita, hasta el Palacio Nacional para constatar con enorme satisfacción que el capitán Benjamín Roberts ya había izado la bandera de las barras y de las estrellas en ese lugar, el máximo símbolo de la mexicanidad, desde las siete de la mañana del día 14 de septiembre del trágico 1847.

El episodio narrado románticamente por Guillermo Prieto en el que bendecía al glorioso mexicano que había disparado un certero tiro en la cabeza del soldado norteamericano que se había atrevido a izar su bandera en la capital de México, no pasaba de ser una estupenda prosa cargada de inflamada emotividad patriótica. Nunca, nadie, ningún capitalino, ningún chilango, disparó jamás un arma de fuego apuntando a la cabeza del soldado invasor que izara su odiosa insignia nacional ni en Palacio ni en el Castillo de Chapultepec. El mismo Benjamín Roberts todavía dirigió años más tarde a las tropas de la Unión en combates librados en Nuevo México y Virginia durante la Guerra de Secesión. No cayó muerto por ninguna bala de ningún mexicano que se hubiera jugado la vida con tal de tratar de lavar de alguna forma la deshonra de la Patria... Roberts evacuó ileso el país después de alcanzados los propósitos de la "guerra" junto con el resto de los invasores, sus compañeros de armas. De modo que la dignidad capitalina quedó en entredicho.

Hace más de 150 años el "Segundo libertador", "el General Presidente Vitalicio", huyó en la madrugada del 14 de septiembre incumpliendo la promesa de luchar "calle por calle" con tal de impedir que cayera la capital en manos del invasor. Hace 150 años nadie habló de los Niños Héroes hasta que, ávidos de figuras históricas, fueron apareciendo con el tiempo para reforzar y cincelar con más precisión la reciedumbre de nuestras fibras nacionalistas... Tal vez todos quisiéramos aceptar la leyenda en lugar del rigor de la historia. ¿Qué pasa con nuestros grandes héroes? Hace 150 años, cuando se produjo el desfile de ingreso del ejército invasor a la ciudad de México, los capitalinos, debe ser subrayado, redujeron su coraje y su furia a insultar a la contraguerrilla integrada por poblanos desnaturalizados, quienes hicieron su entrada triunfal al lado del enemigo, luciendo sus cabalgaduras, sus vestidos de charro mexicano y sus sombreros jaranos que ostentaban "un listón rojo, el padrón de su ignominia". Ellos habían formado la vanguardia del ejército invasor como guías y denunciantes de sus propios paisanos. Ellos, los espías poblanos, fueron los mismos tlaxcaltecas que se aliaron con Cortés para derrotar a los aztecas en los días de la conquista de México. Otra vez los poblanos. "Los malinches"... Ellos fueron los que le enseñaron el camino hacia la Gran Tenochtitlan a los hombres blancos y barbados. Los que condujeron a Scott y a sus huestes perfectamente pertrechadas hasta la capital de la República. Los que entregaron Puebla sin disparar un tiro. Los mismos que, a base de sobornos, espiaron en los cuarteles mexicanos para conocer y posteriormente revelar los planes de ataque y de defensa diseñados por el propio alto mando del ejército mexicano. Ahí estaban desfilando cínicamente... ¡Malditos delatores! De ahí que la sabiduría popular los condenara para siempre: perro, perico y poblano no lo toques con la mano, tócalo con un palito porque es un animal maldito...

¿Qué hicieron los capitalinos cuando vieron desfilar a los contingentes poblanos al lado del invasor? Simplemente los ofendieron, les lanzaron chiflidos y alguno que otro epíteto que en nada lastimó el pudor de los traidores. Los hubiéramos querido ver saltando por encima de sus cabalgaduras, cuchillo en mano, para degollar a estos apóstatas. Hubiera sido muy gratificante saber que les hubieran disparado a quemarropa tiros en pleno rostro o que los hubieran derribado para patearlos hasta hacerlos estallar por dentro. Uno a uno se les debería haber colgado de las fornidas ramas de los ahuehuetes del bosque de Chapultepec. Uno a uno deberían haber perecido fusilados de espaldas a un paredón improvisado asestándoles, acto seguido, varios tiros de gracia para dejar clara constancia de los alcances y de la irrevocabilidad del castigo. La chusma, los léperos en masa, la alta sociedad, la baja, la mediana, toda la sociedad, debería haber dado cuenta de estos traidores en lugar de enrostrales el malestar mediante el lanzamiento de un par de cáscaras de naranja que, además, erraron el blanco.

Hace más de 150 años la resistencia popular mostrada por los capitalinos en contra de la invasión yanqui se desvaneció en 48 horas, al saberse que el ejército conducido por Santa Anna había desertado o, dicho eufemísticamente, había evacuado militarmente la ciudad dirigiéndose a la Villa de Guadalupe... Dicha resistencia, integrada por fuerzas civiles, tuvo una existencia ciertamente efímera. Hubo sí, gestos que fueron desde el heroísmo hasta la tragicomedia. Ambos deben ser rescatados. ¿Qué tal comenzar con Marta Hernández, la humilde maestra de escuela, quien vendía dulces envenenados a los soldados norteamericanos en las puertas de la catedral metropolitana? Desde luego, los manufacturaba con un veneno de efecto retardado conocido en los pastizales del Bajío como la veintiunilla, porque quien lo ingería tardaba 21 días en morir. Hermosa maestra cuyo gesto ejemplar escasamente recoge la historia. ¿Cómo olvidar su estatura heroica ante el sinnúmero de bajas causadas en el ejército invasor sin más armas que su audacia, su imaginación y su patriotismo? Muchos soldados como Marta Hernández hubieran impedido la catástrofe, como igual la hubiéramos evitado de haber contado con más cantinas en donde se vendiera pulque envenenado a los enemigos, mismos que eran enterrados en un solar anexo. Venganza a la mexicana. Bravo.

¿Más represalias de los capitalinos? Cuando los americanos intentaron proveerse de víveres en el mercado de la plaza de la capital, precisamente el primer día en que se volvió a abrir el tianguis al pueblo, éste, "amotinado y armado de guijarros tomó una actitud resuelta y esto era llover piedras sobre carros, mulas y carreteros y aun sobre los lanceros mexicanos que corrieron a contenerlos. Maltrechos, animales y conductores regresaron con los carros vacíos al campo enemigo, aquéllos bien sacudidos y éstos con no pocos desperfectos". En un principio la convivencia entre vecinos e invasores fue difícil. El tiempo facilitaría la relación...

Hace más de 150 años "la gente iba y venía con inquietud igual. Unos se dirigían a los lugares escampados del oeste de la ciudad y otros a ganar las alturas de las casas y de los templos. Había quienes corrían con armas y quienes corrían sin ellas, y el populacho, en pelotones, recorría las calles lanzando ¡vivas! a México y ¡mueras! a los yankis".

La posteridad hubiera recibido con beneplácito el hecho de conocer cómo la resistencia capitalina iba vengando la intervención militar y más tarde la mutilación territorial de la patria. ¿Qué tal hubiera sido saber que en cada capitalino había una Marta Hernández o un cantinero que vendía bebidas o tortillas o tacos de carnitas envenenados?

Sí, sí había hechos aislados de resistencia en contra de los invasores, pero, sin embargo, estos últimos nunca encontraron una oposición vertebrada, bien estructurada, ni sufrieron severos reveses por sabotajes ideados por el populacho ni resintieron los efectos del espionaje como hacer volar sus depósitos de pólvora ni hubo un plan organizado para dejarlos sin agua y sin alimentos, bloqueándolos y cercándolos, envenenando sus caballos, incendiando sus carros diligencias, instalando tiradores en las carreteras o urdiendo emboscadas, rompiendo sus líneas de abasto de alimentos para posteriormente venderles comida envenenada a la tropa invasora hambrienta. Se trataba de 200,000 habitantes en nuestra ciudad capital contra 6,000 invasores, y no fue posible dar con la fórmula para deshacernos de ellos. Igualmente en la gran Tenochtitlan y sus alrededores existían al menos un millón de aborígenes que no pudieron vencer a las huestes de Cortés que, en la segunda campaña, escasamente sumaban mil hombres armados con palos de trueno a los que tampoco nunca pudimos vencer.

Los breves contingentes que los norteamericanos dejaron en Puebla, mientras venían al combate final a la capital de la República, nunca fueron aplastados por sus pobladores colgándolos de cuanto sauce o pirul encontraran en su camino. ¿Cuál resistencia heroica? ¿Cuál? ¿Cuál envenenamiento colectivo, cuál sitio hermético, cuál sabotaje a sus líneas de abastecimiento? ¡Ah!, eso sí: el señor arzobispo primado de México ofreció un ambigú a Winfield Scott en su carácter de general en jefe de las tropas invasoras, y todavía le ofreció su casa para que dicho mílite no sufriera incomodidades... La fastuosa residencia tendría que haber sido incendiada por el populacho enfurecido, como si en ella hubiera habitado sonriente el mismísimo satanás..Ni cenizas deberían haber quedado de la morada que bien pudo haber sido devorada por el fuego junto con su inquilino previamente colgado de los pies, tal y como fuera sacrificado san Pedro.

La posteridad hubiera recibido con beneplácito el hecho de conocer cómo la resistencia capitalina iba vengando la intervención militar y más tarde la mutilación territorial de la patria. ¡Qué gratificante hubiera sido descubrir que las prostitutas acuchillaban a sus clientes norteamericanos si se quiere, después de cumplir con lo acordado y robarles el saldo, para después tirar sus testículos por la ventana! Durante las noches anteriores al asalto de nuestras ciudades o en los días previos a los combates, las tropas guerrilleras bien podrían haber incendiado o hundido con cañones improvisados o con abordajes repentinos los barcos anclados durante casi dos años en Veracruz. Los marineros que cuidaban las embarcaciones podrían haber sido muertos o estrangulados o envenenados al tener que ir a comprar comestibles a los puertos bloqueados. ¿Dónde estaba el pueblo vencido, humillado, mancillado? ¿Dónde estaba su respuesta feroz e incendiaria ante semejante vejación? ¿O no se trata de una violación en todos los órdenes de la vida nacional el hecho de que unos extranjeros, unos intrusos, entren a la casa de uno y duerman en nuestras camas, coman nuestros alimentos con nuestras vajillas, se duchen en nuestros baños, se acuesten con nuestras mujeres, usen y disfruten a su antojo de todo lo nuestro, escupan a nuestros hijos y finalmente digan: ahora ésta es mi residencia y de aquí no me salgo, mientras nos apuntan a la cabeza con unos de sus poderosos rifles? La inacción, la resignación, la apatía en semejantes circunstancias, cuando el país está invadido, ¿no es una forma de traición? ¿Somos un país de cobardes, de indolentes, de superficiales, o simple y sencillamente somos un país de traidores, de auténticos traidores que consentimos cuanto nos acontezca sin levantar ni un triste dedo?

La noche del 14 de septiembre del '47 una buena parte de la población la pasó en vela. ¿Quién puede dormir sabiendo que la capital ya fue invadida y que la bandera tricolor ya no está en su lugar? ¿Cómo ver ondeando la bandera de las barras y las estrellas en el asta de Palacio Nacional o en el Castillo de Chapultepec y continuar viviendo como si nada hubiera acontecido? ¿Gestos heroicos de defensa? Cuando el coronel Carbajal y otro grupo de jefes de la guardia nacional formaron un plan para batir al enemigo, todo fracasó porque un ciudadano llamado Esquivel disparó un tiro antes de tiempo, con lo cual arruinó la estrategia insurgente. La tontería no podía estar ausente. Junto con otros males, evidentemente también tenía que hacer acto de presencia. Muchos vecinos dispararon sus propios mosquetes o sus escasos fusiles o aventaron tabiques desde las azoteas para herir a los soldados yanquis con cualquier objeto que tuvieran a la mano. Llegaron incluso a desprender los adoquines de las calles como la de Plateros, hoy Madero, o la de Tacuba, San Juan de Letrán, Rebeldes, Mariscala y San Francisco para lanzarlos al paso de los invasores desde techos y torres. Los golpeaban con palos y piedras. Lo que fuera y con lo que fuera, según se supo de algunos patriotas, la mayoría de ellos carente de recursos económicos: sin plan, sin orden, sin auxilio, se trataba de descalabrar, dañar, escarmentar o lastimar a los profanadores del suelo patrio. ¿Y cuando el hermoso edificio de Minería ocupado por la división de Worth fue hostilizado desde el hospital de San Andrés con todo tipo de proyectiles y hasta con lluvia de macetas? Imposible ignorar al padre Jarauta, que arengó a multitudes para que no se sometieran a las tropas intervencionistas. La guerrilla también se hizo en algunas ocasiones de espléndidos botines. Nada sustancial. Sólo breves escaramuzas. Hechos de resistencia aislados. Los ejércitos y divisiones seguían su marcha. Se repetía la misma escena de cuando un clarín anunció la retirada en lugar de tocar al ataque en la batalla de San Ángel...

Sólo que Winfield Scott dispuso que se destruyera a cañonazos cualquier casa de la que hubieren salido o salieran objetos, balas, adoquines o piedras dirigidos a sus tropas. "Cualquier edificio del que salga un tiro disparado en contra del ejército norteamericano —hablaba ya como todo un nazi deseoso de escarmentar a la resistencia francesa del siglo XX— será demolido con todo el poder de la artillería yanqui."

Los sectores adinerados, inmóviles y observadores, permanecieron al margen de toda contienda o resistencia en la medida en que no vieran perjudicados sus intereses. Ellos también dieron banquetes y cocteles a los invasores, ofreciéndoles, para halagarlos, lo más refinado de sus cavas europeas. Sobre todo, colocaron banderas blancas en sus balcones solicitando a como diera lugar la cancelación de todo tipo de insurrección y de incendio. Su interés por la paz era evidente: con los yanquis harían más dinero... Traición, traición, cada paso una traición... ¿A quemar todas las casas de la ciudad de México en donde se encontraran banderitas blancas? ¿En qué se hubiera convertido en ese caso la capital del país?

Scott impuso una severa multa de 150,000 pesos a la Alcaldía capitalina "porque el pueblo de México hizo armas en contra de los soldados invasores". Los recursos se destinaron a la compra de equipos, mantas y otros efectos personales del ejército americano, efectos desde luego vendidos por comerciantes mexicanos. El sobrante de la multa impuesta se invirtió en un parque en Washington, conocido como el Soldier's Home Park o el "Parque de Asilo para Soldados".

El gobierno provisional de la ciudad pidió a los capitalinos un cese de las hostilidades civiles con tal de evitar daños mayores. ¿Qué aconteció? La gente se sometió de inmediato a la solicitud del Ayuntamiento. Se impuso la paz. La escasa resistencia, si es que así se la puede llamar, de los habitantes de la capital de la República en contra de los invasores, quienes se habían atrevido a mancillar y a ultrajar a la madre patria, no duró más allá de 48 horas: del 14 de septiembre de 1847 al 16 de septiembre del mismo año. ¿48 horas...? ¡Horror! El general Scott había cumplido su promesa: quiero dominar la capital de México precisamente el día de su independencia... ¡La hizo valer!

Después vino la fiesta. Los "léperos" empezaron a emborracharse con los soldados yanquis en cantinas, tabernas y pulquerías, comunicándose en medio inglés o medio español o a señas entre ellos y entre las "Margaritas", las famosas meretrices, quienes, con notable éxito, hacían su mejor esfuerzo por hacerse de unos dólares en el hotel La Bella Unión... Cada soldado empezó a tener con el tiempo su "Margarita", quienes trataban de enseñarles a los invasores, ya desarmados y totalmente confiados, los bailes más populares mexicanos, como el jarabe, entre sonoras risotadas, tanto por su incapacidad para moverse al son de la música como por su notable falta de ritmo que se acentuaba por la ingestión de crecientes cantidades de tequila, pulque y mezcal a cualquier hora del día.

—*Mí querer bailar con osté*...

—¿*Trais* lana, güerito?

—*Mi solito tener* más lanita que todo tu país juntito, Margarrriiitititaaa...

—Pues vamos poniéndole nombre al muerto, pinche gringuito...

Con aquello de que *esto estar mocho bueno*, los invasores igual probaban un mordizco de cebolla, nabo o zanahoria apurados con un trago de café o zapote, que mamey o melón con un condimento de mostaza, ¡qué porquería comen éstos...! ¿Quieres birria o unos mixiotes o barbacoa o unos tacos de buche o de nenepil, güerito?

—No porque mí vomitar otra vez...

Después de 10 meses de estancia en la capital la ciudadanía empezó a captar cierta candidez y hasta simpatía en los invasores.

¿No son tan malos como los pintan verdad, tú...? Son tan divertidos al cantar y hacen caras tan raras al comer y la verdad son tan inocentes... Quién dijera que estos niñotes tan grandotes y tan pendejos nos ganaron...

De ahí surgió un entendimiento, una camaradería o compañerismo, que junto con la cálida recepción brindada por el clero, la alta sociedad y un buen sector de extranjeros hizo que se escribieran canciones y corridos que ya hablaban de las alegres ligas existentes con la soldadesca yanqui y sus altos mandos. ¿Cómo olvidar cuando en las noches de luna llena los desafinados y ruidosos coros de borrachos cantaban "La Pasadita" o "Las Margaritas" o "La dormida" o "A ti te amo nomás en el interior de las cantinas...?" Era tan estimulante a los sentidos escuchar los horrores de esa fraternidad universal...

Mucho tiempo hemos tardado los mexicanos en asimilar el traumatismo de la mutilación territorial. Mucho más en digerir el complejo de impotencia que nos impuso el bárbaro del norte. ¿Ya lo asimilamos? ¿Ya lo digerimos? ¿Ya aprendimos de la experiencia y del despojo? A 150 años de la "guerra", ¿qué hemos hecho para que un evento de dicha naturaleza no se vuelva a repetir? ¿Aprendimos a organizarnos para operar como un equipo nacionalista? ¿Somos más fuertes y más unidos? ¿Sabemos ya la importancia de la lealtad, o es cierto, como dicen las encuestas, que, hoy en día, a principios del siglo XXI, una inmensa parte de la población estaría en favor de la anexión total del país a Estados Unidos? A los norteamericanos los envidiamos, los respetamos, los tememos, los odiamos y los admiramos. Toda una encrucijada de sentimientos. Ellos, ayer como hoy, nos ignoran o nos desprecian. Por nuestra parte, ¿cómo demostramos el genuino amor a la patria? ¿Comprando dólares o adquiriendo una banderita en las fiestas de la independencia? ¿De la independencia...? ¿Cuál independencia...?

MADERO: DE LA ILUSIÓN POR LA DEMOCRACIA... A LA TRAICIÓN

> Estoy llegando a un punto en que pienso que deberíamos colocar un poco de dinamita con el objeto de despertar a ese soñador que parece incapaz de resolver la crisis en el país en el cual es presidente.
>
> WILLIAM H. TAFT, presidente de Estados Unidos de América

El golpe de Estado era un secreto a voces en la capital de la República mexicana. El viento esparcía un siniestro rumor a muerte. Otra histórica felonía flotaba en el ambiente. La traición que bien pronto se cometería en contra del jefe del Estado mexicano era esperada por una buena parte de la sociedad y anhelada y propiciada por otros tantos extranjeros. La descomposición política hedía por doquier. En la ciudad de México las calles se encontraban escasamente pobladas. Las nubes grisáceas, bajas y congestionadas asfixiaban cualquier optimismo. Las campanas de la catedral permanecían inmóviles. El frío, como la humedad, penetraba gradualmente en las oficinas de gobierno, en el campo, en los jacales secularmente olvidados, en las ostentosas representaciones diplomáticas extranjeras acreditadas en el país, en los cuarteles, en los comedores reservados a altos oficiales del ejército y en los solemnes salones donde sesionaban los consejos de administración de empresas foráneas reacias a aceptar, a cualquier precio, la menor reducción de sus dividendos o de sus espacios comerciales. El México retardatario volvía a oscurecer el Valle del Anáhuac. La bandera, apenas visible, estaba congelada en lo alto del Castillo de Chapultepec. La ley se la arrebatan los unos a los otros de la misma manera en que un grupo de borrachos se disputa a una lebrona en el interior de un burdel.

Ni los zapatistas, encerrados en su intransigencia, incapaces de tolerar los primeros pasos de un joven gobierno sucesor de la tiranía porfirista y dedicado, de buena fe, a la búsqueda de soluciones y alternativas ni las mismas fuerzas armadas que habían defendido a ultranza a la dictadura ni el clero decidido a recuperar los privilegios materiales y políticos anteriores a la promulgación de la Constitución de 1857 ni la prensa nacional recién nacida a la libertad y que disfrutaba un derecho de imprenta desconocido en su historia ni los Rockefeller ni los Guggenheim ni los Nelson. W. Aldrich ni Henry W. Taft y sus estrechas relaciones en la Casa Blanca ni lord Cowdray y sus 75,000 hectáreas de concesiones petroleras otorgadas por Díaz en la última década de su gobierno, respetaban ni estaban dispuestos a permitir la supervivencia del gobierno democrático de Francisco I. Madero. Lucharían con todos los instrumentos a su alcance para lograr el regreso del *ancien régime*. Si a través de sus agencias y sucursales domiciliadas en México, las grandes corporaciones que dominaban al pueblo de Estados Unidos estaban abiertamente en contra del presidente Madero, ¿qué opción le quedaba entonces al jefe del Ejecutivo mexicano ante semejante poderío económico e influencia en los altos círculos políticos de Washington y en las grandes tesorerías que controlaban Wall Street?

¿Sospechó Francisco I. Madero la posibilidad de verse traicionado por algún miembro del alto mando del ejército mexicano o por algún tercero interesado en hacerse del máximo poder político de nuestro país? Por supuesto que sí sospechó, sólo que también creyó poder convencer a los traidores a través del diálogo civilizado en el marco del orden jurídico. Los mexicanos habíamos aprendido los alcances, modos y recursos de la tiranía, ¿no...? Habíamos padecido lo suficiente la persecución, el encarcelamiento ilegal y la desaparición de personas, la concentración de la riqueza en un par de manos, las represalias impunes ante cualquier reparo de la oposición política, y añorábamos un gobierno de instituciones, auténticamente democrático, en donde los caprichos de un solo hombre no tuvieran cabida y se impidiera la reelección de las máximas autoridades, ¿no...? ¿Verdad que ya no deseábamos un gobierno que se impusiera con golpes ni puñetazos asestados sobre el escritorio ni que lucrara políticamente con los secretos obtenidos en los confesionarios ni con paredones y prisiones clandestinas ni con ¡mátenlos en caliente y luego averiguamos!, ni con perros con hueso en el hocico que ni muerden ni ladran, ni con soluciones al estilo de Cananea y de Río Blanco?, ¿verdad que no...?

¿Verdad que queríamos un México nuevo? ¿Verdad que preferimos los excesos de la prensa —las caricaturas soeces, las burlas, las calumnias y los artículos infamantes— en lugar de clausurar la libertad de expresión y de continuar persiguiendo a los pensadores dentro y fuera de nuestras fronteras? ¿Verdad que ya no queríamos más asesinatos de periodistas ni de políticos de la oposición ni policías secretas ni espías profesionales "para salvaguardar la integridad del Estado..."? Soy un estadista, no un matón... Soy un presidente electo por una mayoría republicana, no un tirano apoyado por el filo de las bayonetas. Estoy aquí por disposición del pueblo, no por las razones de las armas... ¿Más mano dura cuando México emerge de seis lustros de represión? ¿Incomprendido? Ya me comprenderán... ¿No entendimos después de más de 30 años de porfirismo monolítico que las dictaduras terminan convirtiéndose en astillas junto con todo el país, gobierno, gobernados y territorios en donde se arraiguen? Discutamos y arreglemos entonces nuestras diferencias dentro de los precisos límites de la ley, la única fórmula de convivencia en nuestros días...

¿La ley? ¿Cuál ley? Usted, señor Madero es un lunático, un iluso, un soñador. ¿Cómo que la ley? ¿Cuál ley? México, sépalo o apréndalo de memoria, es un país que requiere mano fuerte y manga ancha simultáneamente. Difícil, ¿verdad? Por eso no sirve ni servirá usted como presidente... Escúcheme bien: al diablo con la ley, con las instituciones políticas, con la división de poderes, con la prensa libre, con las garantías individuales y con la tan mentada democracia. Aquí no hay más ley que los estados de ánimo del jefe del Ejecutivo, el verdadero intérprete de la voluntad nacional y del sentir de las mayorías ciudadanas. La libertad en

México es el caos. Toda nuestra existencia hemos convivido dentro de un esquema autoritario. No ha llegado la hora —ni llegará— en que podamos cambiar nuestros patrones de conducta. La ley no, la bala sí, el dogal, la rama del ahuehuete, también... ¿Cuál orden si no hay un jefe superior que dirija todos nuestros pasos? Alguien tiene que convalidar forzosamente las decisiones del mexicano: requerimos invariablemente la presencia del jefe, alguien que tutele nuestras relaciones... ¿La ley? No cabe duda, señor Madero, de que usted es un hombre candoroso, y los hombres candorosos, por usar un eufemismo, en México terminan invariablemente con un tiro disparado a quemarropa en el centro de la frente. Juárez y Díaz no sobrevivieron precisamente por inocentes, ¡por favor...! No sea usted iluso...

¿Inocente, yo? ¿Iluso? ¡No!

Inocente, usted, sí, e iluso también. Ha cometido errores imperdonables, señor Madero, ¿o no fue un error imperdonable haber dejado que Francisco León de la Barra, un consumado porfirista, un contumaz opositor a las causas republicanas, forjado en las más reaccionarias fraguas del país, ocupara provisionalmente la presidencia, en tanto se convocaba a nuevas elecciones? Usted era el hombre, el político triunfante, el gran líder nacional, el que, sin duda, tenía que haber presidido el gobierno desde un principio sin poner la iglesia en manos de Lutero, ¿o lo que usted hizo con León de la Barra no equivalía a que Obregón hubiera permitido, años más tarde, a un reconocido carrancista como Ignacio Bonillas, gobernar unos meses como presidente sustituto en lugar de Adolfo de Huerta, uno de los aliados incondicionales del famoso divisionario? ¿Cómo puso usted el gobierno precisamente en manos de sus enemigos en contra de los cuales usted convocó nada menos que a una revolución el 20 de noviembre de 1910? ¿Está claro, clarísimo? ¿No hubiera sido lo mismo si Juárez le cede el poder a Miramón o a Zuloaga después de la guerra de Reforma para que éste convocara a elecciones durante los años de la restauración de la República? ¿Aceptó usted que el congreso, su ejército y los hacendados, todos ellos porfiristas de viejo cuño, continuaran operando a sabiendas de que jamás le serían leales, señor

Madero? Dejó usted al zorro el cuidado de las gallinas. Inocente, sí, señor Madero, inocentísimo...

Necesito tiempo: un periodo de gracia para acomodar las fuerzas políticas del país. Conozco las necesidades, las carencias, las debilidades, sí, sí, las conozco, sólo quiero tiempo, señores, apenas tengo ocho meses aquí en el Castillo de Chapultepec... Paciencia, y materializaremos los propósitos de la Revolución. No soy un traidor a la causa ni un iluso, sólo quiero tiempo, tiempo, tiempo...

No hay tiempo señor Madero, este país tiene sed de justicia y usted debe impartirla sin tardanza o el pueblo la impartirá con sus propias manos y, ¿sabe usted cómo se llama eso...? ¿Ya sabe qué sucede cuando el pueblo se hace justicia con sus manos?

Desde 1911 y 1912 se manifestaba un claro patrón de divisiones políticas y sociales. Un grupo tras otro venían rompiendo con Madero, declarándose en rebeldía contra su gobierno. Emiliano Zapata se levanta en armas apoyado en el Plan de Ayala. Llaman traidor a Madero, mil veces traidor, porque no repartía tierras ni acababa con las malditas haciendas y sus esclavos, los peones, ni con sus infames tiendas de raya y continuaba la miseria en el campo como si Díaz hubiera seguido en su eterna presidencia. ¿Para qué tiene el poder del decreto? ¿No puede suscribir iniciativas de ley? ¡A gobernar! Los campesinos lo acusan de haber congelado la revolución: tierras, tierras, y las tierras no llegaban... Los obreros, por su parte, tampoco disfrutaban el arribo del bienestar, por contra, a la usanza porfirista, se sofocan huelgas como las de los operadores de tranvías, con un doloroso derramamiento de sangre. ¿Más sangre? Se clausura *La Luz*, el periódico de La Casa del Obrero Mundial. Se detiene el movimiento obrero. Todos se vuelven sorprendidos al Castillo de Chapultepec en busca de explicaciones y respuestas...

Los militares deliberan en los cuarteles. Traman el golpe de Estado. Se reparten responsabilidades estratégicas y se asignan papeles criminales. Los legisladores, todos neoporfiristas, los mismos que lloraron y agitaron pañuelos blancos cuando el *Ypiranga*, con el tirano a bordo, se perdía en la inmensidad del horizonte marino, ya elaboran el cuerpo de leyes para darle estructura legal a la revuelta. El clero manipula, esparce el rumor maligno, influye desde el púlpito, traba alianzas inconfesables en el interior de las sacristías. La prensa desata una crítica mordaz, demoledora, sarcástica, de la misma manera en que un niño de cinco años juega con una pistola 45 cargada. El Partido Constitucional Progresista, creado por Gustavo, es blanco de ataques. Gustavo empieza a cansarse de que su hermano no lo escuche. Las discusiones entre ellos suben cotidianamente de tono.

En el interior de la embajada de Estados Unidos en México, se diseña, entre tragos y más tragos de Hennessy Extra Old, servidos en copas globeras, una parte de la estrategia para ejecutar el derrocamiento del jefe del Estado mexicano. Madero está loco, se dice. Madero caerá víctima de una conjura castrense y diplomática. La sociedad, como siempre, asistirá apática a la decapitación de sus más caras esperanzas. No perderá detalle de su amputación política. Indiferente comparecerá al nuevo espectáculo del patíbulo y después se retirará a casa a comentar morbosamente los acontecimientos y a merendar conchas con chocolate espumoso como cualquier otra noche más. Años atrás contempló la incineración de cientos de los suyos en una pira callejera sin levantar siquiera una ceja. Eran los años negros de la Santa Inquisición... Más tarde sabrá del asesinato del presidente Madero, del asesinato del presidente Carranza y del asesinato del presidente Obregón, del descarado robo de urnas, de la falsificación de actas electorales, del escandaloso peculado, del robo descarado del ahorro público, de la reiterada violación de la suprema voluntad nacional, sin oponer el menor reparo ni proclamar un esbozo de protesta o de resistencia. Todavía invitará a cenar a casa a los ladrones del tesoro nacional, homenajeándolos con banquetes opíparos. La sociedad mexicana asiste a los horrores del crimen político con la misma indiferencia con la que va al teatro a presenciar una obra dramática escenificada con un libreto soporífero...

El cierzo invernal de 1913 vino acompañado de voces de muerte. Gustavo Madero, el segundo hijo de los dieciséis que tuvo el matrimonio formado por Francisco Madero Hernández y Mercedes González Treviño, un hombre sensible y delicado, sumamente politizado, graduado en comercio y economía, así como en las mejores técnicas de cultivo de algodón, intérprete de violín y devoto de la ópera y del teatro, un individuo preparado, sagaz y astuto, no se dejaba engañar. Percibía el peligro. Advertía los planes de los asesinos. Interpretaba todas las señales y las insinuaciones. Descifraba mensajes. Leía las entrelíneas. Se adelantaba al futuro. Descubría a los hipócritas. Delataba a los traidores. Desenmascaraba a los verdugos. Desarmaba a los autores del regicidio y posteriormente del magnicidio. Apuntaba con un dedo de fuego a los integrantes de la colosal conjura. Francisco, su hermano, pensaba en la aplicación de la ley, en el sometimiento coactivo a la norma fundamental, en el vigor de las instituciones:

—Nos matarán a ti y a mí: si te asesinan, hermano, no sólo acabarán con tu vida, sino con el proyecto de nación que tanto has anhelado y que tú y yo, juntos, hemos conformado... Lo que te pase a ti le pasará a México: ¡entiéndelo, por lo que más quieras! De tu investidura dependen millones de vidas y millones de empleos y de inversiones: el destino de México está en tus puños, no así en tus palmas nobles y generosas... Pagarás con tu vida el hecho de haberte adelantado cuando menos cien años a México, y con tu inmolación nos iremos otros cien para atrás...

Gustavo seguramente pensaba que Pancho soñaba demasiado... ¿Por qué entonces entrega su vida —nunca mejor dicho— al sueño de su hermano? ¿Por qué se separa de su familia para dar todo su tiempo y dinero a la organización de la revolución, campaña presidencial y gobierno de Francisco?

Cuando Francisco I. Madero inició el movimiento revolucionario en 1910, Gustavo fue el primero de la familia que le dio todo su apoyo financiero para la campaña presidencial. "Don Porfirio" tenía que desaparecer del escenario político para que México pudiera progresar. Compartía con su hermano el ideal de un país justo y democrático. Si bien Francisco se sentía el líder natural para regir el destino de México, Gustavo jugó un papel importante al darle al candidato y más tarde al presidente ciertas dosis de realidad, ayudándole a aterrizar planes y proyectos, aconsejándolo, regañándolo, advirtiéndole pero, al final del camino, respaldándolo y cuidándolo incondicionalmente, sin ocultar la inmensa debilidad y devoción que sentía por su hermano menor.

Gustavo dedicó su talento y su fortuna a financiar la revolución, al extremo de que cuando se agotaron sus fondos para apoyar la causa democrática no tuvo empacho en entrar en contacto con los petroleros norteamericanos —según consta en los archivos del Congreso de Estados Unidos de Norteamérica, concretamente en los de la Standard Oil— para que, a cambio de concesiones para extraer crudo cuando Francisco asumiera la presidencia, le adelantaran dichos industriales, ciertamente voraces como hasta nuestros días, una cantidad valuada en aquellos años en 500 mil dólares oro, mismos que se pagarían o se amortizarían contra permisos de extracción petrolera. La operación no llegó a perfeccionarse por la caída repentina de Díaz después de la toma de Ciudad Juárez.

Los años de la presidencia de Francisco I. Madero fueron muy difíciles para Gustavo. Él se convirtió en el máximo maderista. Se hizo de numerosos enemigos aun dentro del mismo campo de adeptos del presidente. Es la historia de un hombre que pagó con su propia vida la realización de un sueño y que fue apoyado por su hermano hasta la muerte en toda la extensión de la palabra.

No sólo Gustavo alertaba al presidente respecto de la presencia de la maldad y de los alcances del riesgo, también su propia madre, doña Mercedes, en una histórica carta, le dio a conocer sus puntos de vista con inmensa ternura y firmes convicciones: "No andes con contemplaciones, Pancho. Imponte un poquito con el mismo De la Barra, porque si no tendremos que batallar... Hay que quitar a Huerta... A Blanquet hay que mandarlo lejos: están haciendo la contrarrevolución..."

La respuesta del presidente ante un alud de advertencias en torno a su muerte habría de buscarlas en la lectura e interpretación de la ouija y en el dicho de las voces de ultratumba.

Según lo comenta John Mason Hart, la caída de Madero era inminente. Para finales de 1912, su gobierno había entrado en un estado de profunda crisis. El presidente no lograba satisfacer las aspiraciones de las clases campesinas y obreras... Había perdido el apoyo de los intelectuales de izquierda que constituyeron la avanzada del debate político durante el régimen de Díaz. No había conseguido el mantenimiento de la paz ni el orden en el campo o en las ciudades y, por lo tanto, no pudo contentar ni a los inversionistas ni a las cúpulas empresariales ni a los grandes terratenientes. Su abierta política en favor de la inversión extranjera y las seguridades que otorgaba a los inversionistas del exterior quedaban desmentidas por su incapacidad de proteger sus propiedades de los ataques. El cuerpo de oficiales del ejército le era hostil por considerarlo un jefe advenedizo y débil. Él esperaba poder convencer al ejército, fundamentalmente porfirista, de la trascendencia histórica de defender su gobierno...

El 15 de septiembre de 1912 Victoriano Huerta, el chacal, un hombre de aspecto sombrío, de mirada gris e inexpresiva, quien pasaba la mayor parte de su tiempo en estado de embriaguez, bebiendo en una ocasión en la cantina El Gato Negro de Ciudad Juárez, comentó a sus oficiales sin dejar de incubar rencores en contra del presidente: "¿Cómo fui a hacerle caso cuando no me permitió fusilar a Francisco Villa durante el ataque a Orozco en 1912? ¡Carajo! Se me escapó el bravucón ese..." Sin dejar de empujar de un solo trago su chato de tequila, agregó: "Si yo quisiera, me pondría de acuerdo con Pascual Orozco, y con veintisiete mil hombres iría a México a quitar a Madero de presidente..." Krauze, en su libro intitulado: *Madero, místico de la libertad*, comenta que al enterarse del incidente, el general Ángel García Peña, nuevo ministro de Guerra, destituyó del mando a Huerta. Sin embargo, días más tarde, Madero concede a Huerta el rango de general de división. ¿Cómo explicarse lo anterior? Cuando se sorprende a un ladrón *in fraganti*, el objeto robado corre en muchas ocasiones menos riesgos si éste se le entrega bajo custodia al delincuente después de haberlo perdonado y comprometido con la causa. Ése era Madero. Te devuelvo mi confianza: ¡hónrala!, creo todavía en el género humano... ¡Falso que los alacranes siempre sigan siendo alacranes...! ¡Falso nuevamente que los hombres no cambien...! ¡Falso que a una persona no se le puedan tocar sus fibras éticas para modificar su conducta...! ¿Iluso...? Que los resultados hablen por sí mismos...

Madero no contaba con que Henry Lane Wilson, el embajador norteamericano, distorsionara a tal extremo ante su gobierno la realidad de lo que acontecía efectivamente en México, exagerando los alcances de las decisiones de su gobierno. Ignoraba asimismo que el propio diplomático apoyaba a Huerta y al mismo tiempo se entendía con Félix Díaz. Desconocía que aquél trazaba un plan para derrocarlo y que el propio Wilson creaba las condiciones necesarias para que en el exterior, especialmente en Estados Unidos, se proyectara a México como un país inseguro, insolvente políticamente, para la inversión extranjera. Solicitaba insistentemente una intervención militar para rescatar al amigo del sur... El representante de la Casa Blanca soñaba con la estabilidad y el orden porfirista y con la preservación, antes que nada, de los intereses industriales de su país en el ramo de la metalurgia y del petróleo. ¿Era el representante de Estados Unidos o simplemente el de Wall Street?

Madero desoía lo que se comentaba en el seno de los hogares mexicanos, especialmente en el de los capitalinos, a la hora de la merienda. Desoía las deliberaciones de los militares. Desoía los consejos y opiniones de los diplomáticos leales a su gobierno. Desoía el contenido de las homilías. Desoía los puntos de vista de intelectuales y periodistas. Desoía los acuerdos de los legisladores porfiristas. Desoía los consejos de su hermano Gustavo y los de otros familiares. Sabía, sí, sin duda sabía, pero desoía...

El 15 de septiembre de 1912, y gracias a Wilson, Washington cursó a Madero la nota de protesta más enérgica enviada hasta entonces, culpándolo de discriminar a sus empresas y a sus ciudadanos y por haber establecido un impuesto al petróleo crudo... Acto seguido, Wilson le propuso al presidente Taft y al secretario de Estado, Knox, apoderarse de una parte del territorio y conservarlo, o bien derrocar al régimen de Madero. Para esto encontrarían al aliado perfecto: Victoriano Huerta. Según lo relata Lorenzo Meyer: "el presidente Taft había estado dispuesto a hacer ambas cosas, pero Knox, el secretario de Estado, se había opuesto a la idea de ocupar el territorio mexicano. Los tres acordaron, entonces, subvertir el gobierno de Madero. Para este fin utilizarían la amenaza de intervención, promesas de puestos y honores, y soborno directo en efectivo a los principales protagonistas."

La supuesta "restauración de la estabilidad" destruiría el primer ensayo democrático de México en todo el siglo XX. Después de todo ello no advendría sino el centralismo político, la cerrazón, la intransigencia y la intolerancia, con el consecuente y no menos temerario atraso social. El 9 de febrero de 1913 comienza la llamada Decena Trágica: "estalla" una guerra falsa de diez días, que desquició a la capital, una guerra igualmente inexplicable en la que "los atacantes no atacaban y los defensores jugaban naipes en su interior", una guerra que horrorizó a sus habitantes y probó la ineficiencia del gobierno, dando paso al golpe final contra Madero. Pilas de cadáveres, verdaderas chimeneas humanas ardían en las calles que rodeaban La Ciudadela, un reducido bastión ocupado por "dos" militares rebeldes que no hubieran resistido el acoso de la artillería federal por más de cinco minutos. La suerte no estaba con Madero. Las voces de los muertos, los consejos de ultratumba, repetían una larga y lenta letanía necrológica que nadie se atrevía a oír y menos a repetir. La ouija se había equivocado una vez más...

Durante la aparente lucha urbana, Lauro Villar, un comandante adicto y leal a Madero, su hombre de confianza, cayó víctima de la metralla. ¿Por qué precisamente Villar tenía que caer herido? ¿Por qué? La mala fortuna vino acompañada de la sinrazón: haciendo caso omiso de los avisos de sus leales, Madero escogió al último militar que tenía que haber seleccionado. ¿No estaba ahí Felipe Ángeles? ¿No le había advertido Gustavo, su propio hermano, que Victoriano Huerta era un reconocido traidor, un general desleal a las más caras causas de la República? ¿Tan pronto se había olvidado el presidente de los comentarios vertidos por Huerta en la cantina El Gato Negro, rodeado de oficiales y bebiendo tequila revuelto con pólvora? No sólo había puesto el gobierno en manos de León de la Barra y dejado intacto el ejército y el congreso porfirista durante su gobierno democrático: faltaba que Madero se diera un tiro de gracia, y para lograrlo con notable éxito nombró al general Victoriano Huerta, el más despreciable de los militares, el peor de sus enemigos inconfesos, como jefe de sus tropas, encargado de su protección y defensa. Las carcajadas del chacal rebasaban los muros de la Ciudadela y se escuchaban como un eco macabro al perderse en los confines del Ajusco. Semejante decisión le costaría la vida a Madero y proyectaría a México a una involución imposible de medir en el tiempo.

El 10 de febrero de 1913 Wilson rindió detalle a Washington respecto de las negociaciones entre Félix Díaz y Victoriano Huerta. El embajador yanqui prometió a Huerta que la Casa Blanca reconocería a cualquiera gobierno capaz de establecer la paz y el orden. Convocó a los representantes de Inglaterra, Alemania y España para crear un frente diplomático que él mismo manipularía entre candilejas. Una comitiva integrada por ellos mismos tuvo la osadía de pedirle o de sugerirle o aconsejarle al presidente de la República la presentación de su renuncia al cargo con tal de evitar el derramamiento de sangre... Los militares enclaustrados en La Ciudadela continuaban disparando a diestra y siniestra. Lane Wilson pidió a Taft y a Knox el envío de instrucciones firmes, drásticas, amenazantes, para ser transmitidas personalmente al gobierno del presidente Madero. El 17 de febrero Wilson condujo en la embajada las negociaciones políticas previas a la ejecución del golpe de Estado. Otro grupo, esta vez integrado por legisladores, también le solicita a Madero su dimisión como jefe del Ejecutivo:

—No me extraña que me pidan la renuncia senadores nombrados por Porfirio Díaz y no por el pueblo de México —respondió el presidente, conteniéndose como una fiera enjaulada—, sólo quiero que sepan que estoy aquí por mandato del pueblo y sólo muerto o por su mandato saldré del Palacio Nacional.

La respuesta fue la de un estadista, la de un hombre regido por los principios jurídicos; sin duda, el presidente que México necesitaba, el respetuoso de las formas legales y de las estructuras republicanas. Me debo al pueblo, él me eligió: no a nada con ustedes, mequetrefes incapaces de contemplar la perspectiva política de nuestro país a lo largo del siglo XX... ¡Fuera! ¡Largo...!

Madero concluiría con un: hoy en la tarde mi general Huerta atacará La Ciudadela y retornará la paz a los hogares de México... Tranquilícense, todo saldrá bien... ¡Apártense de mi vista!

Las traiciones se suceden las unas a las otras. Los carabineros de Coahuila, paisanos del presidente, son sustituidos por el 29 batallón capitaneado por Blanquet, un esbirro del chacal, otro cavernícola que sólo entendía el lenguaje de las balas y del hurto. Otra traición se consuma cuando los heroicos cadetes del Colegio Militar son acuartelados hasta nueva orden, y otra más, cada una más sanguinaria que la otra, se da cuando se le instruye a un regimiento de rurales maderistas tomar por asalto La Ciudadela con el pecho descubierto. Los soldados, también leales al presidente, son masacrados por las ametralladoras mientras Huerta y Blanquet revientan de las risotadas. Traición del propio Wilson cuando duda entre Félix Díaz y Huerta. Las traiciones se dan en los cuarteles y en las embajadas, no así en Palacio Nacional: Gustavo Madero y Jesús Urueta descubrieron que Huerta encabezaba la conjura. Lo pueden demostrar, lo saben. Gustavo Adolfo Madero González, más agudo, malicioso e intuitivo que su hermano menor y mejor lector de las verdaderas intenciones que movían a sus semejantes, si bien igual de idealista que Francisco, conduce personalmente al traidor ante la presencia del presidente. Lo jalonea furioso de los galones que lo acreditan como general de división. Previamente lo había desarmado. Lleva en su mano la espada del villano. Su empuñadura es dorada. El acero es refulgente. Lo exhibe. Le dispara a quemarropa una cartuchera llena de pruebas para demostrar su felonía. El presidente desoye las acusaciones. A pesar de todos los antecedentes porfiristas y reyistas de Huerta, a pesar de los rumores de una reunión temprana de Huerta con Félix Díaz y a pesar ahora de confirmar sus arreglos con los rebeldes, a pesar de las traiciones previas, Madero libera a Huerta:

—Mi general, tiene usted 24 horas para comprobar su lealtad a la República —le dijo ante el rostro irascible de Gustavo, quien tenía los ojos inyectados de sangre. Acto seguido le devolvió su espada. El militar la envainó ufano y satisfecho. El presidente reprende agriamente a su hermano en privado. Lo insulta. Lo amenaza con expulsarlo del país en viaje de buena voluntad al Japón... —Te irás de embajador... —le exige madurez. Le reclama su falta de control y de ser víctima de pasiones que afectan gravemente a su gobierno... O te comportas o te largas. No quiero, de ningún modo, volver a sufrir vergüenzas como la de hoy...

Gustavo, presintiendo el final, se negó a abandonar a su hermano. El transcurso del tiempo y las evidencias empezaban a hablar por sí mismos. Ninguno de los dos podía ya ignorar que la causa política podía costarles la vida. Apostaron y perdieron.

—Nos van a matar, Francisco.

—Sí, yo sé que nos van a matar —contestó el presidente.

—Pero no nomás a ti. Nos van a matar a los dos... Y además, te aseguro que me van a matar a mí primero —concluyó Gustavo.

Los rumores de un próximo levantamiento comenzaron a ser cada vez más insistentes a principios de 1913. Una tarde, poco antes del golpe, Huerta se anunció en la casa de Pino Suárez. El portero le hizo pasar a la sala. El vicepresidente creyó que Huerta venía a aprehenderlo. Grande fue su asombro cuando el general, abrazándolo, le dijo:

—Mis enemigos afirman que me voy a sublevar, y aquí me tiene usted, reiterándole mi adhesión al gobierno...

La mecha de la verdadera revolución ya estaba colocada sobre un barril de pólvora. Sólo faltaba prenderla para que con el asesinato de Madero el país estallara en astillas.

El día siguiente Madero, el presidente, va a su despacho en Palacio Nacional. Su hermano Gustavo está junto a él. Victoriano Huerta llega a rendir cuentas. Acto seguido, el general invita a Gustavo a comer, con el pretexto, tal vez, de intentar una reconciliación tras el enfrentamiento del día anterior. Salen rumbo al restaurante Gambrinus. Ambos disfrutan una buena comida. Durante la charla de sobremesa "fina, irónica, alegre", Huerta recibe la llamada esperada y acordada... Tiene que levantarse de la mesa. Cuando regresa le comenta a Gustavo que tiene que salir, que si le presta su pistola porque él, el general, había olvidado la suya... Gustavo se la entrega ingenuamente. Huerta se cruza en la puerta con un piquete de soldados. Uno de ellos se dirige a Gustavo:

—Está usted preso.

—¿Por orden de quién? —pregunta Gustavo—. ¡De mi general Huerta! —responde el golpista.

El trágico desenlace no se hace esperar. Gustavo es trasladado a La Ciudadela acompañado por el intendente Bassó, también prisionero. Francisco pregunta por su hermano, su mayor preocupación. En La Ciudadela reciben a Gustavo entre mofas y risas. No dejan de burlarse del "Ojo Parado".[1] Cecilio Ocón, la máxima autoridad en La Ciudadela, decide hacerle un "juicio"... Gustavo intenta defenderse. Ocón lo abofetea:

—Así respetamos nosotros tu fuero.

Los soldados están llenos de furia. Quieren acabar con ellos. Madero y Bassó son trasladados a El Carmen. Son perseguidos de cerca por una "jauría". Gustavo es golpeado salvajemente. Un desertor del batallón 29, llamado Melgarejo, después de acercarle una linterna en la noche para identificar cuál ojo tenía de vidrio Gustavo, pincha entonces el sano con un picahielo. Gustavo grita desesperado en su dolorosa ceguera total. Los hombres se ríen de él, disfrutando el espectáculo. Ocón, en su papel de "juez", decide ejecutarlo sin más. Intenta sujetar a Madero. Éste logra todavía empujarlo instintivamente. Recibe a cambio 27 puñaladas. Los gritos de dolor se ahogan entre las reclamaciones de los asesinos: eso es para que no vuelvas a llevar detenido a mi general Huerta, como si fuera un pillo: a un buen militar nunca se le desarma ni se le priva de su espada ni se le jalonea ni se le insulta. Es una cuestión de honor castrense. Ten tu merecido, pinche "Ojo Parado"... Toma, toma y toma... así aprenderás a no volver a rajar... Finalmente más de veinte bocas de fusil descargaron la pólvora sobre el

---

[1] Gustavo Madero, cuando niño, fue golpeado por una pelota en la cara, accidente que le hizo perder el ojo izquierdo, que años después le sería reemplazado por uno de vidrio. De ahí que el resto de sus días fuera conocido como el "Ojo Parado", patética carencia física que a la hora de su inmolación haría de su muerte una tragedia de un sadismo sin par.

cuerpo de Gustavo Madero hasta que dejó de maldecir y quedó en absoluta inmovilidad. Traición, traición, traición...

Para continuar "demostrando su lealtad a la República y su sentido del honor militar", aquel día, el 18 de febrero de 1913, mientras Huerta comía con Gustavo, el teniente coronel Jiménez Riveroll, el mayor Izquierdo, el ingeniero Enrique Cepeda y varios soldados del batallón de Aureliano Blanquet, todos instruidos directa y precisamente por el propio Huerta, arriban al Zócalo capitalino en un pequeño convoy; ingresan a Palacio Nacional, cruzan el Patio de Honor, suben por la escalera principal saludando marcial y familiarmente a los custodios del jefe de la nación; marchan unos pasos por el pasillo de barro perfectamente pulido, haciendo caso omiso de las herrerías forjadas del siglo XVIII que hacían las veces de barandal. Se detienen unos instantes ante la puerta central, de gruesa caoba tallada, del despacho más importante de México, ultiman detalles, repiten brevemente las instrucciones antes de ejecutar una de las peores traiciones conocidas en la historia patria. Repasan sucintamente los papeles a representar durante el golpe de Estado y sin más entran a bayoneta calada y con el cartucho cortado para arrestar, por el momento, al jefe de la nación, quien es detenido por el propio Blanquet tras una breve balacera. La decena trágica llegaba a su fin.

—Tomo a mi cargo su protección, señor presidente —diría Blanquet, subiendo y bajando nerviosamente su nariz de buitre—. Es usted mi prisionero.

—¡Traidor!, Blanquet, es usted un traidor —respondió el presidente antes de ser tirado de la manga por un primate uniformado rumbo a un cuartucho situado en la intendencia de palacio.

Se produce un brindis secreto en la embajada yanqui: Madero había sido detenido. El champán circula abundantemente. Los canapés de *foie gras* y los de langosta son rechazados por el chacal, éste prefiere sopes con chorizo y chalupas de pierna. Wilson bebe como siempre su Hennessy Extra Old. Huerta lo acompaña con mezcal de Oaxaca.

Wilson responde a las súplicas de Sarita, la esposa de Madero, que él no puede hacer nada para tratar de salvar la vida de su marido: "No puedo entrometerme en los asuntos de un país soberano, señora mía... No puedo intervenir en la vida política del país ante el cual estoy acreditado. Usted perdonará: debo respetar las formas y los modos exigidos por mi rango diplomático... Sin embargo, le digo que a su marido no le harán ningún daño, ninguno, confíe..."

Huerta, con el apoyo de Wilson, es ya la máxima autoridad en el país. Francisco, preso en Palacio Nacional, no deja de pensar en Gustavo. El embajador cubano lo visita en su celda. Observa cómo Francisco saca de una maleta una frazada con las iniciales de su hermano. Se envuelve con ella.

—Ministro —exclamó ahogado por la súbita emoción—, yo quiero saber dónde está Gustavo.

El embajador no respondió.

Cuando su madre lo visitó en la cárcel, Francisco le preguntó si era verdad... Ella le confirmó la muerte de su hermano. Se puso entonces a llorar como un niño. Hincado comenzó a pedirle perdón. Francisco se sentía responsable del dolor que le provocaba a su propia madre y a toda la familia. La Revolución y el arribo final de la democracia habían sido simples sueños que terminarían en una tragedia de dimensiones históricas.

El 21 de febrero por la noche, Madero y Pino Suárez, después de haber renunciado a la Presidencia de la República para obtener así un salvoconducto y poder abandonar el país —clara debilidad de Madero: él tenía que haberse abierto el pecho ante sus verdugos gritándoles en pleno rostro: jamás renunciaré, tendrán que asesinar al jefe del Estado mexicano. ¡Mánchense las manos con la sangre de su presidente!— fueron nuevamente traicionados. Por supuesto que no los condujeron después de firmar sus dimisiones a la estación de ferrocarril donde viajarían a Veracruz para encontrar a sus familias y zarpar, acto seguido, rumbo a Cuba. No, claro que no: Wilson había extendido las debidas garantías a la señora Madero de que ambos se encontrarían en aquel puerto tan pronto el presidente y Pino Suárez dimitieran para cubrir las formas legales... No llegarían a Veracruz, ni siquiera a la estación... muy a pesar de que Huerta le había jurado a Pedro

Lazcuráin, besando un escapulario que siempre le acompañaba y una medalla de oro regalada por su madre, que respetaría a como diera lugar la vida de los prisioneros.

El ex presidente confesaría a última hora: "Como político he cometido dos graves errores que son los que han causado mi caída: no haber sabido contentar a todos y no haber confiado en mis verdaderos amigos." A todo ello habría que agregar su incapacidad para descubrir las intenciones ocultas de sus semejantes, su desconocimiento de los hombres y su ausencia de malicia: el presidente Madero parecía no haber tenido nunca contacto con la maldad...

Aquella misma tarde fueron sacados a jalones y empujones de Palacio Nacional por el mayor Francisco Cárdenas. Se les obligó a abordar un automóvil que partió con rumbo desconocido. Madero no tardó en cuestionar a sus verdugos:

—Éste no es el camino a la estación de ferrocarril...

—¡Cállate ya, pinche pelón! —repuso Cárdenas, ciertamente descompuesto—, y bájate por esa puerta —le ordenó al presidente de la República.

Estaban a un costado de la penitenciaría. El cielo gris y plúmbeo anunciaba una nevada desconocida en el Valle de México. Todo podía ser, apenas había transcurrido la mitad del invierno. Los pasajeros de aquel siniestro automóvil negro se apearon. Madero pensaba que los cambiaban de celda, un mero traslado de un presidio a otro: lástima que me hayan engañado. Tal vez saldremos mañana rumbo a Veracruz...

Cuando el ex jefe de Estado mexicano llevaba un paso adelante y se encaminaba a la puerta central de la penitenciaría, Cárdenas desenfundó su pistola de espaldas a Madero —¿qué otra cosa sabe hacer un traidor?— y disparó un tiro a quemarropa en la nuca de su víctima. El presidente cayó al piso como un fardo. Su cabeza ensangrentada rebotó contra el piso.

—El mío no dijo ni pío. Ahora tú chíngate al tuyo... —ordenó Cárdenas a Cecilio Ocón, un felicista, su acompañante, otro verdugo igualmente sanguinario.

Despavorido, Pino Suárez trató de huir. En su intento de fuga precipitada tropezó, para caer en una zanja abierta de un par de metros de profundidad. Tenía una pierna rota y el hueso expuesto, mientras suplicaba boca arriba que lo dejaran vivir. Oponía sus manos como si pudiera resistir el impacto de las balas.

Ocón, un experto asesino, permaneció inmóvil apuntando con la pistola. Dudaba. ¿A un consumado criminal como él, le faltaba sangre fría?

—¡Chíngate al tuyo! —escupió Cárdenas impaciente—. Escoge —sentenció al encarar al otro esbirro apuntándolo igualmente con el cañón de la pistola todavía caliente: eres mi cómplice o te mueres... Tú dirás, Ocón: ¡Decide, pero ahorita, o yo acabo con los dos de una buena vez!

La respuesta lacónica consistió en varios disparos que acallaron para siempre las súplicas del otro prócer. Más, más traiciones, el primer magnicidio del México del siglo XX había sido exitosamente ejecutado.

La noche siguiente continuaron las felonías en su máxima expresión. Una traición que ruborizaría a los mexicanos de todos los tiempos. En la residencia de Estados Unidos, ante la presencia de la mayoría del cuerpo diplomático acreditado en México, se suscribe un nuevo pacto, un nuevo e ignominioso pacto, el "Pacto de la Embajada". Después de largas deliberaciones y de haber logrado convencer finalmente a Félix Díaz, el ambicioso sobrino de Porfirio Díaz, de la importancia de que Huerta, y no él, ocupara la Presidencia de la República —Díaz, más tarde, sería a su vez, traicionado—, el embajador Wilson corrió de pronto una puerta plegadiza para presentar nada menos que en la mismísima residencia de la Embajada de Estados Unidos, al nuevo titular del Poder Ejecutivo mexicano. Nadie aplaude. Nadie puede salir de la sorpresa. ¿Cómo aplaudir? Las copas de champán caen al piso. Se hace un silencio sepulcral, espeso, bochornoso. Victoriano Huerta se logra poner de pie con enormes dificultades. Con un auténtico alarde de equilibrio puede mantenerse en dicha posición durante los inaudibles comentarios aislados de los representantes extranjeros. Nadie podía salir del estupor. El nuevo jefe del Estado mexicano se encontraba absolutamente ebrio. La cirrosis acabaría años más tarde con él. Su hígado tendría el tamaño de una nuez.

—Mi tener el privilegiou de presentar a ustidis al nuevou presidenti de Mexxicou…

¿Los capitalinos protestaron al saber preso a su presidente? ¿Alguien lo hizo? ¿Alguien se manifestó en la calle para repudiar el golpe de Estado? La sociedad, adormecida y anestesiada como siempre, convalidó con su silencio y su inacción el terrible magnicidio.

Pocos levantaron la mano para defender a su presidente. Pino Suárez, Gustavo, Abraham González fueron asesinados entre otros tantos más… Madero fue traicionado por "el Chacal". Traicionado también por Blanquet, por el ejército, por el congreso, cuyos representantes populares no ignoraban que Madero era un presidente electo constitucionalmente en acatamiento de la suprema voluntad de la nación. El presidente fue traicionado por la prensa y por el clero, que no tardó en homenajear al nuevo dictador, al asesino de tres caras, ofreciendo un *Te Deum* en su honor en el interior de la catedral metropolitana decorada como nunca… Sentado en una silla verde de respaldo elevado, Huerta, ubicado a un lado del altar perfectamente iluminado, vestido regiamente en traje de gala y condecoraciones, escuchó devotamente la misa y elevó sus plegarias, hincado cuando así lo ordenaba la liturgia católica. Su rostro reflejaba ser el mejor de los cristianos. El más respetuoso de los mexicanos. Un hijo privilegiado de Dios.

Venustiano Carranza, el gobernador de Coahuila, se resistió a tratar con un tirano. Estallaría la revolución. Las manecillas del reloj de la historia se quedarían congeladas, inmóviles, junto con nuestras mejores esperanzas de alcanzar el desarrollo que todos creíamos merecernos… Volvía a gobernarnos el caudillismo de extracción española con todas sus nefastas estelas y consecuencias desastrosas, como el autoritarismo, la intolerancia, la imposición en todas sus modalidades y la brutalidad de cara a cualquier manifestación de la oposición ante una instrucción dictada por el tirano.

Las revoluciones o sirven para concentrar aún más el poder o no sirven para nada… El futuro de México se encargaría de demostrar la validez de esta sentencia.

BIBLIOGRAFÍA

¿ES JUSTIFICADA LA TRAICIÓN CUANDO SE TRATA DEL AMOR...?

CARDOSO, CIRO (coord.), *México en el siglo XIX*, Nueva Imagen, México, 1980.

ENCICLOPEDIA SALVAT, *Historia de México,* tomo 7, México, 1974.

KRAUZE, ENRIQUE, *Siglo de caudillos. Biografía política de México (1810-1910)*, Tusquets, México, 1994.

MUÑOZ, RAFAEL F., *Santa Anna, el dictador resplandeciente*, Lecturas Mexicanas 33, Fondo de Cultura Económica, México, 1936.

PRIETO, GUILLERMO, *Memorias de mis tiempos*, Porrúa, México, 1986.

SEFCHOVICH, SARA, *La suerte de la consorte*, Océano, México, 1999.

SERNA, ENRIQUE, *El seductor de la patria*, Joaquín Mortiz, México, 1999.

SEMO, ENRIQUE, *México. Un pueblo en la historia*, tomo 2, Nueva Imagen, México, 1983.

VALLE-ARIZPE, ARTEMIO DE, *La güera Rodríguez*, Panorama, México, 1995.

PANCHO VILLA Y LA REVOLUCIÓN TRAICIONADA

AGUILAR CAMÍN, HÉCTOR, y LORENZO MEYER, *A la sombra de la Revolución mexicana*, Cal y Arena, México, 1990.

BARRAGÁN RODRÍGUEZ, JUAN, *Historia del ejército y de la Revolución constitucionalista*, Talleres de la Editorial Stylo, Antigua Librería Robredo, México, 1964.

CERVANTES, FRANCISCO, *Francisco Villa y la Revolución*, Ediciones Alonso, México, 1960.

FOIX, PERE, *Pancho Villa*, Trillas, México, 1960.

GARCÍA, CLARA GUADALUPE, *Rojo: del asesinato político en México*, Plaza y Janés, México, 1997.

KRAUZE, ENRIQUE, *Entre el ángel y el fierro, Francisco Villa* (biografía del poder), Fondo de Cultura Económica, México, 1987.

MASON HART, JOHN, *El México revolucionario*, Alianza, México, 1990.

YO, MI ALTEZA

ANAYA, JUAN GUALBERTO, *Santa Anna no fue un traidor*, Cicerón, México, 1952.

BLANCO MOHENO, ROBERTO, *Iturbide y Santa Anna. Los años terribles de la infancia nacional*, Diana, México, 1991.

COSTELOE P., MICHAEL, *La República central en México, 1835-1846. "Hombres de bien" en la época de Santa Anna*, Fondo de Cultura Económica, México, 1993.

DICCIONARIO PORRÚA DE HISTORIA, BIOGRAFÍA Y GEOGRAFÍA DE MÉXICO, Porrúa, México, 1963.

FERNÁNDEZ MACGREGOR, GENARO, *En la era de la mala vecindad*, Ediciones Botas, México, 1960.

FUENTES MARES, JOSÉ, *Santa Anna: el hombre*, 4a. ed., Grijalbo, México, 1982.

GONZÁLEZ PEDRERO, ENRIQUE, *País de un solo hombre: el México de Santa Anna*, vol. 1, *La ronda de los contrarios*, Fondo de Cultura Económica, México, 1993.

MUÑOZ, RAFAEL F., *Santa Anna. El hombre que todo lo ganó y todo lo perdió*, Espasa-Calpe, Madrid, 1936.

——, *Santa Anna, el dictador resplandeciente*, Lecturas Mexicanas 33, Fondo de Cultura Económica, México, 1983.

SERNA, ENRIQUE, *El seductor de la patria*, Joaquín Mortiz, México, 1999.

SUÁREZ ARGÜELLO, ANA ROSA (coord.), *Pragmatismo y principios. La relación conflictiva entre México y Estados Unidos 1810-1942,* Coordinación de Publicaciones del Instituto de Investigaciones José María Luis Mora, México, 1998.

SUÁREZ Y NAVARRO, JUAN, *El general Santa Anna burlándose de la nación...*, artículos publicados en el siglo XIX por el general [?], Imprenta de I. Cumplido, México, 1856.

HISTORIA GENERAL DE MÉXICO, 3a edición, El Colegio de México, México, 1981.

HISTORIA DE MÉXICO, Enciclopedia Salvat, México, 1980.

JOSÉ MARÍA MORELOS Y PAVÓN, TRAICIONADO Y ¿TRAIDOR...?

ALAMÁN, LUCAS, *Historia de Méjico. Desde los primeros movimientos que prepararon su independencia en el año de 1808 hasta la época presente*, 5 vols., Jus, México, 1990, vols. I y II.

BENÍTEZ, FERNANDO, *El peso de la noche. Nueva España de la Edad de plata a la Edad de fuego*, Era, México, 1996.

BUSTAMANTE, CARLOS MARÍA DE, *Cuadro histórico de la revolución mexicana en 1810*, 7 vols., ICH-Fondo de Cultura Económica, México, 1985, vol. I.

DESCHNER, KARLHEINZ, *Historia criminal del cristianismo. La iglesia antigua: falsificaciones y engaños*, Ediciones Martínez Roca, Barcelona, 1993.

GARCÍA CARCEL, RICARDO, *La Inquisición*, Biblioteca Básica de Historia. Monografías, REI, México, 1992.

GARCÍA, GENARO, *Documentos inéditos o muy raros para la historia de México.*

Autógrafos inéditos de Morelos y causa que se le instruyó, tomo XII, Librería de la viuda de Ch. Bouret, México, 1907.
GREENLEAF, RICHARD E., *La Inquisición en la Nueva España, siglo XVI*, Fondo de Cultura Económica, México, 1981.
HERREJÓN PEDRERO, CARLOS, *Los procesos de Morelos*, El Colegio de Michoacán, México, 1985.
KAMEN, HENRY, *La Inquisición española*, Barcelona, Crítica, México, 1988.
LEMOINE VILLICAÑA, ERNESTO, *Morelos: su vida revolucionaria a través de sus escritos y de otros testimonios de la época*, UNAM, México, 1965.
LOWER, THOMAS, *La Inquisición*, Ebrolibros, México.
MASSON, HERVE, *Manual de herejías*, Rialp, Madrid, 1989.
ZÁRATE, JULIO, *Morelos*, Talleres gráficos del estado de Michoacán, Morelia, 1976.

ÁLVARO OBREGÓN Y LA TRAICIÓN MASIVA

AGUILAR CAMÍN, HÉCTOR y LORENZO MEYER, *A la sombra de la Revolución mexicana*, Cal y Arena, México, 1990.
AGUILAR MORA, JORGE, *Un día en la vida del general Obregón*, Martín Casillas y SEP, México, 1982.
AMAYA, JUAN GUALBERTO, *Los gobiernos de Obregón y Calles y regímenes peleles derivados del callismo*, s/e, México, 1947.
ANÓNIMO, *¿Quién es Obregón?*, Librería de Quiroga, San Antonio, Texas, 1922.
BAENA, GUILLERMINA, *Clase obrera en la historia de México*, tomo 7: *En el interinato de Adolfo de la Huerta y el Gobierno de Álvaro Obregón (1920-1924)*, Siglo XXI, México, 1980.
BARRERA, CARLOS, *Obregón, estampas de un caudillo*, s/e, México, 1957.
BASSOLS BATALLA, NARCISO, *El pensamiento político de Álvaro Obregón*, El Caballito, México, 1970.
CASASOLA, GUSTAVO, *Biografía ilustrada del general Álvaro Obregón*, Gustavo Casasola, México, 1975.
CERVANTES, JUAN B., *Obregón ante la historia*, edición del autor, México, 1924.
DÍAZ BABIO, FRANCISCO, *Un drama nacional. La crisis de la Revolución. Declinación y eliminación del general Calles*, Imprenta León Sánchez, México, 1939.
GONZÁLEZ RAMÍREZ, MANUEL, *La Revolución social de México, I Las ideas, La Violencia*, Fondo de Cultura Económica, México, 1960.
HALL, LINDA, *Alvaro Obregón. Power and Revolution in México, 1911-1920*, AM University Press, Texas, 1981.
HISTORIA GENERAL DE MÉXICO, 3a ed., El Colegio de México, México, 1981.
HISTORIA DE MÉXICO, Enciclopedia Salvat, México, 1980.
KRAUZE, ENRIQUE, *Siglo de Caudillos. Biografía política de México. (1810-1910)*, Tusquets, México, 1994.

———, *Biografía del Poder, Álvaro Obregón el vértigo de la victoria*, Fondo de Cultura Económica, México, 1987.

LOYOLA DÍAZ, RAFAEL, *La crisis Obregón-Calles y el estado mexicano,* Siglo XXI, México, 1987.

MASON HART, JOHN, *El México revolucionario*, Alianza Editorial Mexicana, México, 1990.

MATUTE, ÁLVARO, *Historia de la Revolución mexicana 1917-1924. La carrera del Caudillo*, El Colegio de México, México, 1980.

MENA, MARIO, *Álvaro Obregón, historia militar y política,* Jus, México, 1960.

OBREGÓN, ÁLVARO, *Discursos del general...*, Biblioteca de la Dirección General de Educación Militar, México, 1932.

QUIRÓS MARTÍNEZ, ROBERTO, *Álvaro Obregón. Su vida y su obra*, México, 1929.

ROBLETO, HERNÁN, *Obregón, Toral y la madre Conchita,* Editorial Botas, México, 1935.

ROMERO, JOSÉ RUBÉN, *Álvaro Obregón, aspectos de su vida,* Jus, México, 1961.

LA CARAMBADA, O EL PLACER DE LA VENGANZA ORIGINADA POR UNA TRAICIÓN...

BAZANT, JAN, *Breve historia de México: de Hidalgo a Cárdenas (1805-1940)*, Ediciones Coyoacán, México.

GONZÁLEZ OBREGÓN, LUIS, *México Viejo*, Alianza Editorial, México, 1991.

VERDEJA SOUZA, JOEL, *La Carambada, realidad mexicana*, Ediciones Cimatario, Querétaro, 1994.

VIQUEIRA ALBÁN, JUAN PEDRO, *¿Relajados o reprimidos? Diversiones públicas y vida social en la ciudad de México durante el Siglo de las Luces*, México, Fondo de Cultura Económica, 1995.

DEL CLERO MALDITO Y OTRAS TRAICIONES

ACJM: http://orbita.starmedia.com/~acjm/mistica.htm

ADAME, JORGE, *El pensamiento político y social de los católicos mexicanos 1867-1914*, UNAM, México, 1981.

AGUINIS, MARCOS, *La gesta del Marrano*, Planeta, México, 1993.

ALCALÁ, ALFONSO, "La reorganización de la Iglesia ante el Estado liberal", en *Historia general de la Iglesia en América Latina*, Ediciones Paulinas, México, 1984.

BARBOSA, FRANCISCO, "La Iglesia y el gobierno civil", en *Jalisco desde la revolución,* Gobierno del Estado-UAG, 1988.

BASTIAN, JEAN-PIERE, *Los disidentes, sociedades protestantes y revoluciones en México, 1872-1911*, Fondo de Cultura Económica, México, 1989.

BAZANT, JAN, *Los bienes de la Iglesia en México 1856-1875*, El Colegio de México, México, 1971.
BLANQUEL, EDUARDO, "La revolución mexicana", en *Historia mínima de México*, El Colegio de México, México, 1973.
BORAH, WOODROW, *Early colonial trade and navigation between Mexico and Peru,* Berkeley y Los Ángeles, 1954.
BRADING, DAVID, *The first America: the spanish monarchy, creole patriots and the liberal State 1492-1867*, Cambridge University Press, 1991.
CALLCOTT, W. H., *Liberalism in México, 1857-1929*, Stanford, 1931.
——, *Santa Anna*, Norman, 1936.
CANTO CHAC, MANUEL y RAQUEL PASTOR ESCOBAR, *¿Ha vuelto Dios a México? Las transformaciones de las relaciones Iglesia-Estado*, UAM, México, 1997.
CATHER, WILLA, *Death comes for the Archbishop*, Knofp, Nueva York, 1927.
CLENDINNEN, INGA, *Ambivalent conquests. Maya and spaniard in Yucatan*, Cambridge, 1987.
CONGER, ROBERT, *Porfirio Diaz and the Church hierarchy, 1876-1911*, University of New Mexico, Albuquerque, 1985.
COSTELOE, MICHAEL, "Church-State financial negotiations in México during the american war, 1846-1847", *Revista de Historia de América*, núm. 60, México, 1993.
DIARIO OFICIAL, 2 de julio de 1926.
ESLAVA GALÁN, JUAN, *Historias de la Inquisición*, Planeta, México, 1992.
ESPARZA, MANUEL, *Gillow durante el porfiriato y la revolución en Oaxaca (1887-1922)*, SAGEO, México, 1985.
——, "Arzobispo Eulogio G. Gillow", en *A Dios lo que es de Dios*, Alfaguara, México, 1994.
GALARZA, ERNEST, *The roman catholic church as a factor in the political and social history of Mexico*, Sacramento, 1928.
GONZÁLEZ, LUIS, "Un cura de pueblo", en *A Dios lo que es de Dios*, Alfaguara, México, 1994.
IBARRA, ANA CAROLINA, "Los poderes creadores de un instante: José de San Martín", en *A Dios lo que es de Dios*, Alfaguara, México, 1994.
KRAUZE, ENRIQUE, *Puente entre siglos, Venustiano Carranza*, Fondo de Cultura Económica, México, 1987.
——, *Textos heréticos*, Grijalbo, México, 1992.
LARA Y TORRES, LEOPOLDO, *Documentos para la historia de la persecución religiosa en México*, Jus, México, 1972.
LARSON, *New Mexico quest for statehood*, University of New Mexico Press, Albuquerque, 1968.
LAS CASAS, *In defense of the indians*, De Kalb, Illinois, 1974.
LAS CASAS, BARTOLOMÉ DE, *Historia de las Indias*, Agustín Millares Carlo y Lewis Hanke, México, 1951, vol. 3.
LEYES DE REFORMA, *Gobiernos de Comonfort y Juárez*, Empresas Editoriales, México, 1958.

LOMBARDO TOLEDANO, VICENTE, *El clero político en la historia de México*, Centro de estudios filosóficos, políticos y sociales Vicente Lombardo Toledano, México, 1991.

MACKEY, ANGUS, *Spain in the middle ages from frontier to empire 1000-1500*, Londres, 1977.

MARROQUÍN, ENRIQUE, "La disertación sobre los bienes eclesiásticos", en *A Dios lo que es de Dios*, Alfaguara, México, 1994.

MARTÍN MORENO, FRANCISCO, *México Negro, una novela política*, Joaquín Mortiz, México, 1986.

MENDOZA, MARÍA LUISA, *Tris de sol*, Carmen Serdán, Gobierno del Estado de Puebla, 1995.

MEYER, JEAN, *La cristiada,* Siglo XXI, México, 1973.

MORA, JOSÉ MARÍA LUIS, *México y sus revoluciones*, vol. I, México, 1950.

OCAMPO, MELCHOR, *La religión, la iglesia y el clero*, Empresas editoriales, México, 1958.

——, *Obras Completas*, Ángel Pola, vol.I, México, 1978.

OLIVERA, ALICIA, *Aspectos del conflicto religioso 1926-1929*, INAH, México, 1966.

OLIVIERA DE BONFIL, A., "¿Hubo un programa cristero?", en *Boletín del Centro de Estudios para la Revolución mexicana, Lazaro Cárdenas A.C.*, México, 1992.

PENTON, MARVIN, *Mexico's reformation, a history of mexican protestantism*, University of Iowa, 1965.

PLASENCIA, MANUEL, *Cien años de acción social de la arquidiócesis de Guadalajara. El poder social de seis arzobispos tapatíos*, Jus, México, 1968.

POULAT, EMILE, *Catholicisme, democratie et socialisme*, Castelman, París, 1977.

REYES HEROLES, JESÚS, *El liberalismo mexicano en pocas páginas*, selección de Castañón y Granados, Fondo de Cultura Económica, México, 1985.

RICHMOND, W., *La lucha nacionalista de Venustiano Carranza: 1893-1920*, Fondo de Cultura Económica, México, 1986.

ROBERT, RICARD, *The spiritual conquest of Mexico,* Berkeley y Los Ángeles, 1966.

RUIZ CERVANTES, F., "Carlos Gracida; los primeros años difíciles (1914-1919)", en *A Dios lo que es de Dios*, Alfaguara, México, 1994.

——, "Las relaciones oaxaqueñas de un espía carrancista", en *Guchachi'reza,* núm. 18, México, 1984.

SAEZ, CARMEN, "'La libertad', periódico de la dictadura porfirista", en *Revista mexicana de sociología*, México, enero de 1986.

SANTA CRUZ, JOSÉ, *Enrique C. Rebsamen, orientador de la educación nacional, su influencia en Oaxaca*, SEP, México, 1957.

SCHWALLER, JOHN FREDERICK, *Orígenes de la riqueza de la Iglesia en México*, Fondo de Cultura Económica, México, 1990.

TENA RAMÍREZ, FELIPE, *Leyes fundamentales de México, 1806-1967*, México, 1967.

WEBER, DAVID J., *The mexican frontier 1821-1846: the american southwest under Mexico*, Albuquerque, University of New Mexico Press, 1982.

ZERMEÑO, GUILLERMO y RUBÉN AGUILAR, *Hacia una reinterpretación del sinarquismo actual*, UIA, México, 1988.

OTRAS FUENTES

CAMBEROS VIZCAÍNO, *Biografía de José Francisco de Paula Ponciano de Jesús Orozco y Jiménez*, Jus, México, 1966.

El Hijo del Ahuizotle, 4 de septiembre de 1898.

Excélsior, varias ediciones.

El Universal, 4, 11 y 15 de junio de 1925.

HISTORIA DE LOS INDIOS DE LA NUEVA ESPAÑA (México, 1858, fascimilar, 1971).

JOURNAL OF ECONOMIC HISTORY, "Profits and the frontier land speculator", marzo de 1957.

MELCHOR OCAMPO, Nota de la secretaría de Estado y del despacho de Relaciones Exteriores sobre la expulsión del delegado Apostólico, firmada el 12 de enero de 1861.

SECRETARÍA DE GOBERNACIÓN, Circular acerca del matrimonio y el registro civil, fechada el 6 de agosto de 1859.

TRATADO SOBRE LAS JUSTAS CAUSAS DE LA GUERRA CONTRA LOS INDIOS, García-Pelayo, México, 1971.

LA TRAICIÓN EN CONTRA DE EMILIANO ZAPATA

AGUILAR CAMÍN, HÉCTOR y LORENZO MEYER, *A la sombra de la Revolución mexicana*, Cal y Arena, México, 1990.

GARCÍA, CLARA GUADALUPE, *Rojo: del asesinato político de México*, Plaza y Janés, México, 1997.

GILLY, ADOLFO, *La Revolución interrumpida*, Era, México, 1994.

HISTORIA GENERAL DE MÉXICO, 3a. ed., El Colegio de México, México, 1981.

HISTORIA DE MÉXICO, Enciclopedia Salvat, México, 1980.

KRAUZE, ENRIQUE, *Biografía del Poder, Zapata. El amor a la tierra*, Fondo de Cultura Económica, México, 1987.

MASON HART, JOHN, *El México revolucionario*, Alianza Editorial Mexicana, México, 1990.

P. MILLON, ROBERT, *Zapata: ideología de un campesino mexicano*, Ediciones El Caballito, México, 1977.

SILVA HERZOG, JESÚS, *De la historia de México 1810-1938. Documentos fundamentales, ensayos y opiniones*, Siglo XXI, México, 1980.

TARACENA, ALFONSO, *La tragedia zapatista*, Editorial Bolívar, Biblioteca de los Andes, México, 1955.
WOMACK, JOHN, JR., *Zapata y la Revolución mexicana*, Siglo XXI, México, 1985.
ZAPATA: ICONOGRAFÍA, Fondo de Cultura Económica, México, 1982.

FRANCISCO SERRANO Y ARNULFO GÓMEZ: LA OPOSICIÓN EXTERMINADA

AGUILAR CAMÍN, HÉCTOR, *La frontera nómada: Sonora y la Revolución mexicana*, México, SEP-Siglo XXI, 1985.
ALMADA, FRANCISCO, *Diccionario de historia, biografía y geografía sonorenses*, Impresora Ruiz Sandoval, Chihuahua, México, 1952.
ARAGÓN BENÍTEZ, MARÍA ELENA, *La campaña presidencial de 1927: apuntes para la historia del antirreeleccionismo en México* (tesis de licenciatura en Historia), México, Facultad de Filosofía y Letras-UNAM, 1963.
DULLES, JOHN W. F., *Ayer en México: una crónica de la Revolución mexicana, 1919-1936*, trad. de Julio Zapata, Fondo de Cultura Económica, México, 1a. reimp., 1982.
EL UNIVERSAL, "Cómo fue fusilado el general Gómez", México, 7 de noviembre de 1927.
MEYER, JEAN *et al.*, *Estado y sociedad con Calles*, El Colegio de México, México, 2a. reimp., 1996.
OLEA, HÉCTOR, *La tragedia de Huitzilac*, B. Costa-Amic, México, 1971.
SECRETARÍA DE EDUCACIÓN PÚBLICA, *Así fue la Revolución mexicana: los protagonistas*, México, 1985.
VELÁZQUEZ, ROSALÍA, "Serrano y Gómez: la oposición liquidada", *Nuestro México*, núm. 14, México, UNAM, 1984.

MANUEL PELÁEZ O EL PODER CORROSIVO DE LA TRAICIÓN

BARRON, CLARENCE, *The mexican problem*, Hougton Mifflin Co., Cambridge, 1917.
BROWN, JONATHAN, *Oil and revolution in Mexico*, Regents of the University of California, 1993.
CRONON, EDMUND D., *The cabinet diaries of Josephus Daniels (1913-1921)*, University of Nebraska Press, 1963.
DANIELS, JOSEPHUS, *Short-sleeve diplomat*, The University of North Carolina Press, 1947.

DÍAZ DUFOO, CARLOS, *La cuestión del petróleo*, Gómez de la Puente, México, 1918.

DULLES, JOHN, *Yesterday in Mexico: a chronicle of the revolution (1919-1936)*, Austin, 1972.

FABELA, ISIDRO, "La política internacional del presidente Cárdenas", en *Problemas Agrícolas e Industriales de México*, octubre de 1955.

FOX, ALBERT, en *Washington Post*, 28 de marzo de 1921.

FOWLER SALAMINI, HEATHER, *Caciquismo and the mexican revolution: the case of Manuel Peláez*, ponencia de la VI Conferencia de historiadores mexicanos y americanos, 1981.

GONZÁLEZ RAMÍREZ, MANUEL, *Planes políticos y otros documentos*, Fondo de Cultura Económica, México, 1954.

HANINGHEN, FRANCK, *The secret war*, John Day Co., Nueva York, 1934.

KATZ, FRIEDRICH, *The secret war in Mexico*, The Universitiy of Chicago Press, 1981.

LINDER, PETER, *Every region for itself. The Manuel Peláez movement (1914-1923),* University of New Mexico, 1983.

MEYER, LORENZO, *Mexico and the United States in the oil controversy (1917-1942),* University of Texas Press, Austin & London, 1977.

——, *México y los Estados Unidos en el conflicto petrolero (1917-1942)*, El Colegio de México, México, 1972.

ORDOÑEZ, EZEQUIEL, *El petróleo de México*, reeditado en México, 1963.

PRIESTLEY, HERBERT y MOISÉS SÁENZ, *Some mexican problems*, The University of Chicago Press, 1926.

QUIRK, ROBERT, *The mexican revolution (1914-1915),* The Citaed Press, Nueva York, 1963.

ROMERO FLORES, JESÚS, *Anales históricos de la Revolución mexicana*, LibroMex, México, 1960.

ROUAIX, PASTOR, *Génesis de los artículos 27 y 123 de la Constitución Política de 1917*, Biblioteca del Instituto Nacional de Estudios Históricos de la Revolución, México, 1959.

OTRAS FUENTES:

Dallas Morning News, 14 de diciembre de 1941.

El Universal, 12 de julio de 1921.

El Universal, 7 de noviembre de 1927.

El Universal Gráfico, 11, 14 y 15 de marzo de 1924.

El Heraldo de México, 6 de julio de 1921.

The New York Times, 15 de marzo y 16 de noviembre de 1917.

Washington Post, 28 de marzo de 1921.

EL PUEBLO: ¿FANTASMA O TRAIDOR?

FUENTES MARES, JOSÉ, *Biografía de una nación. De Cortés a López Portillo*, Océano, México, 1982.

MARTÍN MORENO, FRANCISCO, *México negro*, Joaquín Mortiz, México, 1986.

MADERO: DE LA ILUSIÓN POR LA DEMOCRACIA… A LA TRAICIÓN

AGUILAR CAMÍN, HÉCTOR, y LORENZO MEYER, *A la Sombra de la Revolución Mexicana*, Cal y Arena, México, 1990.

EL COLEGIO DE MÉXICO, *Historia general de México*, México, 3a. ed, 1981.

ENCICLOPEDIA SALVAT, *Historia de México*, México, 1980.

KRAUZE, ENRIQUE, *Biografía del poder, Francisco I. Madero, místico de la libertad*, Fondo de Cultura Económica, México, 3a. ed., 1987.

MADERO, FRANCISCO I., *La sucesión presidencial*, Fausto Zerón-Medina (coord.), Clío, México, 1994.

MASON HART, JOHN, *El México revolucionario*, Alianza Editorial Mexicana, México, 1990.

BIBLIOGRAFÍA EXTRA

STEIN, STANLEY J. y BARBARA H. STEIN, *La herencia colonial de América Latina*, Siglo XXI, México, 1970.

ÍNDICE